臺灣歷史與文化 研究輯刊

十二編

第 3 冊

臺灣歷史建築文化認同比較之研究
——以日帝總督府國語學校和臺北城文廟府儒學爲例

劉于禎 著

戰後臺籍菁英對政府施政之肆應
——以林獻堂與吳新榮爲探討中心（1945～1955）

黃冠彰 著

花木蘭文化事業有限公司

國家圖書館出版品預行編目資料

臺灣歷史建築文化認同比較之研究——以日帝總督府國語學校和臺北城文廟府儒學為例 劉于禎 著／戰後臺籍菁英對政府施政之肆應——以林獻堂與吳新榮為探討中心（1945～1955）黃冠彰 著─初版─新北市：花木蘭文化事業有限公司，2017〔民106〕

目 2+86 面／目 2+132 面；19×26 公分
（臺灣歷史與文化研究輯刊 十二編；第 3 冊）
ISBN 978-986-485-154-6／978-986-485-155-3（精裝）
1. 殖民地教育 2. 文化認同 3. 日據時期／1. 臺灣政治 2. 國家認同
733.08　　　　　　　　　　　　　106014088／106014089

ISBN-978-986-485-154-6

ISBN-978-986-485-155-3

臺灣歷史與文化研究輯刊
十二編　第三冊　　ISBN：978-986-485-154-6／978-986-485-155-3

臺灣歷史建築文化認同比較之研究
──以日帝總督府國語學校和臺北城文廟府儒學為例
戰後臺籍菁英對政府施政之肆應
──以林獻堂與吳新榮為探討中心（1945～1955）

作　　者　劉于禎／黃冠彰
總 編 輯　杜潔祥
副總編輯　楊嘉樂
編　　輯　許郁翎、王筑　美術編輯　陳逸婷
出　　版　花木蘭文化事業有限公司
社　　長　高小娟
聯絡地址　235 新北市中和區中安街七二號十三樓
　　　　　電話：02-2923-1455／傳真：02-2923-1452
網　　址　http://www.huamulan.tw 信箱 hml810518@gmail.com
印　　刷　普羅文化出版廣告事業
初　　版　2017 年 9 月
全書字數　66842 字／118688 字
定　　價　十二編 13 冊（精裝）台幣 26,000 元

臺灣歷史建築文化認同比較之研究
——以日帝總督府國語學校和臺北城文廟府儒學爲例

劉于禎　著

作者簡介

劉于禎，生於嘉義，畢業於國立台北教育大學台灣文化研究所。喜愛閱讀歷史類書籍，並在研究所期間，在教授的帶領下，大量認識臺灣文化相關文史資料，故於論文題材做相關之研究。現為國小在職教師，希望透過現場教育，也能帶領學生認識自己的土地與文化。

提　　要

　　臺灣社會一直以來，都是典型的移民文化風格。各個世代的開拓者，從海的彼岸，冒險來臺灣這個未知的島嶼開墾、定居、繁衍，直到紮根。過程中，不斷的有不同的統治者出現，但地形及交通上的限制，底下的人民，依舊在不斷換頭家的情況下，凝聚著各族群的血緣或地緣文化關係。一直到日本帝國主義殖民統治時期，交通的南北開通，再加上次等殖民地的壓迫與被歧視，才讓臺灣人開始產生身分認同問題。

　　然日本帝國主義為了將臺灣變成最成功的殖民模範之地與南進亞洲其他地區的基地，對臺灣採取「同化政策」，目標將所有人民臣服於天皇的教化之下。於是，教育機構就成為最有力的洗腦場所。透過初等教育的生活習慣、精神號召、新國民語言的建立，皇民之路可謂不遠矣。

　　教育的潛移默化，是十分驚人的。臺人在日本帝國主義的殖民下，一朝愚民就是五十年，這樣的奴化體制下，即使血腥鎮壓的痛，早已肉眼難見痕跡，然而，皇民化教育的遺毒，卻依然點滴蔓延至今。

　　在日本人的奴化政策與殖民地文化經營下，臺灣人在歧視教育中，自我意識與文化認同的轉變歷程，令人慨歎。在此，希冀透過教育文化、建築層面的研究面向，探討臺灣人從清領到日帝殖民兩階段的教育方式，對臺灣人的認同之轉變與影響，進而還原族群文化認同的改造真相。

目

次

第一章　緒　論

　　「認識臺灣──歷史篇」是我們這個年代的孩子在國中時，第一次接觸到關於臺灣史的專門課程。當時滿腹的疑問是：「為什麼認識臺灣不是從小學階段開始，而是中學才出現？」短短一年的課程，把臺灣史前文化、鄭成功、清領、日據、中華民國在臺灣的歷史結束後，接著又是較常聽聞的中國史、世界史漫長課程。

　　猶記，當初歷史老師曾在臺灣史的課堂上問過我們一個問題：「如果你有機會從曾經統治臺灣的政權（荷蘭、西班牙、明鄭、滿清、日本帝國），可任擇一個國籍移民，你會如何選擇？抑或是留在臺灣？」印象中，日本帝國是壓倒性勝利，願意留在臺灣的竟然寥寥可數，這對當時的我來說，衝擊的是：原來臺灣的原鄉認同意識竟然如此低落，這麼不受國人歡迎；然而，當時的自己，也僅理解到：臺灣人普遍覺得外國的月亮比較圓，可能是國人追求更高生活水準的生活，而對外國較為嚮往，卻不知其背後所以然。

　　現在回想起來這個問題的背後，似乎還隱藏更深層的國家認同問題。當時，國小階段的孩子，可說讀著中國民間故事長大的，因為學校年代久遠，所以圖書館藏書，有許多陳舊的中國故事，所以還沒讀到歷史時，「皇帝唐虞夏商周，秦漢魏晉南北朝，隋唐五代和十國，宋元明清到民國」早已可以琅琅上口。臺灣史，依附在大中國數千年史觀下，似乎顯得微不足道了。

　　或許臺灣人的民族意識的薄弱，最初是移民性格使然，雖然是冒險犯難的精神十足，但也造就了凡事利字為先的個性，因而導致臺灣整體的凝聚性的缺乏，且呈現：無論哪個統治者當權在位！上位者治理你的國家，下位者依舊過我的生活的普遍風氣。

　　然而，國家的風氣、凝聚力，是可以透過教化人民，來達到效果的。故明鄭時期，鄭經延續鄭成功打下的基礎，穩定的在臺灣發展。當時鄭經的第一左右手——陳永華便上書建議鄭經：政經穩定，接著便要教化民風，化民成俗，國家的統治才能更趨理想。於是乎，中國文化的道統精隨，在臺南府城孔廟的建置後，逐步在臺灣扎根。這股儒風，也讓偏安一隅的臺灣士子們，能夠在這蕞爾小島安身立命，中國儒學文化，可說扮演著重要角色。清代，依然也承襲儒家道統意識之傳承，以科舉制度，讓儒學為政治服務，強化忠君愛國與集權的道統思想。

　　也正因如此，乙未割臺對於臺灣士子儒生的衝擊之大，可想而知！一直以來沒有「主心骨〔註1〕」的人，一旦有了國家認同，那面對一股截然不同的殖民勢力與文化侵軋下，衝突行為的形成如果是必然，那反抗行動的產生可謂是必須了。

　　西元1895年甲午戰敗，簽定馬關條約，將臺灣、澎湖割讓給日本帝國後，臺灣人民擁戴臺灣巡撫——唐景崧為大總統，在5月21日成立亞洲第一個共和國——「臺灣民主國」，國號「永清」，並以「藍地黃虎旗」為國旗，企盼著清朝帝國的回首。然而割讓的事實，不容置喙，臺灣民主國終究如曇花一現，淹沒於時代的大潮流中，於西元1895年10月21日宣告瓦解，僅歷時一百五十天；而清朝也終究在國際政治角力下，選擇割臺以求和，於是官方勢力的退出，讓臺灣底層民眾的抵抗意識愈發崛起，縱然被譏為螳臂擋車，也要在反抗起義的風起雲湧中登上舞台，搏命演出。

　　一首「臺灣民主歌」，道盡這段荒唐辛酸的血淚史，且字裡行間充份表露先民反抗異族統治的意志。引用片段歌詞如下：

> 「欽差告老到家中，壞伊手尾唐景松。臺灣千軍萬馬將，一時反背心奸雄。鴻章東洋通日本，卜征滿州光緒君。在伊打算一半允，望卜江山對半分。說到京城李鴻章，奸臣心肝真正雄。本身朝內佐宰相，何用假伊去通商〔註2〕」。

臺灣人民對於乙未割臺的不滿，加諸於簽署馬關條約的李鴻章身上，將其形塑成通敵賣國的大奸臣。即使割台的決議完全不容李鴻章置喙，但臺灣人民

〔註1〕可依靠的核心力量。老舍《月牙集·新時代的舊悲劇一》：「父親是他的主心骨，像個活神仙似的，能暗中保佑他。」

〔註2〕曾子良：《臺灣歌仔冊四論》，臺北市：國家出版社，2009，頁58。

的憤憤不平，在臺灣歌仔的庶民文化創作中，表露無遺；臺灣意識的凝聚，在這個時代的轉換中，慢慢凝聚出雛型。清末到日本帝國統治階段，臺灣人在文化意識認同上，是個轉捩點。亙久以來，先民們用血汗開拓著臺灣這塊土地，而其所構築出來的移民與開拓之歷史事蹟，卻囿於移民文化的斷裂與局限性，導致我們對自己賴以生存的社會文化，不但頗疏於認識，更可說是缺乏深刻的認知與認同。史明曾在臺灣人四百年史的書中自序中言道：「因為缺乏對臺灣歷史發展的認識，所以我們臺灣人當中的一部分人（特別是知識份子）的臺灣人意識，必然的帶有濃厚的脆弱性。結果，造成了四百年來始終不能擺脫外來殖民統治的慘境〔註3〕」。

　　進入臺灣文化教學研究所修習碩士學位的過程中，有賴臺灣史與臺灣文化、文學等專業領域的教授帶領下，逐漸對臺灣瑰麗的歷史背景與文化寶藏有了更深刻的概念，且也在國立台北教育大學臺灣文化研究所楊孟哲教授的課堂中，透過其著作《太陽旗下的美術課：台灣日治時代美術教科書的歷程》之研讀，與其對於日本人殖民最血淋淋的結語：「武夫遍地殺戮，皇民詩書改造」的震撼下，對這些年來，自己看著臺灣與日本帝國之間剪不斷、理還亂的特殊情結之疑惑，有了豁然開朗的認識及理解。原來，教育的潛移默化，竟如此驚人！莫怪乎，臺人被日帝奴化了五十年後，血腥鎮壓會過去了，皇民化教育下的遺毒，卻點滴蔓延到今日。

　　到底，在日本人的奴化政策與殖民地文化經營下，臺灣人是如何在歧視教育中，產生自我意識與文化認同的轉變？在拜讀了楊孟哲教授的《太陽旗下的美術課》一書，讓我萌生探究這段過渡時期的動機。希冀從教育文化、建築層面，探討臺灣人從清領到日帝殖民兩階段的教育方式，對臺灣人的認同之轉變與影響，這便是本篇論文探討契機的原因始末。

第一節　研究動機與目的

　　十九世紀中葉以後，臺灣北部的茶葉及樟腦成為外銷國際的貿易大宗，甚至已經有逐漸超越南部蔗糖業的趨勢，於是全臺的經濟命脈開始有北移的趨勢。這時適逢清代官員沈葆楨因同治十三年（西元 1874 年）的牡丹社事件的善後需要，正奉清朝之命來臺灣處理日帝撤軍的問題。巡查期間，他觀察

〔註 3〕史明：《臺灣人四百年史》，加州：蓬島文化公司，1980，自序。

到臺灣在經濟和政治領域上的發展趨勢，特別是經濟重心，已經悄悄由南部的臺南轉往臺北，且親眼見到北部貿易的盛況後，更是有所感悟：臺灣的精華所聚，將會是在北部，而此地將成爲西方帝國主義勢力的覬覦之處，在戰略及經濟地位上實在是不容小覷。

　　光緒二年（西元 1875 年），沈葆楨便以「編制不足、土壤日闢、口岸岐出、生聚日繁、駕馭難周、政教難齊」等六大理由，上奏光緒皇帝，建議清廷在臺北設府，將臺灣北部規劃成爲一台北府城，下方管轄三縣（當時的淡水縣、新竹縣、宜蘭縣）。一方面可以將原本艋舺、大稻埕等繁榮的街市連成一氣，用以穩定茶葉和樟腦經濟的發展；另一方面，更可以練兵與設置砲台，進一步鞏固基隆、淡水一帶的海域邊防，達到保衛臺灣北部的效果〔註4〕。於是，在光緒皇帝的核准下，允許了沈葆楨的奏請，並指示了建城的原則，臺北城的興建才正式定案。

　　臺北府建府之初，是由丁日昌擔任福建巡撫，他先至基隆、艋舺一帶來觀察臺北地形；沈葆楨認爲：

　　　　「臺北盆地群山爲屏，溪流縱橫，沃壤平野，西至海口三十里，可
　　　　達八里、淡水兩港，與福建省城遙遙相對，是臺灣北部之鑰，乃至
　　　　府的理想地點」；第一任臺北府知府林達泉更以：「此地四山環抱、
　　　　山川交會，創建府治於此，實足收山川之靈秀，蔚爲大觀〔註5〕」。

其說辭認可了臺北府周圍山明水秀，又有觀音山與大屯山的屏障，爲良好設府地點，於是，這些論點撫平了部分地方仕紳對地點的疑慮，大力促成了臺北府治地點設在臺北盆地內的決議。最早爲臺北建城作規劃的是福建巡撫岑毓英，他的中國風水觀是以恆常不動的北極星作爲建城工程的基準點，在任期間完成部分公共建設，但城牆並未動工；第二任知府陳星聚開始，始建造了考棚等眾多官方建築，並同時期也大興土木的開始計畫興建臺北府的城牆。陳星聚號召臺北的富商和巨賈們來出錢出力，到了光緒七年（西元 1881年）與北臺灣仕紳、商人進行協議，完成了整個建城計畫，光緒八年（西元1882 年）正式開工。動工期間因爲中法戰爭，法軍侵犯臺灣與臺灣道官員劉璈爲「巒頭學派」的風水觀擁護者，因其善於勘輿之術，他認爲岑毓英的規劃，台北城「後無祖山可憑，一路空虛，相書屬兇」，故而將城的角度和座

〔註4〕莊展鵬主編：《臺北古城之旅》，臺北市：遠流，1992，頁 18～19。
〔註5〕李乾朗：《臺北古城門》，臺北市：北市文獻會，1993，頁 18～19。

向更動為與子午線呈十多度的特殊角度等因素，讓臺北城興築的過程延宕直至光緒十一年（西元 1885 年），雖然當時外患不斷，列強侵凌，在官民仕紳仍努力籌措資金、合力經營，歷時三年，始大功告成〔註 6〕。據德國人辛慈的研究指出，臺北城是中國最後一座依風水建造的城市，然壽命卻僅存 28 年。

臺北城的建成後，首任臺灣巡撫——劉銘傳在光緒十一年到光緒十七年（西元 1885 年至西元 1891 年）辭職離台期間，短短七年中，大刀闊斧與銳意革新的經營下，不但重新規劃街道，更在重要府衙與街道上裝設電燈，臺北城規模的完整與市井街道的繁榮景象，甚至有「小上海」的美稱。這時的臺北城身兼省城、府城、縣城的三重角色，地位非比尋常，且比起同時期的中國城池，更具現代化都市格局，其具備傳統中國城市的四項必備條件，包括：信仰——如城隍廟、天后宮、文廟、武廟等；教化——如登瀛書院、明道書院、考棚、西學堂、番學堂等；治道——如巡撫衙門、布政使司衙門、臺北府衙等；生意——也就是市街〔註 7〕。臺北城的光景，在光緒二十年（西元 1894 年）的中日甲午戰爭，清廷戰敗後一夕變天，次年的馬關條約於春帆樓簽訂，清廷正式拱手讓出臺灣、澎湖，做為停戰求和的犧牲品，悲憤的臺灣人，惟恐淪落異族統治而倉促成軍組成的「臺灣民主國」，不到半個月光景，在臺灣巡撫兼臨時總統唐景崧的潛逃下，勢同瓦解，於是整個臺北城陷入無政府狀態，盜賊橫起，人心惶惶。當地仕紳李春生等人衡量既成局勢底定，決定迎請日軍進城，做為安撫，鹿港商人辜顯榮更自告奮勇，單身赴基隆獻上情報：請求日軍盡速前往臺北城維持治安，於是，日軍從澳底登陸後，不僅有人一路引導到臺北城外，更有人在城牆上放下竹梯，供日軍攀登而上〔註 8〕，因此，日本帝國絲毫不必攻城作業，其近衛師團不費一兵一卒，就大軍壓境，蜂擁進入了臺北城。從此，臺北城「太陽高掛，黃龍不再」。

令人諷刺的是，日本人進城後，成為了臺北城的新城主，並在城內宣布始政開始，而堅決不落入異族統治的反抗義軍、義民們，為了驅逐日人政權，不得不反攻臺北城。抗日軍的圍城壯舉，企圖打開臺北城牆的缺口，然而遭受居高臨下的日軍頻頻射擊，潰不成軍。這座漢人政權為了奠定臺北基業，

〔註 6〕 李乾朗：《19 世紀台灣建築》，臺北市：玉山社，2005，頁 140～143。
〔註 7〕 莊展鵬主編：《臺北古城之旅》，臺北市：遠流，1992，頁 24～26。
〔註 8〕 莊展鵬主編：《臺北古城之旅》，臺北市：遠流，1992，頁 27。

而耗資白銀一磚、一瓦、一石心血堆砌的臺北城,竟成了保護日人的最佳屏障,這也是築城之初史料未及的境地。然而日本人卻絲毫不感念臺北城的功勞,美其名爲現代化建設,更深的顧慮在於防備城內人民一心思慕漢人文化、前朝光景,即便在急需階段暫時以清代建築留下來充用,但對於舊建築極不尊重,以至於破壞的情形十分嚴重。日本人以都市現代化爲由,開始毀壞城廓、修築道路,爲了剷除根植人心的歷史文化意識,而不遺餘力的逐步拆毀城內具有歷史意義的建設;以執行都市更新之名,拆城開路,將卸下的三萬多條城牆石,用來佈設排水幹道、監獄圍牆和新式建築基座,清代臺北城內的官署、寺廟,如巡撫衙門、臺北府署、文廟、武廟、天后宮等歷史建築,悉數被拆毀殆盡,而由象徵殖民統治者權威和文化的總督府、總督府博物館、臺北公會堂、國語學校等取代〔註9〕,蘊含中華文化意涵的臺北城,從此日帝化、殖民化。

其中臺北府儒學,俗稱文廟(大約在今日北一女中與臺北市立大學位址),是台北最早的孔廟,大約與臺北城同時建造,主要奉祀孔子和文昌帝君,可說是臺北地區讀書人的精神中心與依託〔註10〕。在其建築周圍,爲求肅穆莊嚴的學術氣息,文廟周圍甚至是沒有商業市街的,對面僅有一座供奉關公的武廟(今天司法大廈一帶)相對,中間隔著一條名爲文武街的街道(今日重慶南路一段的南段)。日本帝國主義殖民初期,日軍佔領文廟,充作步兵第八部隊兵營〔註11〕,及臨時衛戍病院〔註12〕(軍醫院)使用,不但破壞了裡面的孔子及諸賢牌位〔註13〕,禮器、樂器等器皿一攫而空〔註14〕,而後更將原址改爲殖民總督府國語學校,擴充師範部,僅在校內設一間小廟,供奉孔子及四配、十二哲牌位〔註15〕。

〔註 9〕 高傳棋編著:《穿越時空看臺北:臺北建城 120 週年:古地圖 舊影像 文獻 文物展》,臺北市:北市文化局,2004,頁 3。
〔註10〕 莊展鵬主編:《臺北古城之旅》,臺北市:遠流,1992,頁 86～87。
〔註11〕 高傳棋編著:《穿越時空看臺北:臺北建城 120 週年:古地圖 舊影像 文獻 文物展》,臺北市:北市文化局,2004,頁 113。
〔註12〕 徐逸鴻繪著:《圖說清代臺北城》,臺北市:貓頭鷹出版,2011,頁 121。
〔註13〕 同註4,頁 86。
〔註14〕 洪伯溫:《台北古蹟探索——台灣史蹟源流系列之一》,臺北市:龍文出版社,1992,頁 93～94。
〔註15〕 同註14,頁 94。(四配:即是復聖顏回、宗聖曾參、述聖孔伋、亞聖孟軻。孔廟祀典在未有「四配」之前,原先有「十哲」。「十哲」是根據《論語》「從我於陳蔡間」一章中的弟子而名,計爲「德行一顏淵、閔子騫、冉伯牛、仲

圖 1-1　臺北府儒學	圖 1-2　總督府國語學校供奉孔子等先賢牌位
臺北府儒學（又稱文廟）清光緒六年（西元 1880 年）知府陳星聚捐貲興建，隔年七月大成殿落成，至光緒十六年（西元 1890 年）方始全部竣工。 （引自黃金土主編：《臺北古今圖說集》，臺北市：臺北市文獻委員會，1992，頁 141）	總督府國語學校興建後，僅存五坪大小供奉臺北城文廟中的孔子等先賢牌位。 （引自黃金土主編：《臺北古今圖說集》，臺北市：臺北市文獻委員會，1992，頁 141）

在中華文化傳統裡，城市中建設孔廟，猶如學校中設有禮堂，對傳統讀書人來說，是精神中心所在。孔廟之始，於春秋魯哀公在山東曲阜見孔子廟，至唐貞觀十一年（西元 673 年）詔尊孔子為宣父，並令各州縣都立孔子廟；唐玄宗開園二年（西元 714 年），追諡孔子為文宣王，廟號文宣王廟，明永樂以後稱文廟。文廟的大成殿奉祀至聖先師孔子，有四配，又列十二哲。臺灣在明鄭時期，永曆十九年（西元 1665 年）即建設第一座孔廟於臺南承天府，並附設學校。清代府縣創建的孔廟——臺北城文廟，設府儒學於其中，入學廩生定三十名，增生，附生定員準之〔註 16〕。其歷史淵源與文化教化的意義

弓；言語―宰我、子貢；政事―冉有、季路；文學―子遊、子夏。」其後，顏子配享，補上曾子，曾子配享後，一說補上朱熹，一說補上張，又嫌遺漏有若，兩位皆屬《論語》裡的熱門人物，最後補上子張、有若和朱熹，由「十哲」改為「十二哲」。）

〔註16〕生員分為三種：成績最好的是廩生，有一定名額，由公家發給糧食；其次是增生，也有一定名額；新「入學」的稱為附生。每年由學政考試，按成績等第依次升降。

淵源流長，然而日本帝國軍隊進城後，不但棄禮、樂如敝屣，更拆毀文廟做
爲國語學校，日本人拆毀官設教育機構的意圖顯然不單單是都市建設而已。

　　清代的臺北城文廟是爲官設的文化教化之地，臺北府儒學更是莘莘學子
的憧憬進入的官立學校。日本人占領文廟後，先以軍隊駐紮損毀建築，拆除
大部分建築，更在原地改建總督府國語學校。其中透露了統治者殖民當局的
態度。在前後兩任政權的轉移之間，透過官設臺北城文廟及府儒學與殖民總
督府國語學校兩造建築的比較，有很多值得討論的地方。

　　本論文的研究目的如下：

一、探討臺灣儒學制度的歷史背景與教化功能。

二、總督府國語學校的歷史背景及殖民教育。

三、分別探討臺北城文廟、府儒學和總督府國語學校興建的時代背景和
　　經過，從而探討其中的文化認同問題。

四、分析臺北城文廟、府儒學和總督府國語學校對統治者與人民的意義。

五、藉由兩時期的建築，了解建築的文化意涵，發覺兩者存在的意義及
　　對臺灣人民的影響。

西元1880年臺北城文廟、府儒學

芝山巖惠濟宮在西元1895年被日帝整修作為芝山巖國語傳習所

西元1896年臺灣總督府國語學校

西元1919年臺灣總督府台北師範學校

西元1927年臺灣總督府台北第一師範學校

西元1945年臺灣省立臺北女子師範學校

西元2013年臺北市立大學

市立大學文廟遺址

第二節　研究方法與史料探討

　　本文試以歷史文獻分析法，以歷史文獻與資料蒐集爲主，同時輔以相關
報導、期刊等資料進行對照和補遺，並以歷史比較研究法進行分析研究。現
今研究中，尚未有以「臺北府儒學、文廟」和「總督府國語學校」兩者的認
同問題作專題研究，關於「臺北府儒學、文廟」的史料及文獻研究資料並不
豐富。或只考據建築經過、拆遷後的敘述，或只概述拆除過程，相較之下，「總
督府國語學校」的史料及研究文獻則相對完整一些，但大多爲教育史內容的
論述，以兩建築作爲專題研究，並著重對統治者及人民的認同意識分析的研
究，較少有人談及，且並不完整，同時比較兩不同時期建築的認同問題研究
更屈指可數。即使如此，他們均留下史料，並足以供後人作參考應用，茲分
述如下：

一、臺北城文廟及府儒學

　　位於臺北城中南門麗正門內西側，文武街旁的臺北城文廟，內設府儒學，
於清光緒五年（西元 1879 年）創建，日本帝國主義時期，因日軍進駐損壞嚴
重，並在明治四十年（西元 1907 年）遭到盡數拆毀。關於臺北城文廟的史料
紀載並不多，嘗試從各種史料：《臺灣文獻叢刊》，及臺灣各類方志：《臺灣府
志》、《重修臺灣府志》、《臺灣縣志》、《重修臺灣縣志》、《台灣省通志稿、《臺
北志》等，中找出相關的一手史料記載，來重建臺北城文廟、府儒學的興建
歷史脈絡。

> 「本市有正式之學校，蓋自文甲書院之建創始。道光十七年（西元
> 1837 年），同知婁雲議建文甲書院艋舺，林國土老願獻基地以供使
> 用，不幸因案中止，延至道光二十三年（西元 1843 年）同知曹謹方
> 續成之。二十七年總督劉韻珂巡臺至艋舺，異其名爲學海書院，同
> 知曹士桂親爲山長，本市之學校機構，始有可觀；然承天府（臺南）
> 學院之創置，已落後一百七十有餘年矣。唯本市之教育事業，著手
> 雖遲，而其發展則頗爲迅速。光緒元年（西元 1875 年）設臺北府於
> 本市，五年（西元 1879 年）即創建淡水縣儒學於學海書院內，六年
> （西元 1880 年）臺北府儒學即登瀛書院，亦相繼成立〔註17〕」。

〔註17〕周百鍊監修／洪炎秋纂修：《臺北市志 卷七 教育志學校教育篇、社會教育
　　　　篇》，臺北市：臺北市文獻委員會，1962，頁 1～2。

府學又稱府儒學（因儒家經典為學校教育的重心），西元 1880 年建成的臺北府儒學，據記載，每年能夠有十三個閩籍生、五名粵籍生，共十八名童生名額入學。台灣建省後，劉銘傳上奏增廣入學名額，獲增粵籍生一名，共計十九名。府儒學通常依附文廟而建，故形成文廟、明倫堂、教諭及生員宿舍的整組建築群，有的地方甚至將名宦、鄉賢、昭忠、節孝祠，這些有益世道人心、同樣具有教化意味的祠廟也蓋在一起，這是一種儒家禮制的文化彰顯。臺北府的禮制建築群就位於城內大南門附近，開口亦面南而向，因南方主文運之故，其中文廟是整個建築群的主體，設有府學及明倫堂〔註 18〕，整體建築比例「重廟輕學」，顯示當時祭祀較教育功能為重。

　　文廟因主祀孔子，又被稱為孔廟。西元 1895 年日軍據臺之初，文廟成了步兵軍營與臨時醫院所在地，其建築群開始遭受破壞與損毀，最終於明治四十年（西元 1907 年）孔子誕辰時，同時舉行「聖像」的遷移典禮，孔子的「聖像」就此被遷居到五坪大小的地方供俸。

　　關於文廟拆毀、國語學校興建的經過和消息，在當時的報紙，如《臺灣日日新報》，可以找到相關報導的記載；《總督府公文類纂》檔案等，也有相關敘述，可供脈絡爬梳，日帝時期的文獻保存較完整，故藉由史料及文獻資料的整理，期待能整理出對整個文廟建築群的拆除及改建為總督府國語學校的始末及脈絡。

二、總督府國語學校

　　日本帝國殖民時期的教育事業始於日本派兵登陸澳底，西元 1895 年 6 月 14 日攻占台北城後，17 日便舉行始政典禮。總督府之下設有總督關房（即秘書處）及民政、陸軍、海軍三局；民政局之下，設有內務、外務、殖產、學務、遞信、司法七部，其中學部的任務是掌管關於教育相關的事項。學務部成立之初，由於官方和人民語言不通的關係，政令的推行便難以順利進展，所以在教育的方針上面，第一要務便是著重於日本語的教育推行。當時的學

〔註18〕明倫堂，顧名思義為「明人倫」，在康熙四十二年（西元 1703 年）的〈台邑明倫堂碑記〉記載：「自有人類，即有人心；有人心，即有人理，即若天造地設，而有明倫堂。苟斯堂之不立，則士子講經無地，必至人倫不明，人理泯而人心昧，將不得為人類矣。」可知明倫堂是生員上課的地方，亦即「左學右廟」的「學」之所在。明倫堂前必定立「臥碑」，上刻學規二十條，用以約束學生員的言行舉止。

務部長伊澤修二，曾向總督樺山資紀上呈一份臺灣教育意見書，其中陳述臺灣的教育方針應當分爲兩方向途徑：

第一爲目下急要之教育事項；第二爲永遠之教育事業。

所謂目下急要之教育事項：

（一）開拓彼我思想交通之途徑：此須使本地人速習日本語，同時亦須使移往臺灣之日本人，學習日常所需之方言。

（二）使一般人民週知尊崇文教之主意：應俟各地秩序稍復，即行頒發尊崇文教之告諭；注意保護文廟，並予以尊崇；不破壞中國歷朝所採用之科舉考試之方法，盡量加以利用，例如採用當地人民爲下級官吏時，可舉行考試，其考試科目中，可列入初步之日語。

（三）注重宗教與教育之關係：待遇耶穌教宣傳師等之方法，不可有誤；須使本土派來各宗派之布教師，在適當之範圍內，從事布教。

（四）應考察當地之人情、風俗：教育在於醇化人心，故需涉歷各種社會，深察其人情、風俗，以設立可以適應之教育法。

所謂永遠之教育事業：

（一）應在總督府所在地，設立師範學校，並附設模範小學

（二）應編輯師範學校用及小學校之教科書

（三）應在各縣所在地漸次設置師範分校，並附設模範小學校

（四）俟總督所在地以及各縣所設之模範小學校，臻於完整，應漸次在各地設置小學校

（五）俟師範學校之學科臻於完備時，應並設農業、工業等實業科

〔註19〕。

所以當時民政局對這伊澤修二這些建議，在回應的報告中，發表了兩點教育方針：（一）設立日本語學校，漸次普及普通教育；（二）尊崇學者。

日語學校創設於明治二十九年（西元 1896 年）4 月 1 日，但實際教學傳授日語的地方，尚未建置於城內，而是在風景頗佳，且有開漳聖王廟可以供利用，所以先在士林芝山巖上成立芝山巖學堂，到了 5 月 21 日總督府才明令

〔註19〕周百錬監修／洪炎秋纂修：《臺北市志 卷七 教育志學校教育篇、社會教育篇》，臺北市：臺北市文獻委員會，1962，頁 26～27。

指出日語學校應設置本校在臺北市城內，而設置第一附屬學校在士林地區，第二附屬學校在艋舺地區，第三附屬學校在大稻埕地區。

　　同年 7 月 11 日，日本當局將總督府國語學校事務所遷移到艋舺舊學海書院內，處理有關創設的相關事務；12 月 25 日於臺北城內南門街，開始著手建築校舍，隔年明治三十年（西元 1897 年）9 月 11 日竣工，10 月 20 日舉行開校典禮，即今天的臺北市立大學前身〔註20〕。

圖 1-4　臺灣總督府國語學校（一）

明治三十年（西元 1897 年）十月落成的臺灣總督府國語學校，即今日愛國西路臺北市立教育大學前身。

（何培齊文字編撰／國家圖書館閱覽組編：《日治時期的臺北》，臺北市：國家圖書館，2007，頁 132）

圖 1-5　臺灣總督府國語學校（二）

總督府國語學校後改稱臺灣總督府臺北師範學校，建築前後對照圖。

（何培齊文字編撰／國家圖書館閱覽組編：《日治時期的臺北》，臺北市：國家圖書館，2007，頁 133）

　　由此建築的流變可以觀察到：透過總督府國語學校於臺北城內興建過程，與當時其頒布的相關殖民教育政策來分析殖民統治者透過教育建築的興建、教育制度的灌輸，對臺灣人民的主體意識之影響與文化認同的改變。

第三節　研究範圍

　　清代臺北府城內的官制公有建築包括官署（巡撫衙門、布政使衙門、府衙門等）、教育設施（明道書院、登瀛書院、臺北府儒學等）、祠廟等等，在

〔註20〕周百鍊監修／洪炎秋纂修：《臺北市志 卷七　教育志學校教育篇、社會教育篇》，臺北市：臺北市文獻委員會，1962，頁 28。

日本帝國主義殖民時期遭到拆毀、改建者眾多，新舊建築間的關聯與對人民產生的影響非常值得思考及探討。在本篇文章中將著重於「臺北城文廟及府儒學」和「總督府國語學校」爲研究範圍，放在一起做爲比較研究分析與論述，並針對這兩時期建築建築作爲研究範圍的原因分述如下：

一、時間軸上的連貫性

日本帝國主義統治時期的「總督府國語學校」是由清代「臺北城文廟及府儒學」原址改建而來的，明治三十年（西元 1897 年）將原建於城內的文廟全數拆除後，即改建成國語學校，兩者之時間軸上是連貫而沒有斷層的。

二、設置地點的一致性

「總督府國語學校」的設置，即是將臺北城內文武街一側之上規模完整齊備的文廟、府儒學、明倫堂等同屬於臺北城文廟群原址拆除後，原地興建成日帝殖民教育事業中之「永久事業」之城內教育中心——「總督府國語學校」，一方面訓練日人任職於國民學校和師範學校，一方面爲本島人役員和通譯提供完整的日語基本訓練，兩者的空間場域上具有不可分割的一致性。

三、角色功能的差異性

清代的「臺北城文廟及府儒學」，即當時城內官方教育設施（官學）所在，負責主持科舉考試與文廟的春秋祭典。清代官府正式設立的學校稱爲官學，依照各級行政組織，在中央設有國子監，在地方則府設府學、縣設縣學。學校與科舉考試制度密不可分，要參加科舉考試的人，必須先進入官學，並且在官學裡通過測驗，才算取得科舉考試的資格。府學通常依附文廟而建，是爲表彰傳統儒家禮制觀念，故「臺北文廟及府儒學」具有祭祀和教化功能。

而日帝初期將文廟整體改建成的「總督府國語學校」，則採日、臺人歧異之二元教育制爲主，其區分日帝內地和殖民地教育的雙軌制教育系統，不但帶有濃厚的統治色彩，亦是一種愚民政策的體現。

四、強弱角色的轉換性

中國文明自古即爲中原文化中心，主宰與影響著周遭國家與地區的發展。致滿清末年，因爲鎖國自封，盲目以爲中央上國，導致積弊腐敗，成爲

列強蠶食鯨吞的對象；相較之下，日帝適逢明治維新，在列強的侵軋下，走向革新道路，並積極西化，透過富國強兵、殖產興業與文明開發來加入現代化的帝國主義集團，並倡導「脫亞入歐」，走向強國行列，廢除與列強簽定的不平等條約，擠進以帝國主義侵略它國的殖民國家之一。中國與日帝在十九世紀末產生的角色轉換，肇因於當時國際情勢的變遷，與因應態度為重要原因。

第二章　清朝時期的臺北城文廟和府儒學

　　臺灣儒學緣起於明鄭時期建立了第一座廟學開始，當時的思想繼承南明儒學與經世致用之學傳統為主軸。清代是發展期的開始，經過兩百多年的墾殖，儒學在臺灣這塊土地上扎根、拓展，此期則以福建朱子學為主流，並與臺灣的異文化（原住民文化）邂逅，與民間信仰（如文昌帝君）的遭遇，和移民社會的互動下，發展出臺灣的儒家學派。臺北城文廟和府儒學，可以說是清代時期臺北地區的儒家教育中心，文廟象徵著儒家士子尊孔、祭孔的中心信仰，而府儒學則是培育讀書人科舉考試、求取功名與經世致用的教育場所。本章節透過儒學的興起到傳承與扎根的歷史脈絡，來說明清代時期的儒學教育是如何透過這些教育場所，在臺灣扎根，進而讓人民產生認同，來做出發，再進而談論臺北城文廟和府儒學這兩個代表性建築，在時代中的興建背景與討論其教化功能和特別的時代意義。

第一節　鄭氏時期儒學制度的歷史背景

　　連雅堂在《臺灣通史‧藝文志》中提到：「鄭氏之時，太僕寺卿沈光文始以鳴詩，一時避難之士，眷懷故國，憑弔山河，抒寫唱酬，語多激楚。君子傷焉〔註1〕」。晚明、南明之際，因百姓面臨國家的朝政已趨敗壞之時，正是國家民族的危急存亡之秋，是故，現實因素也讓讀書人民族精神、情感開始展現，一掃空談心性的學習風氣，開始以經世致用之學為主軸。於是，明鄭時期的儒學開始走向經學、經世之學為主要核心，這與晚明、南明時代精神

〔註 1〕 連雅堂，《臺灣通史‧藝文志》，頁 587。

有相當大的關連性。

一舉攻克荷蘭人，占領台灣的鄭成功，即是在這樣的時代中嶄露頭角。他的教育思維，也連帶的影響了占領台灣後的學術風向。鄭成功（西元 1624～1662 年）在七歲時候，被父親鄭芝龍從日本帝國接回中國，是他正式接受儒家教育的開始，曾經有史書記載他「性喜春秋，兼愛孫吳。制藝之外，則舞劍馳射；楚楚章句，特餘事耳〔註 2〕」。在十一歲的時候，曾經以「灑掃應對」爲題，有以下這句經典的創作「湯、武之征諸，一灑掃也；堯、舜之揖讓，一進退應對也〔註 3〕」。當時的先生還相當驚艷其文句中的新意。

而由上述這些語句中，也可以發現鄭成功在儒學教化下，傾向經世致用的經世派思維。由此思想推測看來，鄭成功年少受到儒學的教化，以及對《春秋》深入骨髓的愛好，也成就他日後抵死抗清，一心認中原漢族唯正統之觀念，且一直到退據臺灣島後，也將儒家教育思想的基礎帶進臺灣社會中。鄭成功的儒生身分，也展現在崇禎十三年（西元 1644 年）吳三桂引清軍入關後。

他和許多當時的儒生一樣有哭孔廟、焚儒服的儀式動作，孔廟成爲儒生集體或個別抗爭行爲的出發地點，孔子成爲儒生表明心跡或是宣讀「捲堂文」的對象。捲堂文類似今日學生的抗議或罷課宣言。在鄭亦鄒的《鄭成功傳》中，說到鄭成功對父親的的降清：

> 「既力諫不從，又痛母死非命，迺慷慨悲歌，謀起師。攜所著儒巾
> 襴衫，赴文廟焚之。四拜先師，仰天約『昔爲儒子，今爲孤臣；向
> 背去留，各有作用。謹謝儒服，唯先師昭鑑之。』高揖而去。褙旗
> 糸扎族，聲淚俱并〔註 4〕」。

在清兵入關後、北方淪陷以後，哭孔廟、焚儒服在南方儒生階層中是十分普遍的儀式化行爲。儒生因爲尙無官職可守，哭廟與焚儒服的行爲是爲了表示抗議，以及永不出仕的決心〔註 5〕。

鄭成功的儒生身分，也讓他對於人才培育相當重視，所以他在攻取臺灣之前，就曾在永曆八年（西元 1654 年）設立儲賢館和育冑館來培育人才，前

〔註 2〕 江日昇，《臺灣外紀》，臺北：世界書局，1979，頁 39。

〔註 3〕 江日昇，《臺灣外紀》，臺北：世界書局，1979，頁 39。。

〔註 4〕 鄭亦鄒，《鄭成功傳》，臺北：臺銀經濟研究室，臺灣文獻叢刊第六十七種，1960，頁 6～94。

〔註 5〕 陳國棟，〈哭廟與焚儒服：明末清初生員層的社會性動作〉，《新史學》第三卷第一期，1992，頁 66～94。

者招納優秀的文人之士與儒生，後者收容陣亡忠臣的後裔，亦曾資助諸生赴粵西參加永曆南明政權所舉辦的科舉考試。

　　雖然鄭成功在攻下臺灣島之後，在還沒有立刻積極展開文教建設時，便因病辭世，但其深厚的儒家家學淵源與他對於傳統文人賢士（如：沈光文、徐孚遠、曹雲霖、張煌言等文人，而這些文人多為北人，在政治上主張恢復社稷，匡復神州，也由於這些文人的移居風氣的引領）的禮遇，使得臺灣成為反清復明運動的人文薈萃之地，對臺灣的文教發展，有著相當大的貢獻；而他的兒子鄭經，也承繼其發展，在陳永華的輔佐與採納其「須擇地建立聖廟，設學校，以收人才，庶國有賢士，邦本自固，則世運日昌矣〔註6〕」！的建議下，積極展開了鄭氏治台時期的教育文化事業。

　　所以說陳永華可謂在臺灣的儒學教育建立上，扮演著舉足輕重的角色。陳永華（西元 1634～1680 年），字復甫，是明朝福建省泉州府同安縣人，乃明末舉人陳鼎之子。陳永華十五歲時，他的父親便是擔任同安縣教諭，而在清兵入閩時，不幸殉國。這樣的家學淵源，也讓陳永華在鄭成功廈門開府時，永曆十年（西元 1656 年）受到兵部侍郎王忠孝的推薦，與鄭成功論政。

　　陳永華對鄭成功發表見解、分析未來，深得鄭成功的賞識，並讚譽他「復甫乃今之臥龍也」，並且還授予了「諮議參軍」的職務，並委任陳永華做為其子鄭經的老師，日後便順理成章的成為鄭家麾下的謀將〔註7〕。

　　而明鄭時期，正式發展起文教事業，就是在陳永華說：「培育人才為國家之本，且臺灣沃野千里，民俗醇厚，只要三十年的生聚教訓，就可以有眾多的人才輩出，來助理君王，治國固邦，並與中原地區的滿清對抗〔註8〕」，於是說服了鄭經的，並且開始正式展開在臺建聖廟（即孔廟）、興學校的文教措施，藉以廣泛的吸收人才。

　　「開闢業已就緒，屯墾略如成法，當速建聖廟，立學校」鄭經以為

　　「荒服新創，不但地方促狹，而且人民稀少，姑暫待之將來」永華

〔註6〕潘朝陽，《儒家的環境空間思想與實踐》，臺北市：臺大出版中心，2011，頁152。

〔註7〕參自網路資料：
http://zh.wikipedia.org/wiki/%E9%99%B3%E6%B0%B8%E8%8F%AF_%28%E6%98%8E%E6%9C%9D%E5%B0%87%E9%A0%98%29，維基百科，2014/01/17。

〔註8〕江日昇，《臺灣外紀》，臺北：世界書局，1979，頁236。

復申辯説:「非此之謂也,昔成湯以百里而王,文王以七十里而興,
豈關地方廣闊。實在國君好賢能,求人材以相佐理耳!今臺灣沃野
數千里,遠濱海外,且其俗醇,使國君能舉貢以理,則十年生聚,
十年教訓,三十年眞可與中原相甲乙,何愁促狹稀少哉,今既足食,
則當教之!使逸居無教,何異禽獸?須擇地建聖廟,設學校,以收
人才。庶國有賢士,邦本自固,而是世運昌矣〔註9〕」。

所謂「今既足食,則當教之」就是出自於論語。

子適衛,冉有僕。子曰:「庶矣哉。」冉有曰:「既庶矣,又何加焉?」
曰:「富之。」曰:「既富矣,又何加焉?」曰:「教之〔註10〕」。

如果人口多而不富有,則民心不安定,所以要讓人民有恆產、減稅收,讓人
民富有。只是富有而沒有教育,則人民不知禮義廉恥,沒有向心力,國家不
會強盛。自古治國者皆有教學之所:禮記:「古之教者,家有塾、黨有庠、術
有序、國有學。」陳永華認爲,民生既然已富足,就必須實施教化,否則人
民無教化,豈不是跟禽獸沒有兩樣。於是,陳永華開始推廣儒家思想,爲其
治國的經世致用之學。

康熙五年丙午(明永曆二十年,西元 1666 年)正月,建立先師聖廟
成(今臺灣府府學是也),旁置明倫堂。又各社令設學校延師,令子
弟讀書。議兩州三年兩式,照科、歲例開試儒童。州試有名送府,
府試有名送院;院試取中,準充入太學,仍按月月課。三年取中試
者,補六官内都事,擢用陞轉。三月,經以永華爲學院長、葉亨爲
國子監助教,教之、養之。自此臺人始知學〔註11〕。

永曆二十年(西元 1666 年)臺灣第一座孔子廟建於承天府的卓仔埔(今臺南
市南門路),即今日臺南孔子廟,也是第一座官立的儒學學堂,人稱「全臺首
學」,並於其旁設置明倫堂,儒家倫理道德教育開始在臺灣紮根。

另外在地方上設立學校,只要年滿八歲就要入學。陳永華還制定科舉辦
法,在天興州、萬年州,每三年有二次州試,照科舉方式取儒童,州試上榜

〔註 9〕 江日昇,《臺灣外紀》,臺北:世界書局,1979,頁 236。

〔註10〕 網路資料:
http://ctext.org/analects/zi-lu/zh?searchu=%E5%AD%90%E9%81%A9%E8%
A1%9B%EF%BC%8C%E5%86%89%E6%9C%89%E5%83%95%E3%80%82,
節錄自中國哲學書電子計畫,2015/11/17。

〔註11〕 江日昇,《臺灣外紀》,臺北:世界書局,1979,頁 236。

送府學，府試上榜送院學，院試上榜始可入太學〔註 12〕，合格後通過府試、院試，最後到進入太學就讀，以培養政府所需要的人才，並且每月還按課考試一次，三年取中試的人，可以捕授六官內都事，還有拔擢與升遷的可能。此外為推動漢化，陳永華對於入學的原住民，特別免除他們的徭役。這種將學校與考試合一的文官考選制度，也更有利於學校的普及與儒家文化的根植。

　　由於陳永華的高瞻遠矚，在草創期的臺灣社會中，積極展開慘澹經營的教育事業，而臺人自始奮學，且讀書風氣大開，其收到的效果卻是有目共睹的，甚至到進入清代版圖後，中進士者，有不少都是來自陳永華興學期間所培育出來的儒生。這也讓傳承自中國傳統的儒家文化，逐漸開始在臺灣生根茁壯。

第二節　臺北城內文廟及府儒學的興建與教育政策

　　中原地區自古以來的教育宗旨，承繼著以孔子之道的儒家教育為依歸，這是歷代流傳下來所研習的軌跡，然而因為朝代及統治者的不同，又有因朝制宜的情況出現。

　　而滿清政權在入主中原後，也在教育的制度上，訂下了相關規定如下：

　　（一）「順治九年立臥碑於各省府縣儒學明倫堂，曉示生欽定教條」。

　　（二）「是年頒發欽定六諭」。

　　（三）「康熙九年頒布上諭十六條」。

　　（四）「雍正元年欽頒聖諭廣訓」。

　　（五）「乾隆元年有以獎勵書院，養成人才為急務之上諭」。

　　（六）「乾隆五年欽頒大學訓飭」。

　　（七）「乾隆四十四年有釐正文體上諭」。

　　（八）「乾隆五十三年有禁絕小說淫書上諭等〔註13〕」。

本著滿清統治下推行教育的宗旨，在臺灣歸于清代版圖後，也當然依循著如此的規範，以施行學制。但是又由於臺灣島位處的地理位置特殊，所以在教育制度上，除了設立府縣儒學的學宮，並在各儒學主要祭祀孔子與舉辦相關

〔註12〕陳清敏、黃昭仁、施志輝：《認識臺灣》，黎明文化事業，1996，頁 120。
〔註13〕臺灣省文獻委員會，《臺灣省通志稿 卷五 教育志制度沿革篇 全一冊》，北市：捷幼，頁 16。

典禮之外，更設有朱子祠，甚至在書院更將朱子定位爲主要祭祀的神位，因爲朱子學的教化遍及福建閩南地區，而臺灣也隸屬於此，所以深受影響之故。

全臺的學務，均屬於學政提督主管統轄；舉凡考試批閱，府縣學教授官員的任命，秀才的黜陟，經費等皆然。而學政官一開始是由滿漢御史兼任管理，後來歸給臺灣道，到清朝末年的時候才又改歸給臺灣巡撫來兼任管理，且又在學政之下附設了提調官使，由知府兼任，專門管理調派教授、學生、教諭、訓導等四種教官，並通稱這四種教官爲老師。

儒學本身宗旨在於教育人才興舉有賢德之士。大清會典中明文訂定的儒學制規曰：「直省府縣衛，各於所治立學，皆祀先師，以崇矩範，闢黌舍以聚生徒，時肄習以廣衛業，勸訓迪以儲人才〔註14〕」，這說明了府縣廳儒學的設立，正是爲了：「（一）建學宮來祭祀先師，以作爲尊崇規矩的典範，就是兼有古代祭祀先聖、先師孔子禮儀的用意在（二）設立明倫堂來指導生員〔註15〕」，並兼有執行官方授課之意，而其第一個目的就是要樹立教學淵源地，第二目的就是當作地方的最高學府。

按學宮規制，自古以來就有一定的形式：位置南面，外繞泮池，中央爲大成殿，側有東西兩廡，殿後建有崇聖祠，且附設名宦祠，鄉賢祠，大成殿中間祭祀孔子，東西兩側祭祀四配十二哲，東廡從而祭祀先賢四十，先儒三十一；西廡從而祭祀先賢三十九，先儒三十，崇聖祠則祭祀孔子的先世五代，通例上以清朝的歷代皇帝帝王親筆爲匾額。

臺北城文廟正式依循著如此規範設立。文廟即俗稱的孔子廟，昔日亦有聖廟的稱號，是用來祭祀孔子及孔門四聖、十二哲、七十二賢的地方。

在光緒五年（西元 1879 年）時，建造在今天臺北市中正區的臺北市立大學鄰近重慶南路的校園內（清代臺北城內的文武街旁），光緒七年（西元 1881 年）時，相關建築如儀門、大成殿、崇聖祠竣工，並且在同年秋天，於新建文廟舉行釋奠大典。光緒八年（西元 1882 年），又再有鄉紳提議捐款，招募工人建造義路、禮門、欞星門、泮池、東西兩廡、萬仞宮牆等部分，在光緒十年（西元 1884 年）才告完工。而光緒十四年（西元 1888 年）增建明倫堂、

〔註14〕 臺灣省文獻委員會，《臺灣省通志稿 卷五 教育志制度沿革篇 全一冊》，北市：捷幼，頁17。

〔註15〕 俗稱秀才。是中國、朝鮮、越南的科舉中經過院試，得到入學資格的士人，也是士大夫的最基層。對府、州、縣學生員也稱庠生。

教授署；光緒十六年（西元 1890 年）再建名宦祠、鄉賢祠，臺北城文廟工程至此才正式齊備〔註16〕。

　　孟子曰：「夏曰校，殷曰序，周曰庠，學則三代共之，皆所以明人倫也〔註17〕」。這種以明人倫作為教育政策制定的根本精神，不獨三代有之，自漢唐以降，一直傳到清代，都仍然被遵循不廢，所以清代各地府縣儒學，甚至在臺灣，也都沒有例外。

　　這樣的建築模式體現了對至聖先師的尊崇之外，更有闡揚聖德之意，所以學宮慣例上懸掛著皇帝所題的匾額：

　　　「康熙為『萬世師表』，雍正為『生民未有』，乾隆為『與天參地』，
　　　嘉慶為『聖集大成』，道光為『聖協時中』，咸豐為『德齊幬載』，同
　　　治為『聖神天縱』，光緒為『斯文在茲』〔註18〕」。

而明倫堂，則實施月課，指導生員以準備科考。

第三節　臺北城內文廟及府儒學的教育功能

　　臺灣在明末鄭成功驅走荷蘭人，開始在臺灣進行一系列的土地拓墾和政治推行之後，發展的方向開始由南而北，逐步展開。當然在教育措施的實行上，也是依循著拓墾的方向由南而北。所以今日的臺北市，雖然在教育水準及各項標準上，遙遙領先於全臺縣市地區，但在臺灣剛開始草創及開墾階段，可謂是落後地區，當時的承天府的位置在陳永華的奏請下，早於永曆二十年（西元 1666 年）正月就有於卓仔埔設立聖廟，並且為臺灣官立學校的嚆矢。

　　然而相較於臺南地區的發展，當時的臺北仍屬於未開發的邊陲蠻荒地帶，一直要到五、六十年後，北部地方才漸漸因為閩粵地區移民的聚居，人煙開始日漸繁稠，風氣才有逐漸開化。一直到道光十七年（西元 1837 年），同知婁雲議建文甲書院於艋舺，因某些原因終止，直至道光二十三年（西元 1843 年）同知曹謹方接續完成，道光二十七年（西元 1847 年）總督劉韻珂巡臺到艋舺時，將其名稱易名為學海書院，當時的同知親自擔任山長，臺北地

〔註16〕《臺北市志 卷八 文化志 勝蹟篇》，頁 18～19。
〔註17〕《孟子新解》，北市：旭昇，頁 115。
〔註18〕 網路資料：
　　　　 https://zh.wikipedia.org/wiki/%E5%BE%A1%E7%AD%86%E5%8C%BE%E9%A1%8D，維基百科，2015/10/01。

區的學校機構才始有可觀。當然，相較於臺南承天府學院的發展，已經落後一百七十幾年了。

然而，臺北地區的發展雖然延遲許多，整體起飛的速度卻是相當快的。光緒元年（西元 1875 年）時設立臺北府後，光緒五年（西元 1879 年）即創立淡水縣儒學於學海書院內，光緒六年（西元 1880 年）臺北府儒學及登瀛書院，也相繼成立。

臺北城府儒學及文廟的設立，也在於提供明倫堂做爲指導生員，實施月課，以做科考的準備外，更重要的即是學宮中，官方對於孔子的祭典。當時在臺灣所舉行的官方祭典，可說是清代各省版圖中最爲隆重的。

這大概是和臺灣爲清代新收歸版圖下的領土，民風尚且粗俗剽悍，非常需要教化有關，而透過此典禮的舉辦，希望能達振作儒家風氣的作用，已達到化民成俗的功用有關。

那又爲何有這樣子移風易俗的教化功能呢？這可以從清代臺灣儒學、書院建置中的碑記作品中得到印證。

> 「自有人類，即有人心；有人心，即有人理；有人理，即若天造地
> 設，而有明倫堂。苟斯堂之不立，則士子講經無地，必至人倫不明，
> 人理泯而人心昧，將不得爲人類矣（中略）。成之日，用進諸生於堂
> 而告以斯堂取義明倫之旨，爲落成慶。乃環顧文廟又已掃地傾圮，
> 方在選材鳩工、平基定向，爲創建文廟之舉，適行取銓部命下，而
> 子因是不得盡心竭力於其間。雖然，人之欲善，誰不如我，文廟之
> 成，固有待也。獨斯堂之役，費稟於官，役不病民，向之曠然者，
> 今幸巍然其在望矣。義不可無一言以記〔註19〕」。

文中提到的明倫堂之設立，取其名的用意即爲後世儒家子弟，爲了彰顯孟子提出的學校教育的目的：「明人倫」；而所謂「明人倫」就是「父子有親，君臣有義，夫婦有別，長幼有序，朋友有信」。後世也稱爲「五倫」。孟子著眼於處理好五種最基本的人際關係，其目的在於維護上下尊卑的社會秩序和道德觀念。

〔註19〕臺銀經濟研究室，《臺灣歷史文獻叢刊 臺灣教育碑記》，南投：臺灣省文獻委員會，1994，頁 1～2。

「予謂五經與五倫相表里者也。倫於何明？君臣之宜直、宜諷、宜進，宜止，不宜自辱也；父子之宜養、宜愉、宜幾諫，不宜責善也；兄弟之宜怡、宜恭，不宜相猶也；夫婦之宜雍、宜肅，不宜交謫也；朋友之宜切、宜肅，不宜以數而取疏也。

明此者，其必由經學乎？潔淨精微取諸易，疏通知還取諸書，溫厚和平取諸詩，恭儉莊敬取諸禮，此事屬辭取諸春秋。聖經賢傳，千條萬緒，皆所以啓錯性靈，開叢原本，爲網紀人倫之具，而弦誦其小也。顧諸生執經請業，登斯堂顧名思義，期於忠君、孝親、信友、夫義婦聽、兄友弟恭，爲端人，爲正士，毋或徒習文藝，恣睢佻達，以致敗名喪檢，爲斯堂羞；庶幾不負予所以首先建立斯堂之意〔註20〕」。

這是當時的臺灣知縣陳璸在康熙四十二年（西元 1703 年）著手重建文廟完工時所題下的〈臺邑明倫堂碑記〉，雖說是著重在陳述其建造明倫堂的一番用意，然細讀其文字，提及五倫，而五倫正是中國傳統儒家的理論原則之一。

「倫」是指人與人之間的關係；「理」是指該遵守的原則。所謂五倫即是：「父子有親，夫婦有別，君臣有義，長幼有序，朋友有信。」與五經：《詩經》、《尚書》、《禮記》、《周易》和《春秋》之理，沒有一個不是用「倫常之理」來教化民心〔註21〕。

然而在官學的設置下，不免俗的會出現「以政治干預學術」的影子所在。這樣的例子早在順治九年（西元 1652 年）就已經出現，並頒行於各省、府、州、縣之儒學明倫堂的臥碑文：

「生員立志，當學爲忠臣、清官，書史所載忠清事蹟，務須互相講究。……軍民一切利病，不許生員上書陳言；如有一言建白，以違制論，黜革治罪。生員不許糾黨多人，立盟結社，把持官府，武斷鄉曲。所作文字，不許妄行刊刻。違者聽提調官治罪〔註22〕」。

言論自由及結黨立盟的禁止，也可以看出在這樣的教育機構下，清朝謹記晚明時期，抗清知識份子結集而遭到儒生階層反抗的教訓，於是在統治之初，

〔註20〕　臺銀經濟研究室，《臺灣歷史文獻叢刊 臺灣教育碑記》，南投：臺灣省文獻委員會，1994，頁 1～2。

〔註21〕　陳恬龢校釋、國家教育研究院主編，《臺灣教育碑記校注》，臺北市：臺灣書房，2011。

〔註22〕　劉良璧，《重修臺灣府志》，臺灣省文獻會，頁 1。

雖然同樣尊儒，但卻以培養順民爲主要目的。康熙三十三年（西元1694年），分巡臺廈道兼理學政高拱乾纂修的《臺灣府志》中，也出現帝王宰制後，儒士儒臣所表現出來的順從意識形態：

> 「今天下車書大一統矣！我皇上仁德誕敷，提封萬里；東西朔南，莫不覆被。顧臺灣蕞爾土，遠在海外，游氛餘孽，蔚爲逋藪，煢煢番黎，茫然不知有晦明日月。（中略）我皇上好生如天，以普天下皆吾赤子，悉忍獨遺？二十一年，特命靖海將軍施公率師討平，郡縣其他。（中略）數年以來，聲明文物，駸駸乎與上國比隆〔註23〕」。

逢迎阿諛清代帝王的意味濃厚，又以輕浮鄙視的態度將明鄭臺灣說得十分不堪，對臺灣原住民更是橫加侮辱，並且大放厥詞到臺灣可比「與上國比隆〔註24〕」，也盡是往臉上貼金，欺瞞世人之舉，畢竟清代初期臺灣吏治可謂典型官腐吏壞的行政區。然而，這依然不能否認的是，府儒學在推崇文教時，確實有其教育功能在。

第四節　臺北城內文廟及府儒學的時代意義

若要談及文廟建築和府儒學的時代意義說明，我們可以從回頭檢視儒學教育說起。自先秦時代，孔子開展他的教育學說以來，經過西漢時期，董仲舒說服漢武帝「獨尊儒術，罷黜百家」後，儒學成爲中國傳統的中心思想。在這其間，雖然歷經了玄學、佛學等不同學說的傳播與威脅，但到了宋明理學後，又再度將儒學發展推向了另一高峰。這樣的學術威權情況，一直至清代末年才備受挑戰。然而這期間，儒家文化與道統，早已宰制中國達數千年之久。

那麼儒學制度與教育理念，究竟是曾幾何時，開始在身爲清朝的化外之地的臺灣扎根，且縱觀南北，各地都有儒學、書院、文廟等儒家教育的機構在臺灣各地開枝散葉。到底當時的儒學機構與教育，帶給台灣人的時代意義爲何？

根據清代史的資料指出，滿清在建立王朝以後，也同前朝的明代政權一

〔註23〕潘朝陽，《臺灣儒學的傳統與現代》，臺北市：國立臺灣大學出版中心，2008，頁93。

〔註24〕潘朝陽，《臺灣儒學的傳統與現代》，臺北市：國立臺灣大學出版中心，2008，頁93。

般，為了鞏固政權和安定社會，繼續推行科舉制度，於是教育的設施也隨之而建立。其中約可分類為官方的府縣儒學、半官方的書院和私人的義學、社學、書院三種。這些教育機構的終極目的都在於協助士人應考科舉。

　　因為「士人」即希望出「仕」，這早在中國的至聖先師孔子時，就樹立了典範。但為官出仕之前，首先要是個士人，「士」即是「讀聖賢書」者。古代先聖先賢又大半是孔門後裔，孔子又以私人講學起家，私人講學的地點，就是書院。後來書院也成了公家性質。臺灣受到漢文化的影響，也到處可以見書院林立。而書院正是體現儒家思想精隨的地方，以清乾隆六年（西元 1741年）的海東書院其所訂下的師生奉行座右銘六規律為例：

1. 明大義：君臣之義，重綱常。「台地僻處海表，自收入版圖以來，秀者習詩書，樸者勤稼穡。而讀書之士，知尊君親上，則能謹守法度，體國奉公」。

2. 端學則：白鹿洞之「居處必恭、步立必正、視聽必端、言語必謹、容貌必莊、衣冠必整、飲食必節、出入必省、讀書必專一、寫字必楷敬、几桌必整齊、堂室必潔淨」。

3. 務實學：明禮達用，深厚凝重氣質。「出可以為國家效力宣猷，入亦不失為端方正直之士」。

4. 崇經史：學六經，士不通經則不明理。而史以記事，歷代興衰治亂之跡，與乎賢佞忠奸，喜可為法，惡可為戒者，罔不備載。舍經史而不務，雖誦詩文千百篇，不足濟事。

5. 正文體：「理必程朱，法則先王。我朝文運昌明，名公巨篇，汗牛充棟；或兼收博採；或獨宗一家」。

6. 慎交友：以文會友，以友輔仁。敬業樂群，切磋有益。「少年聚會，不以到異相規，而以媟褻相從，德何以進，業何以修？稂秀害嘉禾，不可不察」。對師生亦有律約。「為學當尊敬先生。若講說，皆需誠心聽受；如有未明，從容再問，毋妄行辯難。為師者，亦當盡心教訓，勿致怠惰；軍民一切利病，不許生員上書陳言；如有一言建白，以違制論，黜革治罪〔註25〕」。

從代表人物孔子和孟子的一字說明中，就可以看出其內涵要旨：孔曰成「仁」，孟曰取「義」；「仁義」這兩個字反映的是人的品德，而並非是知識。所以重

〔註25〕莊金德，《清代臺灣教育史彙編》，台北：臺灣省文獻委員會，頁 724。

德輕知的結果，衍生出了所謂的「泛道德主義〔註26〕」。

　　而「明大義、端學則、務實學、崇經史、正文體、愼交友」，這些點的歸納，正是充分展現了儒家思想中重視泛道德主義的現象，且重德輕知。這些點除了可以在上述文字中尋得脈絡之外，也體現在當時的民間信仰、一般大眾和知識分子的觀念和習俗之中，例如：「臣一心無二志」、「忠臣不事二主」的愚忠情懷；「男主外，女主內」、婦女的「在家從父，出嫁從夫，夫死從子」的男尊女卑，而男人又以「忠君尊孔」及敬長孝親爲風氣〔註27〕。

　　這樣的統治理念之下，即便身爲「異族」的滿清政權，也可以充分得到人民的認同。於是，街頭巷尾傳唱著「勸世歌」，忠孝節義的故事深植民心；於是，男人們薙髮留辮，反抗的精神也逐漸消弭。

　　於是，在長達兩百一十二年的大清帝國儒化之後，連臺灣一些自認爲有骨氣的讀書人，只在口裡不做清官，但卻偷偷的跑到福建參加大清帝國所舉辦的科舉，希望謀求一官半職，連橫就是其中之一；而在臺灣被李鴻章說成「男無情，女無義，鳥不語，花不香」的倭寇出沒的地帶，並請割讓給日本後，臺灣人成立臺灣民主國時，仍採國號「永清」。這種孺慕中國的情節，可以說是儒學所帶來的「明人倫」效應，根植在臺灣人心中。孔子所謂「禮」其核心是「正名」。在孔子看來：「名不正，則言不順；言不順，則事不成；事不成‧則禮樂不興；禮樂不興，則刑罰不中；刑罰不中，則民無所措手足。」所以，孔子提出「君君，臣臣，父父，子子」作爲「正名」的具體內容。爲君者要使自己符合於君道，爲臣者要符合於臣道，爲父者要符合於父道，爲子者要符合於子道，而這也形成了讀書人的核心文化認同觀念。因此，臺灣人民在日本帝國主義殖民下，大家激憤而群起起義反抗之舉，讀書人尤甚，可謂不無道理。

〔註26〕林玉体，《臺灣教育史》，臺北：文景書局，頁32。
〔註27〕林玉体，《臺灣教育史》，臺北：文景書局，頁43～45。

第三章　日帝時期的總督府國語學校

　　西元 1895 年 4 月 17 日，馬關條約簽訂後，臺灣島嶼正式割讓給日本帝國，即便有臺灣民主國的成立，抗日志士們的起義，仍然抵擋不了日本人緩慢的向南推進。同年 10 月 19 日，日軍迫近臺南府城，劉永福潛逃廈門，曇花一現的民主國就此走入歷史，從此臺灣人完全在日本人控制之下，並且以臺北爲首都，成立了殖民軍政府。而在這一時期的日本帝國，正值明治維新後的新氣象階段，深深感受到教育是創建新國家、從事國民統合的重要武器，因此在占領了臺灣後，也決定將這套明治維新以來，在日帝實驗成功的學習體系引進殖民地臺灣。

　　本章節先從日帝殖民時期的統治策略談起，探討日帝殖民階段，各個時期對於臺灣的政策實施與變化，並述及教育面的影響；接著以臺灣總督府國語學校爲核心，說明當時教育政策上的差別內涵與同化的原則，來說明殖民教育政策，並比較其中日本人學校制度與殖民地臺灣的教育政策之差異性與灌輸給殖民者的意識形態呈現。

第一節　日帝殖民時期的統治策略

　　日本人占據台灣的五十年間，他們統治臺灣基本上以警察和兵備爲兩主力，輕重緩急適時度的運用；而對臺策略上，大體則分爲三大階段；表面上看來，這三個階段都有很大的轉變，甚至截然不同，而且相互矛盾的。樺山資紀進占臺灣以後，到佐久間久馬太，對臺灣人都是採取綏撫方式來謀求安定，所以對於臺灣人原本有的風俗習慣，則聽任自然，並不加以干涉，而到

了明石元二郎便所有轉變，初任文官總督田健治郎接任之後則更顯著，他們都正式聲明其施政方針是「同化政策」、「內地延長主義」，以後的臺灣總督沿襲這個方針，到七七蘆溝橋事變後，他們更變本加厲，把前面的這個方針更推進一步，大力推行所謂的「皇民化運動」，不但要消滅臺灣人的民族意識，還要在臺人生活習慣風俗上，也都要放棄向來的傳統樣式，完全和日人「同化」，做個「眞正」的日本人。

然而，不管日帝的殖民政策怎麼轉變，對臺灣「殖民地化」，並以榨取臺灣來養肥日本帝國的原則是不變的。從這一觀點看來，這三大階段大致反映著那個時代的日帝和國際的局勢潮流。

第一階段，即綏撫時期：第一任總督樺山資紀侵臺開始，就採用武力鎮壓各地的風起雲湧抗日活動，一方面部署他們的「統治」機構，設法如何榨取；一方面則「安撫」居民，對於臺灣人原有的風俗習慣，無暇干涉，美其名爲「尊重」，實際則因爲兵馬倥傯，一切措施都在建立臺灣爲其殖民地的第一步，這種政策一直維持到第六任總督安東貞美，大概沒太大變更。

第二階段，即所謂同化政策及內地延長主義時期：這一時期是自第一次世界大戰結束後到西元 1937 年蘆溝橋事變前後的政策。這一時期之初，民主思潮和民族自決的倡導瀰漫全世界，日本帝國由東亞的一個小國急速發展，擠進世界五大強國之群，他們對自身國力不但深具信心，且野心勃勃。臺灣的知識份子在這種情勢的影響下，已有新的覺醒。第七任總督明石元二郎洞察了時勢的趨向爲了攏絡臺人，使「統治」順利，臺人受其奴役，從上任開始，即聲明此後應該採取同化政策，要求臺人跟日人「同化」，做名符其實的「日本帝國國民」。他的用意，不外乎是要臺灣人服服貼貼的供日本人使喚。他們所有的「治臺」政策，以後大體都沿著這一條路線在走。

第三個階段，即是皇民化政策時期：西元 1937 年，日帝軍閥暨霸占東北之後，在華北蘆溝橋故意製造事端，掀起侵略戰爭。後來泥足深陷，甚至喪心病狂的，更跨進一步，去發動太平洋戰爭，這對日本人來說，也是賭上國的孤注一擲。在這種情況下，他們不但需要眾多的人力，更需要物資來源，而臺灣這個寶島殖民地，便成爲他們人力、物力的最佳挹注和驅使。可是臺灣要能供應日人驅使，最好是能完全的「日本帝國化」，一來可以與他們眞正的同心協力，二來也可以免除殖民地趁機動亂的後顧之憂。於是日本人對臺人由同化政策更前進一步，對臺推行所謂的「皇民化運動」，強迫臺灣人在生

活習慣樣式上，也要放棄漢民族固有的傳統，改用日式，如：常用日本語文，改成日本姓名，供俸日本神明，衣食住等方面也要學習日本帝國的方式，以期能徹底的「皇民化」。這一種政策一直到臺灣光復前夕，還在雷厲風行當中〔註1〕。

日本人處心積慮要攫取臺灣的最大目的，不外是要在獨佔形態下，確保原料的供給地和推銷本國的生產市場，以及進一步以此為根據地，謀求更多的發展。1925 出版的「臺灣年鑑」緒言中，曾有段文字可以做為日帝殖民臺灣的最佳註解：「山有喬木，海有龍鼈，野有穰穰，五穀稔熟，百禾離離。富源無盡滅之期，寶庫任人開發。退而足為兒孫謀百年之計，進而可伸南方經略之大志〔註2〕」。

不過臺灣畢竟是日本帝國主義興起的第一個殖民地，所以在沒有統治殖民地經驗及事前沒充分準備下，當馬關條約一簽訂後，便顯得手忙腳亂，各方議論建議固然很多，但要怎麼「統治」，怎樣才會「管」得好，並沒有明確的政策以及施政方針，到第四任總督兒玉源太郎任職時，依然如此。西元 1901 年民政長官後藤新平在學事諮詢會議上，演講他的臺灣教育方針，就曾有一段話談及臺灣教育方針：「世界列強在佔領期領土以前，都有五年或十年的準備工作，而且日本佔領臺灣，事前並無任何準備，大部分的日本人對於殖民地或新版圖的統治，毫無經驗，所以當佔領臺灣的時候，有關統治的建議，積案如山，所謂大方針等的大文章，雖然滔滔數千萬言，而究竟無一足取〔註3〕」。另外，他還答覆了治臺方針的詢問，就是「以無方針為方針〔註4〕」。

所以說，不論他們的施政怎樣演變，但基本政策是一貫的；他們以密布的警察網作為後盾，強力的警察制度控制全臺；另一方面，則從教育著手，透過普及普通教育來訓練臺灣人，授以基礎知識，來建設標準殖民地，以貢獻大日本帝國。

〔註1〕彭煥勝，《臺灣教育史》，臺北市：麗文文化，2009。
〔註2〕臺灣年鑑編輯委員會，《臺灣年鑑復刻本》，臺北市：李萬居，1954。
〔註3〕臺灣風物雜誌社，《臺灣風物第二十七卷》，頁39。
〔註4〕周婉窈，《海洋與殖民地台灣論集》，台北：聯經，頁163。

第二節　總督府國語學校的殖民教育政策

　　日本人用征服者的姿態占據台灣後，在政治上將日本人及臺灣人中間畫了一條線來統治。除了經濟上要盡量剝削之外，當然也不會忘記在精神上也要支配臺灣人。而精神上的支配，最重要的手段，無非就是教育。

　　伊澤修二是臺灣殖民教育的首位推手，他早在樺山資紀被內定為臺灣的首任總督時，就曾在廣島與樺山資紀會晤，並就新領地的教育方針提供自己的意見。伊澤修二在日本帝國當地，本來就是位知名教育界人物，於是明治二十八年（西元 1895 年）5 月 21 日制定臺灣總督府暫時條例的同時，也被任命為總督府民政局的代理學務部長，並且在 6 月 17 日舉行始政儀式的當日，就借臺北大稻埕的一間民房，展開他的教育事業。

　　伊澤修二在上呈給樺山總督的意見書中，將臺灣這個新領地的教育方針，大體分「目前急要之教育關係事項」及「永遠的教育事業」兩個途徑。

　　「目前急要之教育關係事項」主要分做四大項，其中和語言政策有關的，就是開宗明義的一大項：廣開彼此之間的思想交通途徑，又細分成兩項說明：

　　「甲、設法讓新領地人民盡快學習日本話；乙、設法讓從本土（日本）移住過來的人民學會日常生活所需的臺灣方言〔註 5〕」。伊澤修二所有教育手段和方法，為的就是去達成他的這兩項目標，他提出：

　　（一）編輯近要適切的會話書；這事項上所需之人員為：通「彼方言」、支那南邊語、英、法、德語以及漢文學者。

　　（二）廣開日本語與彼方言傳習之途；與此有關的設備，可利用不用的官衙做為傳習所，通譯官做為師資（日本語之傳習生），主要招收新領地人民中有志做官者、以及擁有中等以上社會地位者的子弟，彼方言之傳習生，主要招收總督府之屬員以及總督府所許的人，在傳習所外亦可廣開日本語傳習之途〔註 6〕。

另一面，在「永遠的教育事業」規劃上，對於臺灣的學制，有一些初步的規劃，但並沒有隻字片語提到關於臺語教育的問題。

〔註 5〕李園會，《日據時期臺灣教育史》，臺北市：國立編譯館，頁 17～20。
〔註 6〕周婉窈，《海洋與殖民地台灣論集》，台北：聯經，頁 163。

　　西元 1895 年 6 月 26 日，學務部移設到士林附近的芝山巖，伊澤修二秉著「目前急要之教育關係事項」第一大項所立的原則，對本島的教育方針，再次的做了銳意的考量，做成了「學務部施設事業意見書」上呈民政局長，在這一意見書中，共提到：「（一）有關教育事項（二）圖書編輯（三）國語傳習所設立要領（四）教員講習所設立要領（五）模範小學校設立要領〔註7〕」。

　　伊澤修二在創立臺灣學制時，將其一「緊要事業」，即急需緊急建設的事業機構。又分為講習員之培育及國語傳習等兩種。講習員之培育分為教師之培育與新領土官吏之培育兩種。國語傳習則是為了培養臺灣人成為了解日帝文化的一份子，進而成為認同日帝，傳達日帝文化的支持者。其規劃列舉如下：

第一、緊要事業

總督府講習員　　當前首屆招募

　　目的：訓練國語傳習所、師範學校的教師，以及會與原住民接觸的政府官員。

　　講習員：預訂七十五人。

　　甲種（儲備教師）：五十人。

　　乙種（培養官吏）：二十五人。

　　（甲種）

　　學科：土語、國語教授法、土人教育方案、體操、唱歌等。

　　修業年限：大約四個月

　　畢業後具備之資格：擔任國語傳習所、師範學校等之教諭，助教諭，訓導等職。

　　（乙種）

　　學科：土語、支那尺牘和公牘、體操等。

　　修業年限：大約四個月。

　　畢業後具備之資格：可擔任行政各部門文書堡衛官員。

國語傳習所

　　數量：共計十六所，全島各地都需設立。

〔註 7〕周婉窈，《海洋與殖民地台灣論集》，台北：聯經，頁 163。

目的：教授土人國語，作爲地方行政設施之準備，並建立基礎教育。

（甲科生）

學科：國語（日語）、讀書、作文。

修業年限：六個月

畢業後具備之資格：可擔任街道、村莊和堡衛之官員，或在書房傳授國語。

（乙科生）

學科：國語（日語）、讀書、作文、習字、算術、（地理、歷史、音樂、體操）

修業年限：四年

畢業後具備之資格：可從事任何公私業務，也可進入高等學校就讀〔註8〕。

第二爲永久事業，即是必須逐步完成之事業。永久事業的方面在於設立國語學校及師範學校。國語學校是培育日籍教師和新領土統治工作者的機關，師範學校則是培育臺籍教師爲目的的機構。列舉以下說明：

第二、永久事業

1. **總督府國語學校**　現有一所，將於翌年四月開課。

（甲）師範部

目的：培育現有國語傳習所、師範學校的教師和小學校校長之人才，與研究本島普通教育方法。

學科：修身、教育、國語（日語）、漢文、地方語、地理、歷史、數學、簿記、理科、音樂、體操。

學生：預訂一百人（日本國人）

修業年限：二年。

畢業後具備之資格：可擔任國語傳習所、師範學校之教師或助教，或是小學校長。

（乙）語學部

（1）本國語學科

〔註8〕楊孟哲，《太陽旗下的美術課：台灣日治時代美術教科書的歷程》，臺北市：南天，2011，頁28～29。

目的：教授土人青年學生國語，並兼以施予必要之教育，務使其能夠在臺灣從事公私業務。

學科：修身、讀書、國語（日語）、作文、習字、算術、簿記、理科、音樂、體操。

學生：預訂一百五十人（土人（臺灣人））。

修業年限：三年

畢業後具備之資格：可擔任口譯、官吏和實務人員等公私業務。

（2）土語學科

目的：向日本本土青年人教授土語，並實施必要的教育，使其未來能於臺灣從事公私業務。

學科：修身、土語、作文、習字、算術、簿記、地理、歷史、音樂、體操。

學生：預訂一百人（日本國人）

修業年限：三年

畢業後具備之資格：可擔任口譯、官吏和實務人員等公私業務。

（丙）國語學校附屬學校　現有三所：八芝林一所、艋舺一所、大龍洞一所。

目的：爲普通教育之模範，供師範部學生實地教授練習。

學科：修身、國語（日語）、讀書、作文、習字、算術、音樂、體操。

學生：三校合計預訂約二百人，類別包含少年生和青年生。

（少年生）

年齡：　入學資格：　學費：

修業年限：第一附屬學校六年，其他二校四年。

畢業後具備之資格：可從事公私業務或進入高等學校。

（青年生）

年齡：　入學資格：　學費：

修業年限：二年。

畢業後具備之資格：可成爲街道與堡衛的官員、口譯人員、學校教員，或進入高等學校。

（丁）國語學校附屬小學　臺北城內一所。

目的：做爲完整的小學教育和實務性夜校教育之示範學校。

學科：修身、國語、讀書、作文、習字、算術、簿記、地理、歷史、理科、音樂、體操、裁縫（女生）。

修業年限：八個月

畢業後具備之資格：可從事公私業務，或進入高等學校就讀。（夜校相關事項皆以此為依據）

2. **總督府師範學校** 共三所，新竹一所、台中一所、台南一所。

目的：培養從事普通教育的各學校教師。

學科：修身，教育、國語（日語）、讀書、作文、算術、簿記、地理、歷史、理科、音樂、體操。

學生：預訂三校合計四百五十人（土人）。

年齡：十七歲以上二十歲以下

修業年限：三年

畢業後具備之資格：成為設立於島內各地的普通學校教師。

（甲）師範學校附屬小學 共三校設立於各師範學校所在地。

目的：小學教育之示範教學，並供師範學校學生實習之用。

學科：修身、國語（日語）、讀書、作文、習字、算術、音樂、體操、裁縫（女生）

學生：預訂每校約三百人（日本國人及土人）。

年齡：八歲以上十五歲以下

修業年限：六年

畢業後具備之資格：可從事公私業務，或進入較高等學校就讀〔註9〕。

以上所列舉的緊要與永久事業學制，其核心宗旨無非就是為了傳授臺灣人日語，使臺灣人成為溫馴良順的日本臣民；當然，也有意讓在臺灣擔任官吏或從事其他公職、業務的日本人，學習殖民地的本土語——臺語；其次，在臺灣島內的教育建設，本來就是為了大量普及普通教育，所以將培育從事普通教育的教師的條件列入優先，是官方所致力的方向；另外，日帝殖民統治者理所當然的，仍是將殖民地臺灣人的教育和統治階層的日本人教育，分開實施，列入原則性的規範中。

〔註9〕楊孟哲，《太陽旗下的美術課：台灣日治時代美術教科書的歷程》，臺北市：南天，2011，頁29～32。

　　由此可見，這種二分法的教育學制設定，無非統治者爲了開發殖民地，以教育化民的一種手段罷了。殖民地的人民，僅施予最基礎的日語普及和簡易的算術實務等，或者在於培養統治者所需的基層官吏，方便以本地人治理本地人的模式進行殖民計畫，這可以說是一種非常典型的殖民教育政策。

第三節　總督府國語學校的愚民教育與同化

　　教育爲貫徹統治方針重要的手段之一，因此教育政策的基本原則必須與統治方針相配合。日帝在簽訂馬關條約之後，其實對於占領臺灣這件事，並沒有考慮過太多的，簡單來說，就是統治上沒有絲毫腹案。這在伊藤博文交代第一任總督樺山資紀的訓令中可以看到：訓令中僅針對割讓的手續及行政組織要項部分提出說明，但對於詳細的統治方針和殖民地需要的相關政策並未明示，而這時候的殖民地統治方式，一般說法爲：採取法國統治阿爾及利亞式的同化政策，但事實上卻與賦予殖民地與本國國民一樣享有權利和自由，並且以自由平等思想爲前提的方式完全是不相同的。相反的，日帝的同化主義，不但不是奠基於自由平等思想上，反而是採取不平等的專制手段來控制殖民地臺灣，譬如：發布的法律六三號，就直接強調臺灣爲一個殖民地，必須行使特殊政策，不能依照日本帝國國內予以臺灣人民權利及義務，於是委任總督發布的命令凌駕了憲法與法律的規範事項，造就臺灣總督擁有土皇帝的至高權力，集行政、立法、司法於一身〔註10〕。

　　於是，呈現在教育政策上的同化，也在臺灣學生和日帝學生的二元化教育下，可以明顯發現差別同化的特點。這個過渡階段是在西元 1895 至 1919 年期間，這也使得臺灣的教育政策上，呈現出隨機應變及漸進主義之特質，所以也被稱爲臺灣教育之試驗時期〔註11〕。

　　治臺之初，日帝對殖民地教育可謂經驗與知識兩相缺乏，唯其抱負則不小。明治三十年（西元 1897 年），國語學校（按：「國語」即日語之意，此處因係機關名稱故沿襲用，下同）的開學典禮中，校長町田則文演說辭中即曾表示：

〔註10〕李園會，《日據時期臺灣教育史》，臺北市：國立編譯館，頁 48。
〔註11〕吳文星，《日據時期臺灣師範教育之研究》，頁 3。

> 「我國對外國人施予日本式教育，以本島爲萬矢，（中略）成功與否，
> 乃爲世界教育家所注視〔註12〕」。

明治三十一年（西元 1898 年），兒玉源太郎在地方長官會議訓詞中亦表示臺灣教育宜採漸進主義政策：

> 「教育雖一日不可怠忽，爲漫然注入新文明，養成追逐權利義務之
> 風氣，則新附民難免有陷於不測之虞，因此教育方針必須十分考究。
> （中略）將來與其徒然偏向積極方針而誤了潮流，不如確實地採取
> 漸進主義，方爲卓見〔註13〕」。

明治三十三年（西元 1900 年）3 月 15 日，臺灣總督兒玉源太郎，邀集臺灣各地文士於臺北答其「策問」，這一會稱爲「揚文會〔註14〕」。在「揚文會」席上，民政長官後藤新平也上台做了一場冗長的演講，大談日帝接手臺灣以後的學政，以及預期的目標。後藤新平是輔佐兒玉源太郎奠定統治臺灣的功臣，也可說是歷任臺灣總督幕僚長中最能幹的一人，他的演講大要如下：

> 「自本島歸以我大日本帝國之版圖以來，各位與我們都是帝國的臣
> 民，於誼時有兄弟之關係。而今上天皇陛下一視同仁，是斯新附之
> 民，與我們一樣，猶如赤子，甘於愛育本島人民之道，夙夜軫念，
> 優渥聖旨，我們常不禁爲之感激。（中略）我們如果要上溯我國教育
> 的淵源必須首先知道其歷史。本來，我們的教育是跟我們的國土始
> 終一貫，沒有分離的〔註15〕」。

教育文化這種高度專業的領域，如果未能在一開始即有強而有力的學者，一心致力於學術領域，並制訂出有效的教育政策和方針，必定會因未損及保守官僚和軍方相關單位的利益而遭受到制肘。

> 「回顧帝國治台以來，雖然只經過五星霜，兵馬倥傯之際，教育設
> 施雖然尚未能顯著，不過我們早鑑及島民化育之緊要，並以此爲先，
> 正在進行國語的傳習，以途既啓，語言倘若相通，那麼自然就會得
> 到師弟授受之便，也可以逐漸教授以日常有用之學科，子弟教育一

〔註12〕吳文星，《日據時期臺灣師範教育之研究》，頁3。
〔註13〕吳文星，《日據時期臺灣師範教育之研究》，頁12。
〔註14〕林品桐，〈日據初期之「國語」（日語）教育政策及措施〉，取自《台灣文獻》第50卷，第2期，1999，頁124。
〔註15〕林品桐，〈日據初期之「國語」（日語）教育政策及措施〉，取自《台灣文獻》第50卷，第2期，1999，頁124～125。

　　　　進步起來，教育的程度也可以提高，而一方面既可以施以德報，另
　　　　一方面也可以授之以實學，庶幾將來得成爲有用的人才。現在的國
　　　　語學校、師範學校、公學校等都是培養人才之所，其中尤其是公學
　　　　校是國民普通教育的基礎，故特加扶植，以便他日於全台各街庄普
　　　　遍設立，俾學者得到方便，以冀消滅不學之民〔註16〕」。

而臺灣這塊殖民地的統治成敗，可說攸關著日本帝國明治維新後向外拓展的
帝國主義之利益，所以日帝將此視爲天將降大任於斯人，邁向「脫亞入歐」，
且能一躍國際舞台的跳板，爲的就是與歐美殖民國家一較高下。是故，一視
同仁的教育表象下，殖民的意涵深刻隱藏在教育之中，或者更貼切應以「教
化」來取代，這才是殖民統治野心底下的核心要點。

　　　　「我國自明治維新以來，早就建立普通教育制度，因此子弟的教育
　　　　日益進步，殆與歐美並駕齊驅，不過本島的書房教育方法，顯然不
　　　　合時宜，也非養成國民、造就有用之才之途徑，所以早晚必須加以
　　　　改良，逐漸作爲興起公學校的階梯〔註17〕」。

於是，善用現代教育的觀念，去批判傳統教育中的不合時宜，且對於衛生觀
念上，極力灌輸學子何謂文明、不文明，全盤否定原本的生活習慣，歸之爲
野蠻等，並重新造就帝國主義下的可用人才。

　　　　「教育就是左右這思潮的原動力，當然是不能沒有一定的原則。由
　　　　此，斯學也始能進步，凡百事物也才可以變通運用，幸而我國民教
　　　　育有最寶貴原理原則，如明治二十三年十月三十日頒下的教育敕語
　　　　就是屬此，這實在也是我國萬代不易之原則，爲臣民者都應經常遵
　　　　奉這聖旨，對教育努力傾心不懈怠才是〔註18〕」。

其中所提到的「教育敕語」，可謂是日本帝國主義皇民化中，對臺灣島民的最
早之愚民教育的起源。爲得就是灌輸殖民地人民臣服於天皇皇威之下，作個
順服的殖民地次等國民。

　　　　「以上所說的只是我國教育的大要。概括言之，教育與國家是不可

〔註16〕林品桐，〈日據初期之「國語」（日語）教育政策及措施〉，取自《台灣文獻》
　　　　第 50 卷，第 2 期，1999，頁 124～125。
〔註17〕林品桐，〈日據初期之「國語」（日語）教育政策及措施〉，取自《台灣文獻》
　　　　第 50 卷，第 2 期，1999，頁 124～125。
〔註18〕林品桐，〈日據初期之「國語」（日語）教育政策及措施〉，取自《台灣文獻》
　　　　第 50 卷，第 2 期，1999，頁 124～125。

分離的（中略）各位是本島的先覺者，足爲後進子弟的模範，所以
冀望各位歸鄉之後應讚襄此趣旨，益奏揚文之實務，以副總督閣下
之優待美意〔註19〕」。

從後藤新平這場冗長的演講，可以窺見日帝趾高氣昂地展現他們的國力，且
也可以從這一篇演講稿看出當時政策的大概：

日本帝國統治者表面上雖然宣稱對臺灣的教育體系及政策並無一定方
針，然而，事實上，則採漸進主義政策來推行教育。治臺初期，有些教育措
施是明確且積極的，如日帝在明治二十八年（西元 1895 年）治臺灣之初，因
爲急需通譯人才，設置了一些臨時性的教育措施，以作爲語言訓練的用途。
自明治二十九年（西元 1896 年），先後在全島設立「國語傳習所」及「國語
學校」之後，才開始展開較正規的近代教育。「國語學校」作爲培育初等教育
的師資爲目的，這也就是後來的師範學校的前身；「國語傳習所」則在西元 1898
年擴大發展爲「公學校」，成爲教育台灣人子弟的初等教育起點。

日本人對於初等教育的普及，表面上看來是爲了開化與啓迪殖民地民
智，但背地裡，仍是「奴才教育」的一環，也是差別待遇的開始。伊澤修二
的教育方針中，將臺灣人同化成爲日本人才是最重要的統治目標，教育就是
達成這個目標的最佳手段。所以從臺灣教育創始，伊澤修二就已經將推行日
語教育作爲教育政策的最高指導原則了：

（1）伊澤修二於明治二十八年（西元 1895 年）7 月 12 日在芝山巖
設立學務部事務所後，就立即展開國語傳習計畫，並於 7 月
16 日著手進行設置國語傳習所。

（2）芝山巖學堂於明治二十九年（西元 1896 年）5 月改稱爲國語
學校第一附屬學校，明治三十一年（西元 1898 年）實施公學
校制度後，改稱爲八芝蘭公學校。教育的重點始終放在日語教
育上。從明治二十九年（西元 1896 年）3 月，在臺灣各地所
設置的國語傳習所，也都以推行日語教育爲主旨。

（3）明治三十年（西元 1897 年）10 月 31 日，修改國語傳習所規
則，在乙科課程中增加漢文學科，並雇用臺灣人擔任漢文的教
學工作。不過是爲了對抗私塾教育的政策使然。

〔註19〕林品桐，〈日據初期之「國語」（日語）教育政策及措施〉，取自《台灣文獻》
第 50 卷，第 2 期，1999，頁 124～125。

（4）明治二十九年（西元 1896 年）6 月發布的國語傳習規則，其
中所規定的課程表——甲科一週 34 小時的教學時數中第一課
程裡，日語爲 18 小時，讀書、作文爲 16 小時；第二課程裡，
日語 16 小時，讀書、作文 18 小時。可見甲科的所有課程始終
是以貫徹日語教育爲目的。乙科一週 28 小時的教學時數中，
第一課程至第三課程，除算數 4 小時外，其餘 24 小時幾乎都
是日語學科。第四課程也是除了算數 6 小時外，22 小時全部
都是日語學科時間〔註20〕。

後藤新平也在明治三十六年（西元 1903 年）舉行的學事諮詢會議上，強調公
學校教育的目的如下：

「雖說教育無方針，但並不能代表現今公學校即無任何目標，況且
教育方針也尚在研討之中。設立公學校之目的乃是日語之普及，目
前唯以達此目的爲第一要件，當這個主要目標達成之後，教育方針
經深入研究後，確立方針亦是指日可待之事〔註21〕」。

所以說，後藤新平雖然宣稱避免宣示同化教育政策，並且認爲目前是教育無
方針的執行殖民地教育統治，然而，如上述說明，他早已在學校教育上確定
普及日語才是臺灣教育從一而貫的唯一目的。而這個目的絕非是爲了提升臺
灣人知識層面的吸收與教育程度的提升，日語普及，完全是統治者爲了統治
之便，爲了讓臺灣人的思想與風俗習慣等，能夠同化與日本帝國完全一致，
當然，當臺灣人能夠具備某種層度以上的日語水平後，日本人就有更多殖民
地生產的有效殖民地勞動者可以驅策了。

　　所以說能透過語言的普及，去克服統治者與被統治者之間的溝通障礙，
達成有效率的統治目的，才是日語普及與同化的背後，最大的愚民策略。

　　通過這一時期的日帝對臺灣人的教育方式，一言以蔽之，可以說盡在不
平等的「愚民教育」四個字中，確立了日帝「治臺」殖民地政策的第四任總
督兒玉源太郎，曾闡明其教育方針：「教育一日亦不可付之忽諸。然而亦不可
漫然導入文明潮流，養成趨向權利義務論之風氣，應使新附之民不致陷於前
例之弊害〔註22〕」。

〔註20〕林品桐，〈日據初期之「國語」（日語）教育政策及措施〉，取自《台灣文獻》
　　　　第 50 卷，第 2 期，1999，頁 124～125。
〔註21〕吉野秀公，《台灣教育史》，臺灣日日新報，頁 123～124。
〔註22〕許介鱗，《台灣史記》，台北：文英堂，2001。

以日帝時期的高等大學教育來說，日本人與本省人學生的比率懸殊。臺北帝國大學的在校學生，在西元 1940 年有本省人 85 名、日本人 235 名；西元 1941 年時，本省人 61 名、日本人 196 名等數據〔註23〕。

這些以臺灣人的稅收經營的臺北帝國大學等臺灣之高等教育機構，大部分收的卻是日人學生，而嚴格限制本省學生入學，其中的歧視意涵，不言而喻、清晰可見。

而依西元 1940 年 10 月 1 日的戶口調查數據指出，當時臺灣人口總數 5,872,084 人，本省人佔絕大多數的 5,510,259 人，日本人不到一成 312,386 人，其他爲外省人 46,944 人，韓國人 2,376 人，外國人 119 人〔註24〕。由此可見當時的高等教育，從統計上可以見到，根本是專門爲了日本人而設立。而其中不設法律學部，更是怕臺灣人學了法律，會依法來抵抗日帝統治，所以當時的臺灣學生若要學法律，只有出國留學一途。

日本人唸小學校，唸公學校，後來改爲國民學校，教材內容不同。臺灣人的國民學校，每天在上課之前，先要背誦「我們爲大日本帝國之臣民，誠心感謝」之類的奴化教育，還有「鬼畜米英〔註25〕」，這一類的歧視思想教育。派翠西亞・鶴見的研究也指出公學校的國語和修身課本，強調對臺灣兒童的態度、行爲及個人和公共的習慣和日帝本國是一致的〔註26〕，課本中所強調的無非爲了將臺灣兒童日本帝國化。但如果再細部比對下去枝微末節來看，會發現公學校的課本中，日本帝國殖民政府所強調的是：如何讓臺灣兒童以合適的方式在家庭、社會中生活。

只要學習守法、勤奮，做個日本帝國好臣民，但不會要求只有日本人才有的特權和機會，安於社會底層階層，就是最大目標，他們不必像日本人那樣需要努力向上、出人頭地。例如在國語課本中第八冊有一課是在描寫明治時期政治家伊藤博文的故事，在小學校的課本中強調的是他貧困的出身，後來出人頭地；然而公學校課本中卻是強調他在童年時期的遊戲中所表現出來的誠實〔註27〕。

〔註23〕《台灣省五一年來統計提要》，頁 1214～1217。
〔註24〕《台灣省五一年來統計提要》，頁 102。
〔註25〕許介鱗，《台灣史記》，台北：文英堂，2001，頁 17。
〔註26〕派翠西亞・鶴見，《日治時期臺灣教育史》，宜蘭市：仰山文教基金會，1999，頁 57～62。
〔註27〕許佩賢，《太陽旗下的魔法學校——日治臺灣新式教育的誕生》，新北市：東村出版，頁 113～114。

這類別有用心的修正課文方式，在殖民地的雙軌式教育中層出不窮，日帝時期的臺灣的教育，雖然同日本帝國本國一樣，是為國家服務，普及教育來凝聚國民意識和灌輸忠君愛國的思想，但是其改造殖民地人民的差別教育方式，也讓臺灣人的價值觀挫折與扭曲。

吳三連回憶錄中曾提到，他的父親常常交代他說：「做人要守本分！」為什麼要特別強調？因為父親知道在殖民地統治下，如果有過多的夢想，很容易受到挫折，所以不如好好堅守本分〔註28〕。從這些例證中，歧視與差別教育歷歷可見。

所以說，日帝時期的教育，貫徹了大日本帝國重要的教育統治方針：「愚民與同化」。在這樣的愚民教育底下，同化即是差異，而在一邊帶給殖民地人民文字、知識、文明等教育的同時，帶給臺灣人的是更多的矛盾、挫折與掙扎！

第四節　殖民總督府國語學校的意識形態

甲午戰敗後，日本人占領臺灣，但起初臺灣民主國的抗日，還有各地義民零星起義的舉動層出不窮，殖民政府在國力有限的情況下，也尚未有絕對的把握將臺灣永久併吞，所以在當時的日帝議會上，甚至出現「臺灣賣卻論〔註29〕」，的聲音出現。所以日本人對於當時的臺灣文物，完全抱持著研究態度，治理政策上並沒有什麼理想，當然，在教育上更沒有久遠的打算，只希望臺灣人能夠接受日帝的語文教育，且還入境隨俗的標榜了當時漢人的固有道德文化傳統，作為勸誘的方式之一。從明治三十年（西元1897年）日本帝國明治天皇所頒布的一道訓令可以見到：

> 「朕惟我皇祖皇宗肇國宏遠樹德深厚我臣民克忠克孝億兆一心世濟
> 厥美此我國體之精華而教育之淵源亦實存乎此爾臣民孝于父母友于
> 兄弟夫婦相和朋友相信恭儉持己博愛及眾修學習業以啟發智能成就
> 德器進廣公益開世務常重國憲遵國法一旦緩急則義勇奉公以扶翼天
> 壤無窮之皇運如是不獨為朕之忠良亦足以彰顯爾祖先之遺風矣斯道
> 也實我皇祖皇宗之遺訓而子孫臣民所宜俱遵守焉通之古今不謬施之

〔註28〕許佩賢，《太陽旗下的魔法學校——日治臺灣新式教育的誕生》，新北市：東村出版，頁175～178。

〔註29〕杜廉，《臺灣的民營工業》，臺北市：臺灣書店，1950，頁8。

中外位不悖朕與爾臣民拳拳服膺庶幾成一其德〔註30〕」。

日本人當時設立教育設施，國語傳習所、國語學校，主要目的在推行日語和研究臺灣土語。秉持教育報國的精神，隨時把握機會傳授日語，甚至也利用憲警協助推行，更在考官吏時，加試日語科目，仿效科舉辦法拿功名利祿為誘餌，這些無一不是在建立文化侵略的橋樑。西元 1919 年，臺灣教育令頒布後，以經濟為目的去培養中下階層人才，再到後期南進與皇民化時，取消漢語科、改為日帝姓名、獎勵國語家庭等，將臺灣與中國文化根本做徹底切斷，以求達到效忠日本帝國天皇的皇民理想〔註31〕。這些不同時期的意識形態植入，都和日帝的政治、經濟文化等各層面相互配合、應和。

我們可以見到的是，有別於一般帝國主義對於殖民地的物質層面採取掠奪，但對於該地的固有文化、語言、風俗往往抱著不干涉的殖民方式，日本人極力透過近代教育的愚民及差異化待遇，蠶食鯨吞著臺灣的固有文化，灌輸日本帝國主義的思想，甚至為了達到皇民化的目標，提供了扭曲的教育事實的教材，以作意識形態的改造，這類的手段在學校教育中，都不難見到。

而總督府國語學校，正可說是培育這些灌輸國語（當時的日語稱國語）、教授殖民文化的推手與搖籃。從普及國語，同化臺灣人，到強制限制使用本土化，國語學校可謂是政治主導的核心教育單位，從這裡孕育出總督府最有利的政策下行單位。

〔註30〕吉野秀公，《台灣教育史》，台北市：南天書局，頁 111～112。
〔註31〕汪知亭，《臺灣教育史料新編》，臺北市：臺灣商務印書館，頁 34～37。

第四章 臺北城文廟府儒學與總督府 國語學校之認同比較

　　建築是人類重要的文化遺產，反映著時代的歷史。我們更可以透過建築來充分瞭解到國家的國情與民族的思想。在本章節中，將透過臺北城文廟府儒學和總督府國語學校這兩個分別處於不同時代，但卻建在同一塊位址上的教育機構建築，來比較其建築、教育及文化上的差異性，進而論述到清代儒家文化和日帝統治後的殖民文化認同問題，其建築的拆遷與移除，正反映著兩個時代的文化掠奪與殖民文化的建立，如何改變了人民的文化認同。

第一節　傳統建築到殖民建築形式的轉換

一、臺灣建築背景

　　十九世紀中葉開始，臺灣門戶逐漸開放，各種西方樣式的建築隨著西方人士（軍人、傳教士）傳入台灣，臺灣本土傳統建築之生態於是產生變化，以閩南式樣為主之建築風貌，開始混參了外來建築之元素與語彙。這種情形到了日帝殖民時期更加明顯。清光緒二十一年，日明治二十八年（西元 1895年），清朝政府在中日甲午戰爭中戰敗後，與日本帝國簽定馬關條約，將臺灣及澎湖群島割讓給日帝。日帝入臺後，不僅臺灣之政治環境完全改變，社會文化經濟活動也隨之更動，都市與建築之發展也同時產生重大改變。

　　日帝於明治維新時不僅從西方學到各種政經法律制度，也學得一套新的

都市與建築觀念與手法，並且引以為豪。所以當日帝接手臺灣後，很快的就把他們習自西方，認為是心目中理想的西方樣式建築移植入臺灣，另一方面也藉由這些與臺灣傳統建築相較下顯得雄偉嚴肅的西方樣式，用來塑造一種殖民地政治上的權威感，以及建設上的現代感，因而使得臺灣在日帝殖民時期，幾乎各級政府相關機關都採行西方式樣為主，而都市改正及都市計劃亦基本上以西方都市之模式，將臺灣自古以來坐北朝南的建築方位改為坐西朝東的角度，以象徵臺灣殖民地是向著大日本太陽帝國、日帝的東方之神，而完全不考慮到臺灣傳統方位的建築是建立在亞熱帶及熱帶氣候中，長年酷熱的氣候下所形成的風俗習慣。由此就清楚可見日帝的唯我獨尊及霸權心態。

明治維新之後，日帝積極的想在亞洲建立一個歐洲式的嶄新帝國，並且希望在軍事安全與國家尊嚴之前題下，成為亞洲之主導力量。由於缺乏殖民經驗，日帝在取得臺灣作為其在亞洲第一個殖民地時，並沒有長程之殖民目標，因而在決定對台灣採行同化政策之前，曾有一段統治真空期由軍職人員總攬一切，社會亦較不安定。當此過渡期安然度過後，日帝開始從事許多物質建設，希望能透過經營臺灣殖民地之繁榮，傲視國際。所以說，日帝雖然在臺灣完成許多現代化建設，奠定了臺灣在二十世紀邁向現代化之基礎，然其終極目標卻是建立一個與日帝密不可分之海外殖民地為目標〔註1〕。

二、傳統儒家建築

儒家的教育和待人處事、經世致用的教育淵源，從古代以來，就是中國下至庶民，上至為官者的重要精神依據。所以說，在府縣下頭，由政府興建文廟，並在每年春秋仲月，舉行釋奠之禮；以明倫堂當作最高學府，教育官生，然後在考棚舉行考試，並興辦書院，以及貧困兒童的義學、社學、原住民學校等，都是推行教育的所在。然而，在臺灣，除了官設的文廟、書院外，由於移民的多樣性，儒家教育建築往往也容易和道教的祀廟、佛寺互相混淆，而失去了純粹性。

所以說，儒家教育的建築的主流，非官設文廟莫屬了。文廟又稱孔子廟、夫子廟，而大多數的文廟接輔以府儒學的機構，是臺灣儒學傳遞的中心；其中臺北城文廟成立較晚，但規模卻是最大的。以下為各地文廟總覽〔註2〕：

〔註1〕 網路資料：https://market.cloud.edu.tw/content/local/tainan/kunhwa/five2.htm，2015/07/07。

〔註2〕 藤島亥志郎，《台灣的建築》，台北市：台原出版，1993，頁156

表 4-1

名　　稱	創始年代	備　　考
臺南文廟	康熙五年（西元一六六六年）	西元一九一七年修補
彰化文廟	雍正四年（西元一七二六年）	日本領台後重修
竹塹文廟	道光四年（西元一八二四年）	西元一九一〇年改修
宜蘭文廟	同治八年（西元一八六九年）	西元一九〇二年重修
臺北文廟	光緒八年（西元一八八二年）	西元一九二五年再建

　　「儒教建築的主流是官設文廟，臺南文廟附有府學書院，是臺灣儒學的中心道場，臺北文廟，廟制完備，規模最為宏大〔註3〕」。而文廟的廟制與建築都有固定的原則，臺北文廟就是最典型的例子。臺北文廟周圍有磚牆圍繞，從南邊門進入，在正面的入口有照壁。廟分為內外兩部分，外面的叫做青雲路，內側的叫做萬仞宮牆；牆內有半月池，上面架設石橋；建築的主體入口為欞星門，右邊次義路門，左邊是小禮門。中庭的地方有大成門，或稱為儀門，過了儀門，中央的大成殿是文廟的正殿，殿正中央安置著至聖先師孔夫子的神位，在其左右陪祀的有四聖十二哲；中庭周圍有東廡、西廡，旁祀先哲先儒的神位，也作為祭祀器具倉庫和樂器的倉庫；正殿的後方有崇聖祠（聖祖殿），奉祀孔子元式五代。東廡的明倫堂是作為學校用途，西北側有八角三層樓，在台北叫做魁星樓〔註4〕。

三、日帝殖民建築

　　在臺灣醒目而有西方歷史色彩的公共建築或住宅，大多是日帝殖民時期的產物。在西元 1895 年，清朝政府在中日甲午戰爭戰敗後，與日本帝國簽定馬關條約，將臺灣及澎湖群島割讓給日帝，日本人也隨著殖民地的建立入臺，這不僅改變了臺灣之政治環境，社會經濟也隨之更動，都市與建築之發展也因而產生重大之改變。日籍建築師就是在這時期，陸續大量引入西方建築於臺灣。

　　日帝在明治維新時不僅從西方學到各種政經法律制度，也學了一套新的都市與建築觀念與手法，並且引以為豪。所以當日本人到臺灣後，很快的就把他們習自西方，認為是心目中理想的西方式樣移入臺灣，另一方面也藉由

〔註3〕網路資料：https://market.cloud.edu.tw/content/local/tainan/kunhwa/five2.htm，2015/07/07，頁 154。

〔註4〕網路資料：https://market.cloud.edu.tw/content/local/tainan/kunhwa/five2.htm，2015/07/07，頁 156。

這些與臺灣傳統建築相較顯得雄偉嚴肅之西方式樣來塑造一種政治上之權威感及建設上之現代感，到了日帝統治時期的大正年間，臺灣幾乎各級政府相關機關都採行西洋歷史式樣爲主。

另一方面，昭和年間因爲關東大地震後的反省及現代建築的流行，也使得臺灣在西元 1920 年代中期以後，普遍性的出現以藝術裝飾式樣爲主的現代建築。當然，因爲鄉愁及文化殖民意識而跟隨日本人到臺灣的各種日式建築也爲數甚多〔註5〕。

國語學校的出現是在日帝統治的初期。由於統治之初的試驗性質以及當時對臺灣環境衛生條件的不足，日本人於乙未戰爭結束後傷亡頗重，但大部分並非作戰身亡，反而是感染瘧疾、鼠疫等傳染性疾病，在這樣的統治環境下，也讓日帝官方意識到殖民臺灣的當務之急，是將臺灣惡劣的衛生條件列爲首要改善來優先處理。有鑑於清代的臺北城內，民眾家戶是取用井水維生，街道旁並沒有排水溝的設置，於是家用的汙水經常是直接潑灑門前，導致惡臭與髒亂，日帝高層決定先在城內的府前街、府後街、北門街設立下水道，用來改善排水功能。所以在這樣的先決條件下，保留了臺灣部分的清代官方建築繼續使用，也迅速的在臺北城內建造了醫院、國語學校、法院、郵局、測候所與大批宿舍，以便統治工作能順利進行，國語學校正是在這樣的前提條件下，應運而生。

乙未戰爭結束後，日帝接管臺灣，正逢其國內的明治時代末期。日帝在明治維新時，由西方建築師引進了西洋風格的建築，經日帝本土工匠吸收元素與巧思後，形成了別具一格的「擬洋風」特色建築，有將日式與西洋建築語彙結合的，以及將迴廊與西洋建築語彙結合的，還有外牆採用雨淋板、造型變化多樣的新式建築，以臺北城建築來說，大致可分爲：迴廊式、雨淋板式、混合式三種類型。總督府國語學校雜揉了：

> 「(1) 迴廊式建築的特徵：迴廊、高架地板與厚重的屋頂，材料以磚、木、日本瓦爲主，主要是爲了因應臺灣濕熱的氣候，組合了遮蔽日曬的迴廊與高架防潮的地板 (2) 雨淋板式則是以西洋柱式、三角楣、簷口飾帶、半圓拱等西方建築元素組成立面，推拉窗成排的上下而立，是外觀最顯著的特徵，正是明治洋風建築混合式的典型例子〔註6〕」。

〔註5〕 網路資料：http://www.fu-chaoching.idv.tw/file/class/ta_01.pdf，傅朝卿，〈日治時期西洋風情建築〉，國立成功大學建築系。
〔註6〕 徐逸鴻，《圖說日治臺北城》，臺北市：貓頭鷹出版，2013。

圖4-1　總督府國語學校校舍	圖4-2　總督府國語學校正門口
校舍可見推拉窗造型。	國語學校正門口可見半圓拱門造型。

四、建築的轉換

　　日帝殖民的歲月，雖然早已遠去，但痕跡卻充斥著臺灣的每個角落，這樣的元素，在實體層面最為明顯的就是建築。教育的功能室內化，然而建築所帶來的卻是赤裸裸的象徵。大至當初為了達到威嚇統治者的大型建築物：臺灣總督府、臺灣博物館；小至含有日本帝國主義精神象徵的：福神圖騰、菊花圖騰等等，這些無一不是宣告著殖民的痕跡。

　　由此可觀見，日帝當初將臺北城內的中心信仰天后宮拆除，改建為臺灣總督府博物館；將布政使司衙門拆除改建臺北公會堂；抑或本章節所研究的：將臺北城內府儒學、文廟拆除，改建為推行日語的發源機構——總督府國語學校，無一不彰顯著其殖民的手段及野心。

第二節　殖民教育與傳統儒家教育功能的差異

一、傳統儒家教育文化

　　清代地方儒學可分「廟」與「學」兩部分，「廟」指孔廟祭祀，「學」指學校教育，兩者合成的「廟學制」，自北齊隋唐以來即成為地方的教育中心〔註7〕。高明士認為「廟學制」是北齊、隋唐以來，以孔廟祭祀為主軸而開展的儒教主義教育，經過「制度化」後被「普遍化」推行，成為東亞教育發展的典型，直到近代新式教育創設後才告崩解〔註8〕。對於孔子子弟、歷代先賢與先儒的祭祀禮儀活

〔註7〕　高明士，《隋唐貢舉制度》，台北市：文津出版社，1999，頁46～48、113～114。
〔註8〕　高明士，《唐代東亞教育圈的形成》，台北市：國立編譯館，1984，頁184～245。

動，也都個別具有其教育上的特殊意義。因為在孔廟祭祀與入祀孔廟的制度下，讀書進士的士子們期盼成為聖賢的成聖教育，這樣的觀念早已默默地根深蒂固的根植于士子和人民心中〔註9〕。

清代科舉取士、各地方儒學設置目的，主要是為選拔人材，為國家取士，以為朝廷，於是學校的也應國家考試制度而產生，地方也因由制度的關注進而掀起教育的熱潮。

廟學制的傳統儒學教育中，學宮舉行祭典，生員學習儀禮，為縣儒學重要的教育活動。透過釋奠、釋菜禮的舉行，可瞻仰聖賢，表現尊師、重道精神；透過慶賀禮，表達人臣對君主的忠貞；透過鄉飲酒禮，不僅成為地方文人的交流場所〔註10〕，且將尊賢敬老、長幼有序觀念灌輸百姓，使其形成一個井然有序的社會。

學生在學習各種禮儀以成為一具有學養的士人後，可以尋求仕進機會。其中成績優異的人，可以在府、縣儒學可先成為貢生，貢生及成績優異且通過科考的生員，可參加福建鄉試，取中舉人者，才可以進京應會試。

生員入學後，必須接受修業講習和定期考課，其中又以學習八股文最為重要。生員要遵守學校規範，端養品性，涵養成為一名具有才學和教養，並忠於朝廷的士人。

儒學重視禮儀，其來有自。禮，是配合封建與宗法制度，建構出一種融合血緣關係的人為政治秩序。周禮，乃是延續夏商兩代的文化集成，然而，文化發展到了孔子的年代，隨著犬戎入侵，平王東遷，東周王室的勢力逐漸衰微，僅是天下有名無實的共主，亂臣賊子於此時並起，社會秩序大亂，封建體制動搖，伴隨而來的是禮樂制度的崩壞。

《論語》〈卷十六季氏〉：「子曰：『天下有道，則禮樂征伐自天子出；天下無道，則禮樂征伐自諸侯出〔註11〕』」。隨著周天子的大權旁落，各諸侯趁勢崛起，百家爭鳴的混亂場面於焉而生。孔子身於此亂世中，有感於時局之紊亂，一方面指陳諸侯的紛亂，另一方面也痛心於禮樂制度的疲敝。正是在

〔註9〕 黃進興，〈學術與信仰：論孔廟從祀制與儒家道統意識〉，《新史學》，1994，頁1～82。
〔註10〕 伊原弘，〈作為社會性制度的教育與科舉──從底層通向權力之路〉，第七屆中華文明的二十一世紀新意義學術研討會──東亞教育與考試傳統的特色，桃園縣，2003。
〔註11〕 網路資料：http://www.zhengjian.org/zj/book/html/ly3zt/l063.htm，2015/07/01。

這樣紊亂衰敗的歷史亂世中，孔子這位偉大人物的思想與時代背景緊密相關，應運而生，所謂時代影響其思想，而思想又決定了其在歷史上的地位與評價。孔子身處混亂的春秋末年，正值社會動盪不安、王權式微之際，此外，周文化在「三代」的積累轉化下，僅存事務繁雜的「禮節」，卻不明瞭「禮」存在的真正本質為何，況社會上僭禮事件頻傳，更使人無所適從──身處周文疲敝的時代背景下，孔子便把重建周文，和實踐生活秩序作為己任，成為這亂世的中流砥柱，更提倡禮，並賦予其嶄新的價值。

是故，儒學舉行的禮儀祭祀，是廟學制度下極為重要的文化一環。主要包括釋奠禮、釋菜禮、慶賀禮和鄉飲酒禮〔註12〕。一、釋奠禮「釋奠」，乃是設饌以祭祀孔子。起源於《禮記・文王世子篇》，言「凡學，春官釋奠于其先師，秋冬亦如之。凡始立學，必釋奠於先聖先師〔註13〕」。自西漢立官廟祭祀孔子後，東漢明帝設立孔子及其弟子從祀制後，隋代規定州縣學於春秋二季行釋奠禮。唐代在太學與地方縣邑學設立孔廟、崇祀孔子，並為日後各朝承襲。祭祀孔子為國家重大典禮，必須由官方執行，百姓不能私自舉行〔註14〕。

清代臺灣也只有府和縣學，才具有舉行這項大禮的資格。清代儒學依規定每年春秋二季，舉行釋奠禮，其祭祀對象除孔子外，也包括孔子世家、先賢、先儒、名宦和地方的鄉賢。為求典禮莊重，祭典之前獻官、陪祭官、執事者皆需沐浴更衣，並一起同宿在齋所，只能處理祭典相關事宜，不得進行其他事務。釋奠禮當日，正獻官先往崇聖祠祭祀孔子五代祖先、先賢以及先儒，隨後至大成殿祭祀孔子。祭祀孔子為最重要的祭典，文武員具著朝服，歌生、樂舞生依序立丹墀兩側，擊鼓三聲後，各執事引導各獻官就位進行祭祀。正獻官依序先到至聖先師孔子神位前跪拜、進獻帛、爵、叩首、讀祝文、行三叩禮。之後再詣復聖顏子、宗聖曾子、述聖子思祭文，禮儀如前。分獻官則行亞獻禮，祭祀十哲、兩廡。最後正獻官、分獻官、陪祭官俱行三跪九叩禮，到最後完成行禮。

祭祀先師禮畢後，前往名宦祠、鄉賢祠祭祀。名宦祠在學宮大成門左側，祠內供奉有功於地方和施行惠政的官員；鄉賢祠在大成門右側，供奉地方賢能的鄉紳，及行誼卓絕人士。對名宦祠、鄉賢祠的致祭，以其「有功斯民，

〔註12〕彭煥勝、吳正龍，〈清代彰化縣儒學的生員教育〉，教育研究集刊 51 卷 3 期，2005，頁 53～82。

〔註13〕網路資料：http://www.zhengjian.org/zj/book/html/ly3zt/l063.htm，2015/07/01。

〔註14〕高明士，《唐代東亞教育圈的形成》，台北市：國立編譯館，1984，頁 190。

遺愛漢難泯者，薦紳處士積學力行」，足以垂範鄉里，釋奠禮是藉由一套特定的禮樂祭拜儀式，將崇儒重道的精神表現出來，作爲生員和一般士子的標榜禮儀，深刻具有潛移默化的教育功能。透過這些儀式與禮儀的舉行，學生們不但可以瞻仰聖賢，表現尊師、重道精神；透過這些慶賀禮節，也可讓人臣們表達對清朝君主的忠貞，而透過鄉飲酒禮，亦可培養其尊賢敬老和長幼有序觀，以形成一個井然有序的社會，這可謂是傳統儒家教育文化核心所在。

二、日本帝國主義殖民教育文化

殖民地的統治源起於歐洲，但同樣以歐洲爲文化背景的國家，各自所建構出來的殖民統治型態卻也不完全相同。日本帝國殖民地政策研究的矢內原忠雄就曾指出，殖民地政治是宗主國政治、傳統和文化的投影，通常會以該國的社會型態、政治思想和文化特徵爲架構來成形〔註15〕。而殖民地教育，更是近代化帝國主義國家的殖民策略方針中，最可以積極性的普及各層面的實踐手段。

當時候日本帝國在臺灣殖民地的官員熱衷與比較殖民主義的論調，而日帝身爲殖民主義的後起之秀，便戰戰兢兢的透過觀察比較來避免其他殖民地國家的錯誤試驗。西元 1907 年的總督府學務部長持地六三郎就曾經到美國、菲律賓、荷蘭、爪哇、英國、印度考察。他指出，美國在菲律賓的教育上花費了多達六分之一的經費預算，卻忽略掉民生經濟上基礎的鐵路修築、振興工業等工作，太多的教育搭配太少的經濟發展，即使美國同意，菲律賓人可能也無法自己獨立，而美國也因爲對菲律賓龐大的投資，也使得改變讓他們獨立的承諾；而英國的自由與民權，讓印度知識份子接受英國教育，但長期的經濟侵略，反而導致喚醒了亞洲民族的種族主義，進而導致印度叛亂，持地六三郎更深刻的認爲：知識分子接受教育與反英的叛亂活動有著確切的關係。另外西元 1911 年，臺灣官員東鄉實也認爲：Macaulay 總督在給予印度優異分子西方哲學和人文教育計畫，並帶來法律和文化的同時，並非只是破壞印度土著的倫理道德，也延攬印度人進到政府裏頭任職，這樣吸收少數人的做法，也累積了不滿，還有英國「幾乎不設防的新聞自由」都是讓人民起而反抗的因素。

> 「併吞國從自己的角度看來，有充分的理由併吞另一國，但是從一般人類的角度來看，這是一大悲劇。除非併吞者在數年之間建立良

〔註15〕 矢內原忠雄，〈軍事的と同化的・日佛殖民地政策比較の一論〉，《國家學會雜誌》51 卷 2 期，頁 178～181。

> 好的政府及法律，贏得被併吞人民的好感，否則這個悲劇無法消除。
> 如果併吞者在建立良好的政府和法律之前，就教育當地人讀書和開
> 設學校，只會讓被併吞人民更加刻骨銘心，更記得這個悲劇，導致
> 更強烈的怨恨〔註16〕」。

而日本在參考各殖民國家經驗後，在明治二十九年（西元 1896 年）設立了臺灣最早的國語教育機構——國語傳習所（即總督府國語學校的前身），並於設立的要旨中提到要「注意道德的教訓和智能的啓發」，並且清楚說明「道德的教訓是以尊皇室、愛國家、重人倫以培養本國精神爲旨趣。智能的啓發則以教育臺灣人經世立業所需知識技能爲主〔註17〕」，由此可見，國語教育機構除了被用爲一般傳授日本語及培養翻譯人才的機構之外，更是日本帝國主義企圖用國語的建立，向臺灣輸入日本近代天皇制度及道德、日本精神的文化意涵在其中。明治三十二年（西元 1899 年）1 月 27 日，大嵙崁公學校結業典禮上，校長淺井政次郎在題爲〈普通教育に就て〉（就有關普通教育而談）的訓辭中明白地說道：

> 諸位雖然己經是擁戴萬世一系的皇統，東洋第一文明國的人民，但
> 如果不了解本國之言語，不精通本國的情事，則如何去執行做爲本
> 國臣民本分（中略）。現今不分本國人和臺灣人，首要之務唯是讓本
> 島人沐浴於皇化，使其具有本國人之性格，並具備通達文明學識之
> 事理，（中略）不管農、工、商都逐漸要了解文明新智識〔註18〕。

同化，只是作爲合理差別化待遇的工具。透過語言來達到統治目的，及培養臣服於日本帝國主義下，忠實而奴化的皇國次等臣民，才是在這樣教育條件設定下達成的具體成效。

三、傳統與殖民教育的文化差異

近代殖民帝國，透過教育制度來提升全國的競爭力，所以往往在教育政策上都做足了準備，以來替國家培養人才。在帝國擴張的過程中，所有的殖民帝國都認定，那些殖民地區人民的知識水準都不如自己國家。所以爲了有效管理殖民地，以及提升殖民地的經濟價值，每個殖民帝國無不絞盡腦汁來

〔註16〕派翠西亞・鶴見，《日治時期臺灣教育史》，宜蘭市：仰山文教基金會，1999，頁 40。
〔註17〕臺灣教育會，《臺灣教育沿革誌》，臺北：編者，1939，頁 171。
〔註18〕陳培豐，《「同化」的同床異夢：日治時期臺灣的語言政策、近代化與認同》，臺北市：麥田出版，2006，頁 35～36。

將自身的教育體制移植到殖民地去。但每一個殖民帝國與殖民地之間的文化差異極大，教育體制並無法一體適用，因此各帝國都逐漸地發展出一套自己的殖民地教育政策。日本帝國在正式統治臺灣之前，就已經準備好一套全新的教育制度，打算不管三七二十一地將之嵌入臺灣社會，取代舊有的「書房」（儒家的漢學）教育體系。臺灣當做日本帝國擴張的第一塊版圖，就是在此時被納入了帝國的實驗體系中。如同學者矢內原忠雄所說的：

> 「殖民地統治是宗主國政治、傳統及文化的投影。通常是以該國的
> 社會形態、政治思想、文化特徵爲基礎而架構成形〔註19〕」。

西元 1895 年 10 月，大清帝國將領劉永福仍在臺灣南部做最後形式上的抗戰掙扎時，日本帝國已經開始構思如何在臺灣推展新式教育。根據一份日本帝國學務部的教告書中指出：

> 「台灣語言與北方大不相同，即使精通中國北京官話的日本翻譯官
> 員，在台灣也像英雄無用武之地一樣（中略）。了解台語的日本人非
> 常少，了解日語的台灣人也幾乎沒有（中略）。要施行治民之術，發
> 展教化的工作實在很艱難〔註20〕」。

爲了滿足統治上的需要，日本人一進入臺灣，即開始推展第一階段的教育措施，並分成緊要事業和永久事業兩種。其中跟臺灣人有密切關聯的，是緊要事業中關於「國語傳習所」（「國語」即「日語」）的教育規畫。爲了教授臺灣人日語、學習日本文化、逐漸同化臺灣人，日本總督府在臺灣各地廣設「國語傳習所」。特別的是，國語傳習所的教授對象，不分男女、階級、種族、地區，一律施與教學。與世界各殖民帝國在其殖民地所採取的「選良」教育相比，臺灣人擁有「機會均等」的教育制度。這是臺灣邁入現代「國民」教育的最初型態。這樣的教育制度，不管從制度面或是教學面，都極具實驗性。在制度上，爲了鼓吹臺灣人接受教育，日本帝國政府一反以往傳統書房，老師向學生收學費的慣例，反而以國庫支付就學者津貼。而且就學者在學有所成之後，還能夠很快地在日帝政府機關找到就業機會。

　　從臺灣人的角度來說，上學不再是爲了考科舉入仕途，也不是爲了傳統書院夫子們四書五經等等的中華文化一脈相承的悠久文化傳承，而是看重眼前日

〔註19〕 矢內原忠雄，〈軍事的と同化的・日佛殖民地政策比較の一論〉，《國家學會雜誌》51 卷 2 期，頁 178～181。

〔註20〕 經典雜誌，《臺灣教育四百年》，臺北市：經典雜誌，2006，頁 78。

本人為殖民地人們建構出來的生活、經濟取向的道路，是為未來的工作謀生做準備。唯有進入國語學校，學習日本人的國語，才有生存下去、過好生活的日子，於是，傳統教育的傳承就漸漸在日帝殖民教育下被蠶食鯨吞，從整頓、收編走入沒落；反觀殖民教育的文化，就在最基本的國語學校教育的推廣下，一步步讓臺灣人民吸收到認同，走向日本帝國主義意欲給臺灣人民的皇民之路。

第三節　殖民教育與傳統教育之影響

一、傳統教育

「白紙白波波，寫字亂主圈；讀書眞艱苦，做官好迌迌〔註21〕」。道盡科舉時代臺灣士子啓蒙讀書、進入官學儒學或是書房等機構，虔心研讀，十年寒窗苦讀，頭懸樑、錐刺股，只爲了參加科舉，一朝金榜題名時，官方派人送報，那般鑼鼓喧天，歡天喜地的榮耀一刻，背後卻是數不盡的辛酸和艱苦。當時臺灣士子的教育，莫不和科舉考試息息相關。科舉制度考試由低而高，依次分爲三級：童試、鄉試和會試，錄取者依序稱爲生員、舉人和進士。臺灣在清代施琅設置一府三縣之後四年，才開放士子渡海至福建福州參加鄉試，爲臺灣科舉之始，但是已經晚了對岸四十年，先天上因爲交通及地處清朝放任管轄之地，所以嚴重不利於競爭的地位。

其中，童試每三年舉行兩次，每次考試都須經過縣試、府試和院試三階段，學生無論年紀大小，統稱爲「童生」，錄取者依照成績的高低分別進入官方的府、縣、廳儒學，亦即文廟就讀，俗稱「進學」或「入泮」，初次進學的學生統稱爲生員（或是俗稱的秀才或茂才）。一旦成爲生員後，就可以享有許多的特權，例如免除徭役、丁稅，不得施以笞刑等等，身分與平民相較之下，截然不同。一般來說，平日儒生學員多在家裡開設私塾維生，只有在月課、季考、歲考和科考，或者是督府到任時、學政按臨時，才會前往儒學赴考或聽講，無故不到的人，還會被學官訓誡。甚至在清初臺灣儒學的草創階段，生員月課場所的儒學機構，只能就明鄭時期遺留的房屋修改來設置而成（兼作文廟），其實往往落後其他行政地區的設置數年到數十年之久，甚至有些只能權宜於地方書院中授課。

因爲應試環境的不公，使得有意願要讀書求取功名的士子，有時七歲就進入私塾開始就讀，經過府儒學、縣儒學或書院這樣層層考驗與磨練，多年後才

〔註21〕高啓進，《澎湖研究第 2 屆學術研討會論文輯》，頁 6。

能有機會參加鄉試一圓作爲官員的美夢，當然這樣的考生行列中，往往也夾雜著一些早已鬢髮蒼蒼的重考生。然而臺灣因爲隸屬福建省，需要和眾多的福建士子一同競爭有限的舉人名額，臺灣的生員在明知道錄取機率不高的情況下，還是甘願冒著渡海的風濤駭浪之險到福建福州的貢院應考鄉試。在十九世紀中葉時，就曾經發生過有四名生員渡海時遭遇到颱風沉船溺斃，官方有爲其陳請撫卹，授以縣學訓導的職銜。清朝政府爲了避免長期以來臺灣士子滅頂的事情一再重演，於是自西元一八七四年起，固定派官方的輪船自淡水出海，護送生員到福建福州應試。在這樣冒險下渡海的不只臺灣士子。當時臺灣開闢之初居民多習武自保，比較無暇顧及教育，再讀書者不多，而府、縣儒學又有學額固定的政策下，其實入泮是比競爭激烈的福建以及廣東兩省科場來得容易的，以致於當時也發生過不少該兩省地士子冒險東渡來台，以冒籍、寄籍或者是冒姓的方式在臺灣考取秀才，入府、縣儒學就讀，再考取鄉試資格。

在如此艱辛的求學環境下，臺灣士子既需要獨立冒險渡海，官方的支持若有似無，又有外來的士子冒著風險占名額一事，多重不公的對待情況下，臺灣的教育還是在科舉制度下，遍地開花。例如啓蒙教育機構的遍布村里，學童們進入私塾就讀之初，皆曾搖頭晃腦、高聲背誦「雲對雨，雪對風。晚照對晴空。來鴻對去雁，宿鳥對鳴蟲。三尺劍，六鈞弓。嶺北對江東。人間清暑殿，天上廣寒宮〔註22〕」。這些對仗工整、押韻悅耳的對語，不管知不知道其中文意義與否。這些對語內容出自於當時普遍採用的教材《聲韻啓蒙撮要》，由進士車萬育撰述，期望逐步培養學子詩文創作的基本能力，爲未來科舉應試預先作好準備。在這樣的私塾中，學生年紀從六、七歲兒童到十五、十六歲少年都有，青一色都是男生，人人頭上綁著長長的髮辮，身著簡單衣物，腳踩帆布鞋，只要在寺廟廂房、庭院或私塾老師家中擺上幾張桌子，三三兩兩圍坐一張方桌的長板凳，就可以開始上課。還沒輪到私塾老師上前背書的學生，人人便就著微弱的光線埋首苦讀，努力熟背前一天所教導的篇章，剛入學的背《千字文》，稍長的背《論語》，就讀多年準備參加科舉考試的則已經在默背《尚書》，這樣的學習情形普遍存在鄉里之中的啓蒙教育機構當中，用來滿足鄉民子弟的基本識字、讀書、算學教育或參加科舉考試的需求，因爲官辦的府儒學、縣儒學，以及官方色彩的書院，多位於府、縣治和大城市，分布難以普遍，且清代臺灣並未辦理鄉試，須渡海遠赴大陸應試，

〔註22〕網路資料：http://ctext.org/wiki.pl?if=gb&chapter=975122，維基百科：聲韻啓蒙上卷，2015/07/16。

家中沒有一定財力與心力支持，很難勝任，也非一般民眾能力所及，所以地方啓蒙教育私塾也應運而生，深入鄉里負擔起教化民心的責任，彌補一大空缺，並滿足庶民大眾學子的學習需求。

而私塾也是科舉時代讀書人作官以外最主要的出路。師資多不具科舉功名，有功名者則以秀才居多，所以整體而言水準並不如官辦的府儒學和縣儒學。然而相較於府、縣儒學只能提供少數的成績水準較高的菁英進德修業、保障經濟生活來說，私塾遍布鄉里也滿足庶民需求，教學方式也較符合生活中的彈性，貼近底層民眾學子的生活，師生之間的相處也似鄰里之間的人情互動，且在識字率不高的農村社會，私塾老師的身分雖然不是官聘、官學的正式教員，但身分受到尊重，卻也成爲村中書寫與調解紛爭的重要角色，受到村民的敬重。這樣的普及的求取知識管道，也促進了民眾的民智啓迪與文化傳承的教育，可以說爲清寒學子開啓了晉升仕途的大門，促進了社會階層的流動。在傳統教育上，有功利的導向，更多的是滿足學子的學習需求，啓迪民智、廣被教化，也傳承了文化〔註23〕。

二、殖民教育

在歷史的發展過程中，西方的近代化，可以說是與其殖民主義的發展相生而相成的。而臺灣的近代學校成立與近代教育的發展過程中，我們也看見了與殖民教育無法脫鉤的雙面性。臺灣就在「近代化」與「殖民地化」的過程中，被捲入近代世界的文化體系，也成爲「臺灣殖民地近代性」的歷史淵源〔註24〕。

從這裡我們也可以看見，日帝的殖民教育爲臺灣引進了近代學校，就是一種透過國家權力的力量，利用學校教育的方式來統合國家人民，並凝聚出一股共同意識的方式，公權力的介入，更讓學校教育在殖民地的國民統合和教化工作，得以更順利推展。對日本人來說，在臺灣成立的國語學校及其附屬等近代學校的工作，就像工廠的生產線一般，主要的功能在於生產、製造、培養殖民母國所需要的人力資源以及加工產品，以達到殖民地統治及本國產業需要的足夠輸出及供應量貢獻；然而，對於臺灣民眾來說，殖民教育的學校帶給他們的感受，卻像個全新的時裝舞台，舞台上的流行風格，截然不同以往，唯有披上的文明時尚裝扮，你才能上台亮相。透過以下的初等教育課程圖表，我們可以觀察所謂殖民教育的文明，是如何進行課程包裝：

〔註23〕經典雜誌，《臺灣教育四百年》，臺北市：經典雜誌，2006，頁46～59。
〔註24〕許佩賢，《殖民地臺灣的近代學校》，臺北市：遠流，2005，頁19。

表 4-2 臺灣學事設施一覽表〔註25〕

事業別	要急事業					
校種	総督府講習員 （一ケ所）		国語伝習所 （16 ケ所）		師範部 （甲）	語学部 本国語学科
目的	国語伝習所・師範学校の教員と土人に直接せる官衙の吏員とを訓練する		土人に現行法を伝習し地方行政施設の準備をなし且つ教育の基礎を作る		国語伝習所・師範学校の教員及び小学校校長の養成し本島普通教育の方法を研究	土人の青年学生に国語及び須要の教育を施し台湾の公私業務に就かしむ
定員	講習員（75 名）		伝習生（平均 100 名）		內地人 （100 名）	土人 （150 名）
	甲種（教員とする）（50 名）	乙種（吏員となる）（25 名）	甲科生 （20 名）	乙科生 （60 名）		
学科	土語・国語教授法・土人教育方案・体操・唱歌等	土語・支那尺牘及び公牘・体操等	国語・読書・作文	国語・読書・作文・習字・算術・地理・歴史・唱歌・体操	修身・教育・国語・漢文・土語・地理・歴史・数学・簿記・理科・唱歌・体操	修身・読書・国語・作文・習字・算術・簿記・理科・唱歌・体操
入学資格	高小本科正教員以上・体質強健・品行方正	志操確実・身体健全にして普通の知識を備わる者	志操確実・身体健全にして普通の知識を備わる者	身体健全・品行善良・文字を理解しうる者	尋常中学校四年卒以上の学歴・体質強健・品行方正	国語伝習所・国語学校付属学校卒・所長校長による選抜生
年齢	二一～三五歳	二十～三〇歳	一五～三〇歳	八～一五歳	一八～三〇歳	一五～二五歳
修業期限	大凡 4 ケ月	大凡 4 ケ月	6 ケ月	4 カ年	2 カ年	3 カ年
学費	一人一ケ月平均一五円・衣食は官給	一人一ケ月一〇銭衣類は官給	一人一日食費一〇銭手当て一五銭	自費授業料なし	一人一日食費三十五銭手当金一五銭	一人一日食費一〇銭手当金一五銭
卒業資格	国語伝習所・師範学校の教諭助教諭訓導	行政各部・各保衙等吏員	街荘堡等の吏員又は書房にて国語を伝習するを得	公私の業務に就き又は高等の学校に入るを得	国語伝習所・師範学校の教諭助教諭及び小学校の校長等とする	通訳者・吏員・実業者など公私の業務者

資料來源：『世界教育史大系日本教育史 II 特殊研究二台灣教育史』，頁 282～83，參照講談社。

〔註25〕楊孟哲，《太陽旗下的美術課：台灣日治時代美術教科書的歷程》，臺北市：南天，2011，頁 26。

表 4-3　臺灣學事設施一覽表〔註26〕

永久事業					
総督府国語語学校（現在一校・明年開校）（乙）土語学科	国語学校付属学校（丙）（三校）		国語学校付属学校（丁）（一校）	総督府師範学校（三校）	師範学校付属小学校・各師範学校所在地
內地の青年者に土語・須要の教育を施し台湾の公私業務に就かしむ	普通教育の模範・師範部生徒の実地教授練習の用に供す		完全なる小学教育と実用的夜学校との模範を示す（夜学校は追て定む	普通教育に属する諸学校の教員を養成する	小学教育の模範を示し且つ師範学校生徒の実地練習の用に供す
內地人（100名）	土人（約200名）		內地人（250名）	土人（450名）	內地人及び土人1校当り（約300名）
修身・土語・読書・作文・習字・算術・簿記・地理・歴史・唱歌・体操	修身・国語・読書・作文・習字・算術・唱歌・体操		修身・国語・読書・作文・習字・算術・地理・歴史・理科・唱歌・体操・裁縫（女児）（図画を欠く）	修身・教育・国語・読書・作文・算術・簿記・地理・歴史・理科・唱歌・体操	修身・国語・読書・作文・習字・算術・唱歌・体操・裁縫（女児）
高等小学(四年課程)卒業以上の学力と操行	幼年生 身体強健・品行善良・稍文字を読み得る者	青年生 志操確実・身体健全・四書三経を読み得る者	身体健全・品行善良	国語伝習所付属学校青年科卒業以上の学力と操行	身体健全・品行善良・文字を解し得る者
一五～二五歳	八～一五歳	一五～二五歳	六～一四歳	一七～二五歳	八～一五歳
3カ年	第一付属学校6カ年 其他二校4カ年	2カ年	8カ年	3カ年	6カ年
一人一日食費二五銭 手当金一五銭	自費生 特別給費生	一人一日食費一〇銭 手当金五銭	自費 授業料なし	一人一日一〇銭食費は官給	自費 授業料なし
通訳者・吏員・実業者など公私の業務	公私の業務従事・高等の学校に入学するを得	街荘の吏員・学校教員・高等の学校に入るを得	公私の業務又は高等の学校に入るを得	島内各地普通学校の教員	公私の業務に就き又は高等学校に入るを得

〔註26〕楊孟哲，《太陽旗下的美術課：台灣日治時代美術教科書的歷程》，臺北市：南天，2011，頁27。

　　當然，要有效執行這些課程訓練，絕非殖民母國派出一批批教師就可以解決，於是，培養出懂這些文明傳播的培訓者，也理所當然成爲臺灣總督府在殖民教育政策上的首要任務，先有一套產生工廠產品的標準模具，才能確保以下能有穩定的生產線路及產出機制，就在這樣的需求下，國語學校於西元 1896年應運而生，下分師範部與語學部，師範部在研究島內普通教育的教學法，首要目標在培養出國語傳習所與師範學校的教職人員，以及小學校的教職人員和校長；語學部則是以教漢人學生學日文，還有教育日本人學生學習和文爲主要的工作內容，並且輔以他們準備好將來要到政府或者私人公司就業時的適當教育。然後國語學校的附屬學校再以最優良的教學法，給臺灣島上的日本人學齡孩童以及臺灣孩童接受普通教育，並且提供師範部學生一個實習及教學的機會。師範部的學生必須是日本人，年齡在十七到二十九歲之間，他們需要完成中學校四年級或以上的程度；語學部的學生則必須是年齡十四歲到二十四歲之間的日本人，也有本地人，擁有附屬學校或國語傳習所畢業的教育程度。

　　師範部的教學科目是：修身、教育、國語、漢文、土語〔註27〕、地理、歷史、數學、簿記、理科、唱歌與體操。語學部分爲兩部，及土語科與國語科，前者的教學科目是：修身、土語、讀書、作文、習字、算術、簿記、地理、歷史、歌唱與體操；後者的科目是：修身、國語、讀書、作文、習字、算術、簿記、理科、唱歌與體操。附屬學校所教授的科目就以：修身、國語、讀書、作文、習字、算術、唱歌與體操爲修習項目〔註28〕。

　　學生在學校裡，接觸到文字、知識、文明，也學習遊戲、運動、唱歌、體操、作文、美術、手工藝等，並且從歷史和地理的脈絡，去建構出殖民國家的形象，再從國家的認識，到修身課程的生活秩序，發展出新型態的人際關係，這對學生來說，殖民教育所帶給他們的全新感受，許佩賢也在書中將近代學校以及殖民教育比喻成哈利波特的魔法學校一樣〔註29〕，充滿特殊魅力和吸引人的目光，但光彩亮麗的外表下，卻是種包裝與掩飾背後目的的最佳方式。所以說，殖民教育的背後其實充斥著重重的陷阱與迷宮，讓學生在這樣的包裝下，產生挫敗或更甚者，是迷失了自己的文化認同。

〔註27〕指有別於漢語的臺灣地方方言。
〔註28〕林茂生，《日本統治下臺灣的學校教育——其發展及有關文化之歷史分析與探討》，台北市：新自然主義，2000，頁105～106。
〔註29〕在許佩賢的《太陽旗下的魔法學校——日治台灣新式教育的誕生》一書中，以此比喻日本帝國殖民時期的學校。

三、殖民與傳統教育利弊分析

　　從傳統教育看來，雖然做官、求取功名等出路的功利取向，是廣大群眾在進德修業的過程中，最大的想望，而府、縣儒學卻僅能提供少數的成績水準較高的菁英進德修業、保障經濟生活。但在庶民需求的影響下，除了私塾遍布鄉里，更有半官方半民營的社學、義學等機構設立，不但教學能夠符合農業社會生活中的彈性需求，也更貼近底層大眾學子的生活，師生之間的相處也有著人情互動的深厚基礎，在識字率不高的農村社會，這些私塾老師的身分十分受到村民的敬重，因為這樣的教育方式，普及了民眾求取知識管道，也促進了民智啓迪與文化傳承，為清寒學子開啓了晉升仕途的大門，有效的促進了社會階層的流動。雖然在課程上並沒有多元廣泛的題材，但在識字過程中，單就一本《聲韻啓蒙撮要》，就可以讓學生從音韻中學習聲調之美、文字的意涵、詞語內現象的變化；而《論語》更可謂流傳中華文化千年的智慧之積累，不管在道德倫理、人情事故上，都可作為人生的一大依託，孔子所傳承的儒家「有教無類」的精神，貫徹在傳統教育的脈絡中，看似無足輕重，但一對照日帝殖民教育，那難能可貴的精神立即彰顯。

　　　　「某天，我在小川町的書店以 10 錢買到民友社發行的《臺灣》新刊
　　　　小冊子，（中略）首先開頭稱呼臺灣是膨脹日本的踏腳石，（中略）
　　　　最後呼籲不要留下千古的遺憾。

　　　　我之前已先讀過浮城物語，心情稍為激動，（中略）至此讀來，已經
　　　　抑制不住，無論如何都想去臺灣。此時官報公布國語學校募集學生
　　　　的消息，我於是參加應募考試，或得採用〔註30〕」。

這是總督府國語學校當初在招募教師時，錄取為第一屆土語科的心情，可以見到當初來到臺灣，有些是受到日帝以「愛國心」為號召，當然也有衡量日後前途，抱著姑且一試心情的人在，而這些程度不一，甚至可以說是複雜的人才來就讀國語學校，正是為了日後管理抑或教育臺灣人為目的。從師資看來，相較於儒家「師者，所以傳道、授業、解惑也」的情操，似乎相去甚遠。

　　然，教育機構雖然在殖民之初，已經直指出目的是為了培養殖民地經營的人才，但作為國語學校的首任校長，町田則文也曾明言到：

　　　　「本校教養學生之目的，非造就純粹知學者，而是培養能負起經營

〔註30〕和田博，〈吾等の帽子〉，《臺北師範學校創立三十週年紀念誌》，頁 156～157。

新領土臺灣之大任者。吾人於臺灣任職，不可不盡此天職，從事各
種研究，勉力瞭解臺灣向來之習慣，進而制訂經營臺灣之新計畫，
爲此，於學習平常知學科外，還需相互累積關於經營新領土研究之
成果，或調查海外各國領土之政治狀況〔註31〕」。

這也展現出國語學校在殖民地教育的實施上，除了國語（即日語）、土語、漢
文外，也另有數學、歷史地理、理科、唱歌，甚至是農業、商業或手工等的
實業課程。這些學科的多元化，是近代教育中，對各門學科的重視與分化，
也讓學科分門別類，更具現代化研究精神。但可惜的是，殖民地教育的試驗
性及限制性〔註32〕，除了讓國語傳習的主要功能成了提供行政上作用爲主，
「國語」教育的目的以作爲：交談的工具、文化發達的手段，更甚是同化的
工具罷了〔註33〕，日帝總督府從公學校的初等教育之始，即訂下教授用語爲
日語，漢文、土語只作選修，這和多數殖民地在普及普通教育上，教授以該
地土語爲主體，有很大的差異，這固然是爲了傳達殖民母國的文化利器，但
也成爲殖民地在地文化拔起與創傷的最大劊子手；且讓教育二元化，區分內
地人〔註34〕和臺灣人的主次等分法，也讓教育的純粹性蒙上陰影。

「公學校的學科程度與內地的尋常小學校差異甚大，彼等土人雖受
六年教育，語言能力卻遠遠落後內地人學童，以這樣的學力在乙科
修業三年，就算說具有內地高等小學校畢業生的程度，但成爲小學
校教員，又如何能教內地兒童呢〔註35〕」。

雖說國語政策的目的在強制同化，但永遠也不可能達到平等的標準，在小學
校與公學校教材的殊異下，更高等的教育管道採用相同的考試標準，這又是
對誰有利對誰有弊更是一目了然。而「國語學校規則」中，雖未區別師範部
甲、乙之培訓目的，但依據教員檢定規則和任用現狀，乙科畢業的臺灣人不
僅未能擔任小學校教師，在公學校中也僅能擔任低於教諭之訓導，這也是爲
了避免日本人設定的教育之矛盾。蔡培火在《告日本國民書》中曾字字泣血

〔註31〕町田則文發表於《臺灣總督府國語學校校友會雜誌》第一號，1899，頁1。
〔註32〕有鑒於歐美國家殖民經驗，教育在殖民地產生的威脅性，例如印度的高知識
教育，也成爲後來推翻英國統治一股主力。
〔註33〕矢內原忠雄，《日本帝國主義下之台灣》，臺北市：吳三連臺灣史料基金會，
2004，頁190。
〔註34〕相較於臺灣殖民地而言，日本本國稱爲內地。
〔註35〕謝明如，〈日治時期臺灣總督府國語學校之研究（1896～1919）〉，臺北：國立
臺灣師範大學歷史學系碩士論文，2007，頁41～42。

的言到：

> 「對於我們，不許有個性的存在，我們的語言終於成為無用之物。
> 我們除了充實勞動以外，一切活動的機會盡被剝奪，但服從阿諛卻
> 成為吾人應守的美德而受到獎勵，主張骨氣正義的節操者卻遭受徹
> 底的壓制〔註36〕」。

這對殖民教育中，語言文化的剝奪充滿了控訴，即便課程的充實，也僅是愚
民的一種手腕，學習勞作、學習實業技術，僅僅是為人作嫁，勞動者卻無法
享受自己的成果。

> 「假汝之名的日本語中心主義，真是拘束並壓抑我們的心靈活動，
> 將從來的人物化為一無所能，使一切政治社會的地位都為日本人所
> 壟斷。凡受此新型教育的青少年，除了特別的天才之外，都被低能
> 化，失去新時代建設者的資格〔註37〕」。

教育本應作為啟迪民智與時代並進的跳板，何以卻讓學子有如此強烈的落差
感與歧異性，甚至有錢的仕紳子弟，爭相掏錢將子女送到日本帝國或其他國
家接受教育，就為了避開這些赤裸裸的種族歧視及低標準的教育〔註38〕，這
正是包裝在甜美現代化中，殖民教育最大的弊端。

第四節　儒家文化與殖民教育的文化差別比較

　　以孔廟祭祀為主軸而開展的儒教主義教育，可說是東亞儒家文化發展的
典型。儒家文化在孔子子弟，歷代先賢、先儒的祭祀禮儀活動上，也都個別
具有其教育的特殊意涵，且因孔廟祭祀與「入祀孔廟」的制度下，讀書進士
的士子們期盼成為聖賢的「成聖教育」觀念，早已根植在士子和人民心中。
康熙四十一年（西元1702年）曾任臺灣知縣的陳璸在著手重建孔廟完工時曾
寫下〈嘉邑明倫堂碑記〉陳述其建明倫堂的理論：

> 「自有人類，即有人心；有人心，即有人理；有人理，即若天造地

〔註36〕矢內原忠雄，《日本帝國主義下之台灣》，臺北市：吳三連臺灣史料基金會，
　　　　2004，頁192～193。

〔註37〕矢內原忠雄，《日本帝國主義下之台灣》，臺北市：吳三連臺灣史料基金會，
　　　　2004，頁192～193。

〔註38〕派翠西亞・鶴見，《日治時期臺灣教育史》，宜蘭市：仰山文教基金會，1999，
　　　　頁75。

設而有明倫堂。苟斯堂之不立,則士子講經無地,必至人倫不明,人理泯而人心昧,將不得爲人類矣。(中略)予謂五經與五倫,相表裡者也。倫於何明?君臣之宜直、宜諷、宜進、宜止,不宜自辱也;父子之宜養、宜愉、宜幾諫,不宜責善也;兄弟之宜怡、宜恭,不宜相猶也;夫婦之宜庸、宜肅,不宜交謫也;朋友之宜切、宜偲,不宜以數而取疏也。明此者,其必由經學乎!潔淨精微取諸《易》,疏通知遠取諸《書》,溫厚和平取諸《詩》,恭儉莊靜取諸《禮》,比事屬辭取諸《春秋》。聖經賢傳,垂訓千條萬緒,皆所以啓鑰性靈,開橐原本,爲綱紀人倫之具,而絃誦其小也〔註39〕」。

陳璸本就是一爲身體力行的學者,所以從他的言論當中,可以清楚體現儒家文化中重視人倫及經書的態度,而五倫和五經的相應關係〔註40〕,也顯示儒家文化對於士子的要求:爲學要兼重學思及實踐的態度,而其中的君臣倫常之道,例如第二章所提及的愚忠情懷:「臣一心無二志〔註41〕」,也可謂透過明人倫的教化下,與政統的正當性及集權需求相應和,所以政權要緊扣著教育文化這一環節,才能讓底下的人民透過遵從教化,而對政統奉行不移。故清代科舉取士、各地方儒學設置的教育目的可說是應此而生,爲了選拔人材,爲了國家取士,來鞏固朝廷的統治,另外,學校也應國家考試制度產生,地方更因制度的關注,進而掀起教育的熱潮。這股熱潮搭配廟學制的傳統儒學教育,透過釋奠、釋菜禮的舉行,來瞻仰聖賢,表現尊師重道;以慶賀禮,來表達人臣對君主的忠貞;而鄉飲酒禮,是將尊老敬賢、長幼有序觀念灌輸百姓,來形成井然有序的社會。

儒家文化自明鄭開始到清代,已歷經了長達二百多年的移植和發展,除了成爲士人學子的精神生活主要部分,更融入了庶民生活當中,即便臺灣在光緒二十一年(西元一八九五年)割讓給日本,從割臺前年一年(即光緒二十年,西元 1894 年)清廷所修纂的最後一本方志《恆春縣志》中,仍可以看到,直到割臺的前一刻,清廷在臺灣推廣儒家文化及教育始終不遺餘力,這也難怪儒生階層在割臺初期,會成爲武裝抗日的主力軍〔註42〕。是忠臣不事

〔註39〕陳昭瑛,《臺灣儒學:起源、發展與轉化》,臺北市:台大出版中心,2008 年,頁 18～19。

〔註40〕林玉体,《臺灣教育史》,臺北:文景書局,頁 32。

〔註41〕林玉体,《臺灣教育史》,臺北:文景書局,頁 32。

〔註42〕陳昭瑛,《臺灣儒學:起源、發展與轉化》,臺北市:台大出版中心,2008 年,頁 33。

二主的愚忠使然，抑或如伊能嘉矩所言：「臺灣住民中之漢族，多半對日本人懷有民族對立之情緒，所謂以中華之民臣服於夷狄治下之恥辱〔註43〕」。都在在說明了，儒家文化已成為維繫民族文化認同的主要力量。

　　儒家文化在臺灣根植兩百多年的基礎，殖民文化要怎麼滲透得成，才能做到連根拔起，改變殖民地人民的「愚忠」對象？隈本繁吉在針對日帝當局實施的「同化」運動內容項目，曾明白表示：

> 「獎勵使用國語一事就不用再多說明了，從舉止、應對、娛樂、遊戲等開始至看護、衛生、裁縫諸種作業，還有讀書、談話等都要指導誘導。我們要與臺灣人歡歡喜喜地往來，讓其在不知不覺中熟悉國語，引導其走向善良的風俗，要做到讓其體會習得作為一個日本人的趣味和氣氛〔註44〕」。

為了達成同化，除了要以國語教育作為一切基礎外，在人民的行為舉止、言談應對等細微的生活方式，更甚至是趣味性的投入、氣氛的營造方面，都要日本化！殖民文化透過這樣縝密的計劃，佈下天羅地網，而儒生階層的抗日活動在遭受日軍的殘酷武力鎮壓後，轉往書院及詩社的文化保存和傳承，吳濁流在《亞細亞的孤兒》對書院及塾師彭秀才有段應景且栩栩如生的描繪：

> 「彭秀才房間掛了一幅孔子的畫像，在日人統治之下，常以『斯文掃地』、『吾道衰微』之類的話，『大嘆其聖學沒落』。在過年時，彭秀才也以『大樹不沾新雨露，雲梯仍守舊家風。』的春聯明志〔註45〕」。

彭秀才詩中所言及的「新雨露」正是指當時日帝初期採用的攏絡書房教育手段，是武嚇輔以文攻，也謂黑臉佐以白臉。首任臺灣總督樺山資紀便言明其經營殖民地臺灣之抱負：「不僅以武力征服其外形，特別是征服其精神，使之去舊國之夢，發揮新國民精神〔註46〕」。殖民文化透過新式教育手法包裝，傳統文化在明面懷柔與攏絡，暗地卻是野蠻且絲毫不尊重在地文化的予以拔除〔註47〕。一切的政令，都暗藏步步蠶食鯨吞的概念，例如殖民總督府在初期

〔註43〕伊能嘉矩，《臺灣文化志》〈中譯本下卷〉，臺灣省文獻會，1991，頁475。

〔註44〕陳培豐，《「同化」的同床異夢：日治時期臺灣的語言政策、近代化與認同》，臺北市：麥田出版，2006，頁301。

〔註45〕吳濁流，《亞細亞的孤兒》，臺北市：遠景，1993，頁5～6。

〔註46〕《國家教育》第33號，1995，轉引自孫芝君，《日據時代台灣師範學校音樂教育之研究》，臺灣師範大學音樂系碩士論文，頁5。

〔註47〕日軍進城即佔據臺北文廟作為步兵第八部隊兵營及臨時衛戍病院（軍醫院）使用，不但破壞了裡面的孔子及諸賢牌位，禮器、樂器等器皿一攫而空，而

語以攏絡書房的舉動，卻又在西元 1898 年頒布「臺灣公學校令〔註48〕」與「關於書房義塾規程〔註49〕」，將公學校與書房立場轉成對峙之勢力，無異又是前後不一的態度，然殖民地的「次等」人民焉有開口駁斥的機會，本來臺灣在大清帝國時代所設立的書院、社學、義學、私塾等教育機構，逐步而且是有系統的給予廢除，並且創造出臺灣子女就讀「公學校」的就學率之高，令歐亞殖民主義的先進國家瞠目結舌，更可以打臉支那人〔註50〕的積弱不振、陳腐、懦弱、貪小利等落後形象，也印證福澤諭吉脫亞入歐〔註51〕的論調的成功，讓臺灣從「清國奴」的形象走出，透過國語科內容強調日本國家意識外，更有修身、歷史、地理等科目，中心主觀地以日本帝國的立場來編寫；在生活方面，讓臺灣人穿木屐、著和服、住榻榻米房子、喝日本味噌湯、唱日本歌、打野球〔註52〕、了解日本國家英雄、塑造愛國人物〔註53〕、看日本小說、給予日本帝國內地參觀旅遊，甚至是到日本帝國留學等，各個層面的滲透。莫怪乎，上從仕紳階層的李春生就有此慨歎：

> 「臺灣一島，原屬清國南七省沿海屏藩，土人亦係渡自清國內地者。二百年來如一日，浸淫有清野蠻政教。（中略）其若全島民氣，積習既深，根性牢固，孤掌難鳴。不得不居守合舟，隨眾浮沉，以任天聽運〔註54〕」。

後更將原址改爲殖民總督府國語學校，擴充師範部，僅在校內設一間小廟，供奉孔子及四配、十二哲牌位。另外更有拆毀天后宮，改建台灣博物館；拆毀布政使司衙門，作爲臺北公會堂等行徑。

〔註48〕臺灣教育會，《臺灣教育沿革誌》，臺北：編者，1939，頁 98。

〔註49〕《國家教育》第 33 號，1995，轉引自孫芝君，《日據時代台灣師範學校音樂教育之研究》，臺灣師範大學音樂系碩士論文，頁 439～443。

〔註50〕川島眞，《中國研究》第 571 號，〈「支那」、「支那國」、「支那共和國」——日本外務省的對中稱呼政策〉，1995。

〔註51〕許介鱗，《福澤諭吉：對朝鮮、臺灣的謀略》。

〔註52〕即日本學生風靡的球類——棒球。

〔註53〕一名泰雅族少女沙韻·哈勇（サヨン，sayon）因協助日籍教師田北正記搬運行李，不幸失足溺水。而台灣總督爲了褒揚其義行，頒贈予當地的紀念桃形銅鐘，該鐘即稱莎韻之鐘。本僅爲短短一則地方新聞的泰雅族少女溺水意外，經刻意報導後，被台灣總督府用來宣揚理蕃政策的成功；另有國歌少年，君之代少年（君が代少年），即 1935 年新竹台中州大地震罹難的台灣籍少年詹德坤。根據該地震其他生還者描述，詹德坤曾於臨終前大聲吟誦日本國歌《君之代》。此吟誦國歌的情景後來被改寫，並發表於當時日本官方教科書《國語三》，隨即被台灣總督府作爲皇民化教育的典範。

〔註54〕李春生，《臺灣時報》8 號〈後藤新平公小傳跋〉，1909，頁 87。

對於清帝國統治期間文明的停滯，以及眾多的醜陋惡習，感慨不已，並且無力改變任何現狀。而乙未戰爭的契機，可謂「塞翁失馬，焉知非福」，割臺後，居然有幸沐浴在日帝殖民文化的恩澤下，才有此進步契機：

> 「今雖爲文明風潮衝擊激盪，無如若輩頑冥不仁，終是五官緊閉，寸步不宜。畢竟乃其爲一野蠻古老專制之帝國。……企本島臣民，急棄一切野蠻頑固之根性，造成一民權天職之資格，藉得共列吾兵籍，同參吾會議。以期同仇敵愾，爲盟主於東海，執牛耳於五大洲〔註55〕」。

並勸誡臺灣人民，不要在野蠻頑固下去了，摒棄一切不文明的習性，東面向著天皇，追隨其進化的腳步與文明恩澤洗禮，才能在世界上站穩腳步，這真可說是殖民文化的重塑、教育的再造的大大成功案例，不但自身同化成爲皇民，還能站在殖民者立場，勸誡民眾臺灣人在政治、文化、教育等各面向，要明白接受差別待遇的必要性：

> 「人非平等也。有勤惰而後貧富生者，非平等也。有賢愚而後貴賤生者，非平等也。生而爲父母所養育者，非平等也。長而賴政府爲治安者，非平等也。財産平等不可，地位平等不可，父子平等不可，治者平等不可，故平等兩字，不可不棄〔註56〕」。

誠可謂透過儒家文化改造成殖民文化的過程，讓一位仕紳能透過文明的洗禮，脫去野蠻外衣，歸順爲日本帝國的好臣民。而一位接受儒家文化薰陶多年的仕紳尚且如此，那從初等教育階段，就進入殖民文化教育系統的孩童能寫出：

> 「臺灣還沒有被日本領有以前，還未如現在一般開化，因此到處都有土匪蜂起做壞事。此時北白川宮殿下奉天皇陛下命令，親自率領很多士兵到臺灣來。和士兵一起翻山越嶺、餐風露宿，歷經各種困難。（中略）北白川宮殿下對臺灣非常盡心。殿下還沒征伐時的臺灣，有土匪欺負善良人民，奪取金錢，做種種壞事，讓人民很痛苦。陛下很快命北白川宮殿下征伐臺灣。從此開啓今日的模樣，成爲好地方。這完全是託殿下的福〔註57〕」。

〔註55〕李春生，《臺灣時報》8號〈後藤新平公小傳跋〉，1909，頁87。
〔註56〕中西牛郎，《泰東哲學家李公小傳》〈拾遺〉，台灣日日新報社，1907，頁286。
〔註57〕陳培豐，《「同化」的同床異夢：日治時期臺灣的語言政策、近代化與認同》，臺北市：麥田出版，2006，頁241。

如此文章，清楚呈現臺灣由落後、黑暗、不便的過去走出來，迎向文明的、進步的、光明的、便利的今天，都是「託天皇陛下的福」這等內容，也不足爲奇了。

　　從中日甲午戰爭，清帝國的戰敗，將臺灣割讓給日本這個對當代人們驚天動地的變局，與對臺灣讀書人最沉重的打擊與哀慟，到時過二十多年後，臺灣新一代的學童一批批接受日本引進的近代化「文明」教育，文明爲何？在另一篇作文中有學童用這樣的敘述表現他們的文明觀：

　　「因連日下雨道路泥濘（中略）道路不好最讓人傷腦筋。沒有像道
　　路不好那麼不文明的事了〔註58〕」。

什麼是文明，什麼是野蠻？怎可能單從文化現象中的環境整潔就可以看得出來。透過受教殖民教育後的學生文章與思維，印證了日本帝國主義殖民文化建構在殖民者身上的線性歷史觀脈絡〔註59〕，也充分展現出愚民教育的成果。人民從過去到現在，生活產生黑暗到光明的改變，但如何改變、用什麼手段改變，而殖民地人民又從中付出了什麼代價，卻隻字不提，前因後果的解釋從未出現在教育中。

　　儒家文化中，告訴讀書人要能「安身立命」，何謂也？「安」，是一種情感和精神的安頓；「身」指的是人的行爲踐履，把精神安頓與生活實踐聯繫在一起，《論語》也談到「身」。〈學而〉篇寫道：「曾子曰：『吾日三省吾身』」；而「立」，孔子的說法是「三十而立」，確立人生的價值取向；「命」，指的是君子應有的使命感，孔子說：「不知命，無以爲君子也〔註60〕」。反觀殖民文化，告訴的卻是安「生」立命就好！沐浴在天皇的恩澤下，日本帝國主義自會帶領臺灣人走向文明的世界，馴服臺灣人的手法：文則以同化、武則以軍事暴力鎮壓，這種「武夫遍地殺戮，皇民詩書改造（武力與書本）〔註61〕」，

〔註58〕陳培豐，《「同化」的同床異夢：日治時期臺灣的語言政策、近代化與認同》，
　　　　臺北市：麥田出版，2006，頁 242。

〔註59〕在《「同化」的同床異夢：日治時期臺灣的與政策、近代化與認同》一書的頁
　　　　243 中，陳培豐用以前的旅行（10～22）一課提到：「現在乘火車從臺北到臺
　　　　南不用一日，以前再怎麼趕也要花十日以上……」爲例，說明這種單純的「過
　　　　去／黑暗→現在／光明」即是線性史觀的一種展現。

〔註60〕網路資料：http://big5.china.com.cn/culture/guoxue/2010-03/01/content_19493605
　　　　.htm，國學講堂，2015/07/29。

〔註61〕楊孟哲，《太陽旗下的美術課：台灣日治時代美術教科書的歷程》，臺北市：
　　　　南天，2011，頁 200。

這樣的糖與鞭子雙管齊下之手段，莫不是野蠻手段？楊孟哲《太陽旗下的美術課——台灣日治時代美術教科書的歷程》在文末提到：推敲日帝統治臺灣的過程，可用「野蠻中帶著文明〔註62〕」，來下註解，誠然貼切極了。

〔註62〕楊孟哲，《太陽旗下的美術課：台灣日治時代美術教科書的歷程》，臺北市：南天，2011，頁 200。

第五章 結論——觀臺北府儒學、總督府國語學校之臺灣文化比較的再思考

　　透過臺北府儒學和總督府國語學校這兩個分別處於不同時代，但卻建在同一塊位址上的教育機構建築，來比較其建築、教育及文化上的差異性，進而探討日本帝國主義為了根除清代儒家文化，透過原址教育建築的拆遷移除與再建構，利用教育這把利刃的實施，來改變了人民的文化認同，這反映著時代變遷中的文化殖民與掠奪。至今，殖民地的傷痕還在多處倘露著，吟哦著時代的悲歌。

　　西元 2015 年 7 月時，臺灣前總統李登輝訪日時，提到：

> 「臺灣很感謝被日本統治，當時清朝是把臺灣當作不要的土地送給
> 日本，是日本幫助臺灣確立司法與行政分離和近代化管理制度，311
> 大地震時很多臺灣人捐錢給日本，就是想表示對日本的感謝之意〔註
> 1〕」。

即便外交部堅定表示，中華民國政府一貫堅定捍衛釣魚臺列嶼主權，揭櫫「主權在我、擱置爭議、和平互惠、共同開發」的原則，持續致力維護釣魚臺主權。且普羅大眾面對主權議題時，一改平時族群與派系問題的意見之分歧，一致對外表示主權在於臺的決心，然李登輝卻在面對這個議題時，依舊仍堅守其（日僑臺客）的立場：

〔註 1〕網路資料：http://www.appledaily.com.tw/realtimenews/article/new/20150723/ 654017/，2015/09/03。

「正在訪日的李登輝昨天回應媒體詢問「釣魚台是日本的還是臺灣的？」表示，他已經回應過好幾次，「釣魚台（日稱尖閣諸島）是日本的，不是臺灣的領土〔註2〕」。

究竟李登輝這樣的主權認同觀念，從何切入來剖析？什麼樣的觀念灌輸與殖民下，會讓李登輝說出：「在日本人占領臺灣的時代裡充滿了幸福和自豪」，根據朱高正先生對岩里政男（李登輝）的研究中，李是其母在篠原笠次郎家幫傭時，所產下的私生子，其生父爲日帝時期派駐臺北服務的刑警，李在臺灣高等學校畢業後，跟著回日帝國大學深造，直到日帝戰敗才回臺，而李金龍爲生父友人，故認其義父，也證實了其日僑臺客的身分。難怪李登輝曾在其多次接待日帝訪問團時，用日語向他們自誇在22歲以前還是眞正的日本帝國皇民身分〔註3〕！

這樣的歷史淵源從何說起？西元1894年到1895年間的中日甲午戰爭，是由於朝鮮半島的農民起義，朝鮮政府請求清朝兵協防，並按中日天津條約通知日帝，沒有提防到其對朝鮮半島作爲跳板，進而併吞中國與亞洲的帝國主義策略，蓄意挑起事端、製造戰爭契機的手段，讓清朝被迫應戰。但這原本與臺灣並未有任何關係，怎麼演變爲「割讓臺灣」的事件？許介鱗在書中提到：日帝的野心在戰勝後，日益澎發，要求割讓遼東半島作爲北進的據點，而臺灣就是做爲南進的基地。西元1895年3月20日，於下關的春帆樓中，伊藤博文和陸奧宗光早已心懷計謀，在拒絕李鴻章提出的先議「停戰」才來「講和」，其目標早已放在「割臺」，先一步派出支隊占領澎湖島。3月24日，李鴻章還在第三次講和會議的歸途中，被日帝右派翼的小山豐太郎狙擊，身負重傷；3月25日，澎湖島的清兵投降，隔日，日軍完全占領澎湖島，掐住臺灣島的咽喉後，日方才願意簽屬中日停戰條約，但臺灣和澎湖島並不在停戰的範圍內〔註4〕。總體觀之，其對占領臺灣的豺狼野心，昭然若揭，又怎會有如李登輝所提到的「清朝是把臺灣當作不要的土地送給日本〔註5〕」這一說呢？

〔註2〕 網路資料：http://www.chinatimes.com/realtimenews/20150724004490-260407，中時電子報，2015/09/03。

〔註3〕 網路資料：http://m.milnews.com/article/19379，2015/12/27。

〔註4〕 許介鱗，《日本殖民地法治下的臺灣》，臺北市：文英堂，2012，頁3～4。

〔註5〕 網路資料：
http://www.appledaily.com.tw/realtimenews/article/new/20150723/654017/，2015/09/03。

　　這就是日本帝國主義的殖民教育，透過國家權力的力量，在基礎教育與其延伸上，利用學校教育的方式來統合國家人民。美其名是為臺灣引進近代學校，更深入的透視，盡是公權力的介入與傾軋思想。透過學校教育，改造殖民地的國民的統合、教化工作，得以更順利推展。對日本人來說，在臺灣成立的國語學校及其附屬等近代學校的工作，就像工廠的生產線一般，主要的價值僅在於生產、製造、培養殖民母國所需要的人力資源以及加工產品，以達到殖民地統治及本國產業需要的足夠輸出及供應量貢獻；然而，對於臺灣民眾來說，殖民教育的學校帶給他們的感受，卻像個全新的文明時尚裝扮，披上的文明外衣的學子，才有資格上台亮相，這樣光鮮的感受，讓他們活得像個現代文明人，與世界接軌並進，於是認同與效忠的對象，開始轉變，一步步皇民化。

　　李登輝這次的赴日參訪與演說，引發的爭論議題，即是日帝當初殖民教育的成功的最佳範例。矢內原忠雄曾言道：

　　　「殖民地統治是宗主國政治、傳統及文化的投影。通常是以該國的
　　　社會形態、政治思想、文化特徵為基礎而架構成形〔註6〕」。

這即是典型的印證。國立臺北教育大學臺灣文化所教授楊孟哲，在接受中國評論新聞網中也對此報導，有一番評論：

　　　「李登輝日前接受日本〈Voice〉月刊雜誌訪問所說的一堆媚日言
　　　論，簡直比偽滿洲國皇帝溥儀、旅日棒球家王貞治還不如（中略）。
　　　李登輝20歲以前是日本人，拿著日本國籍到日本內地讀京都大學，
　　　李家人也願意改姓，以華人來講，要改名換姓是很重大的抉擇，一
　　　般都不願意，李家願意，就知道日本對李來講是第一祖國。（中略）
　　　李登輝代表日本殖民台灣那個時代的悲泣，對所謂的臺灣人、李登
　　　輝是客家人的後裔，但客家人的硬頸對李來講已經沒有了，李徹底
　　　被皇民化，是個日僑，所以日本統治臺灣時有十九位總督，李可算
　　　第二十位總督了，隱姓埋名潛伏在臺灣，這代表臺灣人的悲哀〔註7〕」。

〔註6〕　矢內原忠雄，〈軍事的と同化的・日佛殖民地政策比較の一論〉，《國家學會雜
　　　　誌》51卷2期，頁178～181。
〔註7〕　網路資料：
　　　　http://www.zhgpl.com/doc/1039/0/2/6/103902689.html?coluid=23&kindid=297&
　　　　docid=103902689&mdate=0825114043，2015/09/05。

殖民地的傷痕，除了最顯著的表現在殖民建築物的遺留與保存外，透過教育改造後的人民與日本帝國主義之間的特殊深厚情感，更是迄今仍在淌血的傷口，流膿尚未結痂。而日本帝國的歷史教科書中，對日帝的殖民統治事實與策略並不多做描述與評價〔註8〕，讓不少日本國民誤以爲：日本帝國並未把臺灣當作「殖民地」看待，日帝是對臺灣的建設和近代化極其有功的；甚至連臺灣的歷史教科書，在政治方面除了略述臺灣人的抵抗活動之外，主要的課程多半談到的是日帝對臺灣的經濟、社會、教育、文化等等，記述的多半是發展史，而甚少言及侵略、掠奪方面的殖民史論述。而且，臺灣在日帝殖民統治時期，所留下的舊官廳、行政廳舍事務所、學校建築、社區住宅等等，都像在印證教育中的日本帝國所帶給臺灣的經濟、文化實證，並且得到良好的保存，到今天都還廣受臺灣人的緬懷與喜愛；再加上殖民時代所被灌輸的日本文化、美感、習慣，以及部分日語的用法，都深刻的融入臺灣人的日常生活當中。難怪在戰後六零年代以後出生的世代，還出現了「哈日」的流行風潮。

　　如果說日本帝國統治了臺灣半個世紀，把臺灣資本主義化、現代化了，其實內容就是殖民統治的效率化。日帝殖民時期，臺灣的基礎建設，目的無非在於便利其殖民資本主義的發展，受益者本身還是日帝殖民母國，但其所費所資的基礎建設之經費與成本，則是全盤由臺灣殖民地的人民來買單，直到最後日帝戰敗，需要包袱款款離開臺灣時，才不得已留下這些現代化的基礎建設遺產。厲害的是，日本帝國主義下對臺灣經濟的經營與教育實施手段之精明與成功；可悲的是，臺灣人民在接受愚民教育殖民後的皇民化盲從。啓迪民智與時代並進的教育跳板，卻也正是讓學子產生強烈的落差感與歧異性的元凶，因此有錢的仕紳子弟，或是爭相掏錢將子女送到日本帝國或其他國家接受教育，依附當權者的教育文化，要不只能選擇逃離，但這些手段，只能是有錢人的應對方法；至於臺灣的平民呢？平民就只能在國民教育的亮麗就學率背後，攀緊時代的巨輪，依循著伊澤修二的文化政策與後藤新平的殖民體制步伐，向前邁進。

　　儒家文化在臺灣根植兩百多年的基礎，在日帝的殖民文化強力傾軋下，幾乎可說是連根拔起，改變殖民地人民的「愚忠」對象。舉凡：舉止、應對、娛樂、遊戲等開始至看護、衛生、裁縫諸種作業，還有讀書、談話等，都是

〔註8〕許介鱗，《日本殖民地法治下的臺灣》，臺北市：文英堂，2012，頁61。

日帝當局實施的「同化」運動內容項目。可說是爲了達成同化，除了要以國語教育作爲一切基礎外，在人民的行爲舉止、言談應對等細微的生活方式，更甚至是趣味性的投入、氣氛的營造方面，都要日本化！殖民文化透過這樣縝密的計劃，在教育的手法下，佈下天羅地網，也難怪人民認同觀念會產生混淆情況。

　　日本帝國的臺灣統治，宣傳者是依日帝明治天皇「一視同仁」聖旨，和當時總理大臣伊藤博文所下的「訓令」。西元 1896 年 6 月的臺灣始政紀念日，伊藤博文還曾賦詩一首，表示其統治臺灣「一視同仁」的基本精神：「同仁一視沒陰晴，須以斯心策治平，滿堂唱和乾坤動，日本天皇萬歲聲〔註 9〕」。諷刺的是同是天皇的「臣民、赤子」，在日帝的殖民統治下，不管政策如何改變，不變的是以榨取臺灣來養肥本國的原則。日帝統治臺灣半個世紀，不論從西元 1895 年的割臺到西元 1919 年的文官總督任職的綏撫時期，或從西元 1919 年到 1936 年的「同化政策」或是「內地延長」時期，抑或西元 1937 年限制使用母語、廢止報紙的「漢文欄」，到西元 1945 年日帝投降、臺灣光復的皇民化時期，日本帝國主義的殖民統治一直貫穿著「差別待遇」問題。

　　臺灣早期的民族主義運動家陳崑樹，去過日本帝國東京商科大學留學後，極力批判日帝的「同化主義」，並主張「民族的平等主義」，更列舉出該廢止的臺灣特殊法：一、匪徒刑罰令；二、保甲規約；三、紳章授予規則（攏絡臺灣仕紳）；四、中華旅券特許規定（限制臺籍人民到大陸）；五、臺灣府報應如朝鮮總督府報，不可成爲特定新報的附錄，應該史實費單獨發行；六、有關加俸的規定，日漢官職的俸給差別規定（日本人比漢人多五成到六成）；七、總督府師範學校學生學資給予，日本學生和漢人學生的差別規定，日本人甲種普通科學一百二十円，漢人乙種學資七十二元〔註 10〕。由這些主張平等的項次看來，差別歧視可說是極爲普遍的存在，下至學生，上至官吏，臺灣人的角色一直是殖民地的次等國民。

　　歷史記憶具有高度的選擇性，一個歷史事件會被選擇出來論述，甚至制度化的安排成爲歷史教科書的內容而成爲新的共同記憶，其實是源自於歷史書寫者政治權力者的意圖與判斷，唯有解套歷史詮釋的多元化，才能避免歷史壟斷。西元 1987 年後，臺灣歷經解除戒嚴，政黨輪替，臺灣史重新定位，

〔註 9〕 林進發，《臺灣統治史》，臺北：民眾公論社，1935 年，頁 45。
〔註 10〕 許介鱗，《日本殖民地法治下的臺灣》，臺北市：文英堂，2012，頁 41～42。

文化資產受到重視等因素。就芝山巖事件看來，其詮釋已經不能再是統治者統治策略和操弄手段下的棋子。伊澤修二為了貫徹「同化教育」，將芝山巖事件中遭殺害的六氏塑造成為堅守教育崗位的「大義犧牲」，也成為了日帝時期教育界的表率精神，芝山巖也成了「國語的教育聖地」，被定位為「教育者為推動日語及教育忠君大義而犧牲奉獻的精神」，而這些殺害六氏的人也被以土匪論。長期以來，臺灣受外來政權統治，臺灣人也被迫接受統治者的歷史文化觀點，難以有自己的想法。凱斯‧詹京斯在《歷史的再思考》一書中對歷史曾下如此定義：

> 「歷史是一種移動的、有問題的論述。表面上，它是關於世界的一個面向——過去。它是由一群有當下心態的工作者所創造〔註11〕」。

這就代表著過去的歷史事件，是可以被當下的有心人士再創造、再詮釋，建構有利於統治者使用的歷史意義。而觀臺灣日帝教育的發源地，光就一個芝山巖事件的詮釋，都是統治者驅使人民效忠的工具，目的為的就是利用其芝山巖精神來進行奴化及同化主義的手法。葛蘭西的「文化霸權」理論說得正是如此概念，他認為國家的統治者絕不是只以武力來進行統治，而是建立在道德與文化方面的領導權，使得被廣大民眾服從，也正是所謂國家披上強制性甲胄的文化霸權，經由學校教育和媒體的鼓吹，進行文化霸權的塑造，建構出意識形態的領導者。而被統治者不接受統治者所灌輸的想法時，應用各種方式來進行文化或思想上，甚至是武力上的抵抗，「抗爭」因此產生，西元1930 年的霧社事件，賽德克族原住民雖然明知道日帝的軍事強大，但在日本帝國主義的歧視與壓迫下，為了維護做為人的基本尊嚴，仍然群起反抗，戰鬥之慘烈，至今仍深刻銘印在臺灣人的集體記憶中。

一個人只有通過記憶才能完全地意識到自己，就如同一個民族只有通過歷史才能完全意識到自己。無論是怎樣的歷史，正確記憶它是最基本的，人民必須自覺地去記憶，當一個國家或一個民族，能從歷史中去汲取教訓，未來才能防止悲劇再重演。忘卻或是歪曲歷史，就等同於忘卻民族精神。日本帝國對於過去的殖民統治和侵略戰爭的反省和歷史認識至今仍十分淡薄，甚至將侵略事實說成亞洲地區的解放戰爭，在殖民臺灣階段，不但扭曲了儒家文化中，讀書人的「安身立命〔註12〕」，成為安「生」立命，舉凡對同化有阻

〔註11〕凱斯‧詹京斯在，《歷史的再思考》，臺北市：麥田，2006，頁120～121。
〔註12〕「安」，是一種情感和精神的安頓；「身」指的是人的行為踐履，把精神安頓

礙的學問，皆為無用之學，「只要授與能維持生計，懂得世故，有生存能力」
這種教育即可，對「自治能力」有所助益的高等教育更是萬萬不可〔註13〕！
唯有沐浴在天皇的恩澤下，日本帝國主義才能帶領臺灣人走向文明的世界。
馴服臺灣人的手法：文則以同化，武則以軍事暴力鎮壓，這種「武夫遍地殺
戮，皇民詩書改造（武力與書本）〔註14〕」，運用糖與鞭子雙管齊下的手段，
文明乎？野蠻否？無論如何，歷史不容歪曲、抹煞，從臺灣教育文化中的歷
程，我們要從隱蔽的歷史事實中，端正歷史的認識，反省與透視日帝侵略戰
爭的責任，才有助於消除隔閡與達成歷史和解。

與生活實踐聯繫在一起；而「立」，孔子的說法是「三十而立」，確立人生的
價值取向；「命」，指的是君子應有的使命感，孔子的說：「不知命，無以為君
子也」。
〔註13〕杜武志，《日治時期的殖民教育》，板橋市：北縣文化，1997，頁169。
〔註14〕楊孟哲，《太陽旗下的美術課：台灣日治時代美術教科書的歷程》，臺北市：
南天，2011，頁200。

參考文獻

一、專書文獻

【二畫】

又吉盛清：《臺灣今昔之旅——臺北篇》，臺北：前衛，1997。

【四畫】

王鎮華：《書院教育與建築》，臺北市：故鄉出版社，1986。

王啟宗：《臺灣的書院》，省府新聞處，1987。

王世慶：《清代台灣社會經濟》，台北市：聯經出版，1994。

王慧芬：《臺灣重層近代化論文集》，新自然主義，2000。

【四畫】

尹章義：《台灣開發史研究》，台北市：聯經出版，1989。

【五畫】

史明：《臺灣人四百年史》，蓬島文化公司，1980。

【七畫】

杜武志：《日治時期的殖民教育》，板橋市：北縣文化，1997。余怡萍：《台北古蹟偵探遊》，臺北：遠流，2004。

【七畫】

李汝和：《臺灣文教史略》，臺中市：台灣文獻，1972。

李汝和：《清代台灣文教史略》，台灣省文獻委員會，1972。

汪知亭：《臺灣教育史料新編》，臺北市：臺灣商務印書館，1978。

李筱峰、劉峰松：《台灣歷史閱覽》，台北市：自立晚報社文化出版部，1994。

李乾朗：《臺北市：古蹟簡介》，臺北市：臺北市民政局，1998。

李乾朗：《臺北古城門》，臺北市：北市文獻會，1993。

李乾朗：《19世紀台灣建築》，台北市：玉山社，2005。

李乾朗：《20世紀台灣建築》，台北市：玉山社，2006。

何培齊：《日治時期的臺北》，臺北市：國家圖書館，2007。

【八畫】

林芳怡：《台北大街風情》，台北市：創興出版社有限公司，1977。

林衡道：《台灣史》，台北市：眾文圖書股份有限公司，1977。

林慶彰：《清領時期臺灣儒學參考文獻》，華藝學術出版，2013。

林茂生：《日本統治下臺灣的學校教育——其發展及有關文化之歷史分析與探討》，台北市：新自然主義，2000。

吳文星：《日據時期台灣師範教育之研究》，臺北市：國立臺灣師範大學歷史研究所，1983。

吳文星：《臺灣歷史與文化》，台中市：東海大學通識教育中心，2000。

【八畫】

周百鍊、洪炎秋：《臺北市志 卷七 教育志——學校教育篇、社會教育篇》，臺北市：臺北市文獻委員會，1962。

周婉窈：《海洋與殖民地台灣論集》，台北市：聯經，2012。

【九畫】

若林正丈：《台灣抗日運動史研究》，東京：研文出版會，1983。

洪伯溫：《台北古蹟探索——台灣史蹟源流系列之一》，臺北市：龍文出版社，1992。

派翠西亞.鶴見：《日治時期臺灣教育史》，宜蘭市：仰山文教基金會，1999。

【十畫】

高傳棋：《穿越時空看臺北：臺北建城120週年：古地圖 舊影像 文獻 文物展》，臺北市：北市文化局，2004。

高傳棋：《教百年樹人 育千秋大業》，臺北市：北市文化局，2004。

徐逸鴻：《圖說清代臺北城》，臺北市：貓頭鷹出版，2011。

徐逸鴻：《圖說日治臺北城》，臺北市：貓頭鷹出版，2013。

【十一畫】

曹永和:《台灣早期歷史研究》,台北市:聯經出版,1979。

莊永明:《台北老街》,台北市:時報文化,1991。

莊展鵬:《臺北歷史散步》,台北市:遠流,1991。

莊展鵬:《臺北古城之旅》,台北市:遠流,1992。

張明雄、單兆榮、郭亭:《躍升的城市:台北》,臺北市:前衛,1996。

張幼雯:《北台灣最佳去處——大台北地區》,台北市:戶外生活圖書股份有限公司,1990。

許介鱗:《後藤新平——一個殖民統治者的紀錄》,臺北市:文英堂,2008。

許介鱗:《福澤諭吉:對朝鮮、臺灣的謀略》,臺北市:文英堂,2009。

許介鱗:《日本殖民統治的後遺症:臺灣 vs.朝鮮》,臺北市:文英堂,2011。

許介鱗:《日本殖民地法治下的臺灣》,臺北市:文英堂,2012。

許佩賢:《殖民地臺灣的近代學校》,臺北市:遠流,2005。

許佩賢:《太陽旗下的魔法學校——日治台灣新式教育的誕生》,新北市:遠足文化,2012。

許錫慶譯注:《臺灣教育沿革誌(中譯本)》,財團法人臺灣教育會,2010。

陳昭瑛:《臺灣儒學:起源、發展與轉化》,正中出版,1990。

陳正祥:《臺北市誌》,台北市:南天書局,1997。

陳清敏、黃昭仁、施志輝:《認識臺灣》,黎明文化事業,1996。

陳正茂:《臺灣史綱》,臺北縣中和市:新文京開發出版,2003。

陳培豐:《「同化」的同床異夢:日治時期臺灣的語言政策、近代化與認同》,臺北市:麥田出版,2006。

梅心怡、趙家璧:《台北一九三五》,臺北市:聯經,2014。

【十二畫】

馮作民:《台灣歷史百講》,台北市:青文出版社,1966。

曾迺碩、溫振華:《臺北市志 卷一 沿革志——城市篇》,臺北市:臺北市文獻委員會,1988。

曾子良:《臺灣歌仔冊四論》,臺北市:國家出版社,2009。

曾迺碩:《台灣史蹟》,台北市:全台文化事業股份有限公司,1978。

黃俊傑:《臺灣意識與臺灣文化》,臺北市:臺大出版中心,2009。

黃俊傑:《臺灣意識與臺灣文化》,臺北市:正中書局,2000。

黃金土主編:《臺北古今圖說集》,臺北市:臺北市文獻委員會,1992。

河出圖社:《古地圖台北散步——一八九五年清代台北古城》,臺北市:果實

出版，2004。

黃富三：《臺北建城百年史》，臺北市：北市文獻會，1995。

黃士娟：《建築技術官僚與殖民地經營》，臺北市：臺北藝術大學，2012。

黃英哲：《「去日本化」「再中國化」：戰後台灣文化重建（1945～1947）》，臺北市：麥田，2007。

傅朝卿：《圖書臺灣建築文化遺產 日治時期篇 1895～1945》，臺南市：臺灣建築文化資產出版社，2009。

傅安明：《中國近代史大事記——由鴉片戰爭到臺灣經驗 上冊》，臺北市：金禾出版，1996。

【十三畫】

楊孟哲：《臺灣歷史影像：The historical image of Taiwan》，臺北市：藝術家，1996。楊孟哲：《太陽旗下的美術課：台灣日治時代美術教科書的歷程》，臺北市：南天，2011。

楊孟哲：《日帝殖民下臺灣近代美術之發展》，臺北市：五南，2013。

楊孟哲：《一八七四年那一役 牡丹社事件：眞野蠻與假文明的對決》，臺北市：五南，2015。

【十四畫】

臺灣省文獻委員會：《臺灣省通志稿》，臺北市：捷幼，1955。

臺灣風物雜誌社：《臺灣風物第二十七卷》，1977。

臺北市立師範學院：《臺北市立師範學院校史簡編》，臺北市：1998。

臺灣省文獻會：《臺灣近代史 政治篇》，南投：該會，1995。

趙莒玲：《台北城的故事》，台北市：台北市政府新聞處，1993。

廖高仁：《兩個世代的教育目錄》，花蓮縣：鳳林校長夢工廠，2014。

【十五畫】

劉劍寒：《日據前期台灣北部施政記實——警治篇、政治篇》，台北市：台北市文獻委員會，1985。

蔣元樞：《重修臺郡各建築圖說》，臺北市：故宮，2007。

【十六畫】

蕭肅科：《日落台北城》，台北市：自立晚報社文化出版部，1993。

賴澤涵：《台灣400年的變遷》，桃園縣：中央大學，2005。

【十七畫】

薛光前、朱建民：《近代的台灣》，台北市：正中書局，1977。

戴國煇：《臺灣史探微》，臺北市：南天書局，1999。

戴國煇：《戴國煇文集 4 臺灣結與中國結——罦丸理論與自立・共生的構圖》，
　　　　臺北市：遠流，2002。

【二十一畫】

纐纈厚著／楊孟哲譯：《侵略戰爭》，高雄：復文，2007。

纐纈厚：《領土問題和歷史認識》，臺北市：秋水堂文化事業，2014。

二、碩博士期刊論文

【期刊】

吳文星：〈日據時期台灣總督府推廣日語運動初探〉，《臺灣風物》第 37 卷第
　　　　1、4 期，1987 年 3、12 月。

溫振華：〈清代後期台北盆地士人階層的成長〉，台北文獻，直字第九十期。

漢寶德：〈台灣的傳統建築〉，台灣史蹟源流研究會講議彙編，1987。

蔡錦堂：〈日本治台時期所謂「同化政策」的實像與虛像初探〉，《淡江史學》
　　　　13 期，2002，頁 181～192。

謝明如：〈日治時期臺灣總督府國語學校之研究（1896～1919）〉，2007。

【論文】

黃琡玲：〈臺灣清代城內官制建築研究〉，國立政治大學建築研究所碩士論
　　　　文，2001。

溫振華：〈二十世紀初之台北都市化〉，國立台灣師範大學歷史研究所博士論
　　　　文，1986。

陳艷紅：〈後藤新平在台殖民政策之研究〉，淡江大學日本研究所碩士論文，
　　　　1986。

簡博秀：〈日據時期台北市：殖民主義下都市計劃與空間構造〉，國立中興大
　　　　學都市計畫研究所碩士論文，1992。

三、網路文獻及資料庫

日治時期期刊全文影像系統——

網址：

http://stfj.ntl.edu.tw/cgi-bin/gs32/gsweb.cgi/login?o=dwebmge&cache=14441289
57156

日治時期圖書全文影像系統——

網址：

http://stfb.ntl.edu.tw/cgi-bin/gs32/gsweb.cgi/login?o=dwebmge&cache=1444128
918480

國史館數位檔案檢索系統——

網址：

http://ahdas.drnh.gov.tw/

中央研究院臺灣史研究所 臺灣日記知識庫——

網址：

http://taco.ith.sinica.edu.tw/tdk/%E7%94%B0%E5%81%A5%E6%B2%BB%E9
%83%8E%E6%97%A5%E8%A8%98

中央研究院臺灣史究所 檔案館——

網址：

http://archives.ith.sinica.edu.tw/

四、圖表出處

1. 【圖 1-1】

臺北府儒學（又稱文廟）清光緒六年（西元 1880 年）知府陳星聚捐貲興
建，隔年七月大成殿落成，至光緒十六年（西元 1890 年）方始全部竣工。
（引自黃金土主編：《臺北古今圖說集》，臺北市：臺北市文獻委員會，
1992，頁 141）

2. 【圖 1-2】

殖民總督府國語學校興建後，僅存五坪大小供奉文臺北城文廟中的孔子等
先賢牌位。（引自黃金土主編：《臺北古今圖說集》，臺北市：臺北市文獻
委員會，1992，頁 141）

3. 【圖 1-3】

西元 1880 年臺北城文廟、府儒學；西元 1895 年芝山巖惠濟宮被日人作為
國語傳習所；西元 1896 年臺灣總督府國語學校；西元 1919 年臺灣總督府
台北師範學校；西元 1927 年臺灣總督府台北第一師範學校；西元 1945 年
臺灣省立臺北女子師範專科學校；西元 2013 年臺北市立大學；市立大學
文廟遺址之建築面貌變遷。（擷取自網路圖片）

4. 【圖 1-4】

明治三十年（西元 1897 年）十月落成的臺灣總督府國語學校，即今日愛
國西路臺北市立教育大學前身。（何培齊文字編撰／國家圖書館閱覽組
編：《日治時期的臺北》，臺北市：國家圖書館，2007，頁 132）

5. 【圖 1-5】

   總督府國語學校後改稱臺灣總督府臺北師範學校，建築前後對照圖。（何培齊文字編撰／國家圖書館閱覽組編：《日治時期的臺北》，臺北市：國家圖書館，2007，頁 133）

6. 【圖 4-1】

   總督府國語學校校舍，可見推拉窗造型。（何培齊文字編撰／國家圖書館閱覽組編：《日治時期的臺北》，臺北市：國家圖書館，2007，頁 133）

7. 【圖 4-2】

   總督府國語學校正門口，可見半圓拱門造型。（何培齊文字編撰／國家圖書館閱覽組編：《日治時期的臺北》，臺北市：國家圖書館，2007，頁 132）

8. 【表 4-1】

   藤島亥志郎，《台灣的建築》，台北市：台原出版，1993，頁 156，各地文廟總覽表。

9. 【表 4-2】

   臺灣學事設施 一覽表（一）。（楊孟哲：《太陽旗下的美術課：台灣日治時代美術教科書的歷程》，臺北市：南天，2011，頁 26）

10. 【表 4-3】

    臺灣學事設施 一覽表（二）。（楊孟哲：《太陽旗下的美術課：台灣日治時代美術教科書的歷程》，臺北市：南天，2011，頁 27）

戰後臺籍菁英對政府施政之肆應
——以林獻堂與吳新榮爲探討中心（1945～1955）

黃冠彰　著

作者簡介

黃冠彰，1991 年出生於彰化縣員林市，畢業於國立中正大學歷史學系、國立中興大學歷史學系研究所碩士班。自幼對臺灣史與中國近現代史深感興趣，因此主要研究領域為戰後臺灣史。就學期間，曾隨李毓嵐教授參與《彰化縣誌》等相關訪談工作外，亦有發表〈狂犬病肆虐下的臺灣——從報紙看政府政策與民間反應（1948～1958）〉一文。

提　　要

　　本文以林獻堂與吳新榮二人為主要分析對象，探討戰後臺籍菁英的政治理念，以及他們對政府施政之回應。首先，以日記為文本，討論林、吳二人在 1945～1955 十年間的經歷，分析他們在各個事件中所扮演的角色、國家認同以及政治理念之變化。其次，加入同時代其他菁英的經歷做比較，分析大時代下臺籍菁英處境的異同之處。

　　1945 年，中華民國接收臺灣後，林獻堂與吳新榮二人，雖然對中國的到來表現出不一樣的態度，但是二人仍然期待投入政治，以實現政治理想，但在經歷二二八與後續的土地改革等政策後，林獻堂選擇前往日本遠離是非；吳新榮也因選舉失敗，加上「二二八」與「李鹿案」的黑牢，灰心喪志地退出政治，最後投入地方文史工作。

　　然而，林、吳二人並非特例，由戰後楊肇嘉、楊基振、黃旺成、蔡培火、林茂生與陳炘等人的經歷可以看出，當時整體政治環境對臺籍菁英極不友善，不論他們是否選擇與政府合作，均承受到來自政府的壓力。不過此輩菁英仍懷抱著對臺灣的關懷，繼續透過不同方式來施展他們的理想。

致　謝

　　三年的時光匆匆過去，論文即將完成之際，也代表學生生涯將要結束，回首三年的學習過程，十分感謝系上老師與助教們的教導與照顧。然而這段經歷也是相當精彩，曾經做過口述訪問與期刊論文的投稿等等，這些對我來說都是相當難得的學習經驗，感謝老師讓我可以有這些機會。

　　本篇論文得以完成，首先最需要感謝的是我的指導教授——李毓嵐老師，謝謝老師不辭辛勞的指導這篇論文，若沒有您的耐心扶持與耗費大量心神協助修改，要完成這篇作品將會相當的困難，學生只能於此向老師致上最高的謝意，這一切學生都會銘記於心。同時也相當感謝口試委員——蔡秀美老師與李君山主任，謝謝您們仔細閱讀論文，同時也給予許多相當實用的建議，使得我的論文可以更加的嚴謹與完整。

　　在論文寫作過程中，相當感謝讀書會的戰友：奉一、致廷、佳乘、昱瑋、鐘賢幾位學長，這段時間裡相互督促以及互相學習，除了感謝你們之外，也恭喜大家可以如期畢業。610 研究室各位的照顧以及 102 級同學：朝欽、仁馨、秀華、淑玲、仕尚、王城、柏榮、郅芹、佩璇，非常感謝你們這段時間的照顧，我會很懷念以前一同上課時光及四處吃喝玩樂的日子。所上學長姊、學弟妹們，這段碩士班的日子，因為有你們，更讓人相當的難忘。

　　也要感謝以前在中正大學的同學們，當有困難的時候，你們如同及時雨一般的協助處理。以及彰化的好朋友們，當我在這段時間，有些負面情緒都多靠你們排解，也讓你們添了不少麻煩。

　　最後，我最需要感謝的是我的父母，願意支持我這段求學過程，可以讓

我無後顧之憂的念書，也非常感謝我的兄弟姊妹與叔叔，在這段時間中，給予支持與幫助，非常感謝。

祝福各位平安健康、順心快樂

黃冠彰　謹誌

民國一○五年八月二十一日於中興大學歷史系 610 研究室

目

次

第一章　緒　論

一、研究動機與目的

　　1945 年日本投降後，臺灣由中華民國接收，對臺灣民眾造成極大的震撼。普遍而言，許多本土菁英，對於「祖國」都有一定程度地想像，認爲隨著中國政府的到來，臺灣可以脫離殖民地的地位，得以自己當家做主，但隨著前來接收的軍隊漫無軍紀、政府用人不當以及經濟問題叢生，使得本省人與外省人的衝突漸增，人們開始對於國民黨政府有所怨懟，進而引發二二八事件。事件中各個菁英的遭遇與扮演的角色雖不盡相同，但在事件過後都遭遇到各種打壓，前述情況造成臺人對政府的信心危機，迫使政府必須做出因應措施。其後，政府廢除行政長官公署，改組成爲臺灣省政府，並進行一連串改革，但隨著國共內戰失利，中華民國在國際上處境風雨飄搖般地孤立無援，直到韓戰發生後，狀況方才好轉，然而菁英們對未來的想像已經發生轉變。本論文所要探討的即是 1945～1955 年這十年間，在整體大環境變化下，林獻堂（1881～1956）與吳新榮（1907～1967）兩位臺灣菁英對政府施政的反應以及其觀念的演變，搭配多位菁英之經歷，還原出當時代政治環境以及臺籍菁英對政府的反應。

　　林獻堂，名朝琛，字獻堂，號灌園，是日治時期臺灣中部相當重要的菁英，出身於霧峰林家望族，是柔性抗日運動的領袖。1920 年，由於民族自決思潮風行，東京留學生率先響應，林呈祿敦勸蔡惠如出面組織「新民會」，以撤廢六三法爲主要訴求，該年 12 月，林獻堂出任新民會會長，確立其在東京留學生中的領導地位。其後，民族運動人士的目標轉爲設置獨立的臺灣議

會，在設置臺灣議會的請願運動中，林獻堂出錢又出力，位居領導地位，於 1921 年到 1934 年間，向帝國議會共提出 15 次的請願。同時，分別在臺灣文化協會、臺灣民眾黨、臺灣地方自治聯盟等組織中，擔任重要職務。1937 年總督府推行皇民化運動，林獻堂雖然不贊同，卻無法置身事外，必須配合執行日本當局之政策。〔註1〕1941 年，總督府成立「皇民奉公會」，林獻堂雖感無奈，但只能配合擔任要員，主要協助研擬執行辦法、演講宣傳、捐助經費等等。〔註2〕1945 年 4 月，被任命為日本貴族院議員。戰後初期，投身臺灣政治活動，只是這段時期所受到的待遇，使他感到灰心。例如 1946 年 5 月臺灣省參議會成立，林獻堂當選省參議員，以其聲望原可膺選議長，但終在壓力之下退讓給當局中意的「半山」黃朝琴。二二八事件更使林獻堂精神上大受打擊，他的許多好友如陳炘、林茂生等人無故被捕遇害。1949 年 9 月，林獻堂離臺赴日，自我放逐，韓戰期間的日記時常出現美國會不會讓臺灣被「託管」，希望「臺人自治」能實現的記載。〔註3〕他早年為臺灣而奮鬥，到後來只能在詩文中感慨：「民族自強曾努力，廿年風雨負初心」〔註4〕。

　　吳新榮，字史民，號震瀛、兆行，晚號琑琅山房主人。是臺南著名留日醫生文學家，1925 年，由於總督府商業專門學校將裁撤，吳新榮前往日本就讀金川中學，繼續未完的學業。1928 年考進東京醫學專門學校，1932 年歸臺後，回到佳里經營佳里醫院。留日期間，曾加入日共所領導的臺灣學術研究會，他廣泛涉獵各種文藝理論與社會主義思想，對於臺灣在日本殖民統治下的各種迫害與差別待遇感到不滿。1929 年「四一六事件」〔註5〕時，日本當局掃蕩日共，遭受牽連而被捕，其後便逐漸遠離政治活動。留日歸臺後，他組

〔註1〕黃富三，《林獻堂傳》（南投：臺灣文獻館，2004），頁 32～67。

〔註2〕許雪姬，〈皇民奉公會研究──以林獻堂的參與為例〉，《中央研究院近代史研究所集刊》第 31 期（1999 年 06 月），頁 184～186。

〔註3〕林獻堂著，許雪姬等編，《灌園先生日記（二四）一九五二年》（臺北：中研院近史所、臺史所，2012），頁 275。

〔註4〕林獻堂先生紀念集編纂委員會編，《林獻堂先生紀念集卷二：遺著、詩集》，頁 29～30。

〔註5〕1929 年 4 月 16 日，日共中央事務局長──間庭末吉，遭警視廳檢舉，其所持有的黨員名簿中，以暗號記載三名臺灣人，三人都是東京臺灣學術研究會會員，導致 43 名會員被檢舉、搜捕。經調查後，三名共黨成員陳來旺、林兌與林添進被移送，其餘會員被釋，而臺灣人左翼團體「東京臺灣學術研討會」因此潰散。史明，《臺灣人四百年史（漢文版）》（San Jose：蓬島文化，1980），頁 586。

織「佳里青風會」，動機是希望透過非政治性的文化活動來反抗日本殖民政府，但僅持續兩個多月便告解散。在解散後，包含吳新榮在內的幾名文學青年，持續在學甲、西港、七股、將軍及北門一帶凝聚一個新的青年文學派系，由於該地區鹽產量豐富，便在此地區創造了「鹽分地帶」一派的文學創作風格。1940、1941 年當選麻豆街及佳里街上水道組合議員。吳新榮在戰後曾任三青團臺南分團北門區隊主任，1946 年當選臺南縣參議員，1947 年二二八事件爆發後，出任二二八事件處理委員會臺南縣北門區支會主任委員，因此被捕入獄百日。經由臺北郭水泉醫師、郭再強以及「山水亭」餐廳王井泉先生等人作保，他才有辦法簽署「盲目附和被迫參加暴動份子自新證」得以獲釋。吳新榮出獄後，除了行醫外，仍持續參與政治活動，同年 11 月，幫助吳三連參選國大代表，最後吳三連高票當選。1951 年吳新榮參選臺南縣北門區南區縣議員，以不灑金錢、不哀求動員爲號召，最後卻不敵金錢攻勢以及地方派系的夾殺，以最高票落選，至此退出政治，並投入臺灣地方文史工作。1954 年 10 月吳新榮又受到被指爲共產黨的李鹿案牽連，再度被捕入獄 4 個月，1955 年 2 月獲釋。

　　本論文所要探討的主題是從 1945 年終戰後，到 1955 年這十年中，林獻堂與吳新榮兩位臺籍菁英，從對祖國引頸期盼，熱切參與政治，至後來一位避居日本，另一位對於政治灰心喪志，專心投入文史工作的過程，主要從官民互動、他們的境遇與他們對於政府的想法等爲著眼點，並加入同時代其他菁英互相參照，還原當時代臺籍菁英的際遇及他們對政府施政的反應，同時勾勒出他們在時代際遇下的共同圖像。

　　年代斷限上，僅止於 1955 年，係因林獻堂的《灌園先生日記》只有紀錄到 1955 年，隔年便去世，使得雙方的比較，只能進行到這一年。同時，吳新榮也在這年受到「李鹿案」之牽連入獄，雖然吳新榮在此之前已決定退出政治，但在事件後他更加心灰意冷，對政治完全不再抱有期待。

　　人物選擇上，以林獻堂與吳新榮爲主要論述中心的原因在於，林獻堂是日治時期重要的臺籍菁英，在地方上頗富聲望，屬於傳統型的臺灣菁英；吳新榮則屬於受過新式教育的菁英，日治時期便與左派人士多有接觸，且其於日本求學時，在回憶錄中多次提到，他對於中國的期盼以及對日本統治臺灣感到不滿，更稱自己爲一個小反抗者。〔註6〕因此，這兩位分別屬於傳統與新

〔註 6〕吳新榮，《震瀛回憶錄》，頁 94。

式的菁英，透過他們對於事件與時局的看法，並加以比較之後，可以看出世代差異；亦可透過二者比較，呈現出本文所要探討的主題：菁英眼中的政府施政，期待可以帶出由下而上的視角，從另一個面相來觀察戰後的國民黨政府。本論文選擇這兩位生於不同時代、受過不一樣教育，家世背景也不同，但戰後都在地方上有一定重要程度的菁英人士，以他們爲例，來看待整個大局勢的演變與衝擊。選擇這兩位菁英最主要的原因，是因爲他們所留下的日記相當完整，加上林獻堂晚年身邊的秘書林瑞池與孫子林博正等人的口述歷史皆有出版，吳新榮亦有出版回憶錄，資料相當充足，故選擇此二人爲主要探討中心。

除卻二人爲主軸外，本文選擇楊基振與楊肇嘉爲主要比較對象，楊基振雖然眞正展開政治活動的時間較晚，[註7] 但在他的日記當中，亦有留下他對於政府的觀察與個人看法。楊肇嘉則始終關心臺灣政局，1950 年代接任臺灣省民政廳長，在政策推行上，有一定貢獻。次要比較對象，包括林茂生、陳炘、蔡培火、朱昭陽與陳逢源等人，配合這些菁英們在戰後的遭遇及所做出的選擇，與林獻堂、吳新榮互相對照，以期達到見樹又見林的效果，並呈現戰後初期臺灣菁英的共相。此外，本文亦加入與林獻堂同樣未受新式教育，同屬傳統菁英的黃純青，以及與吳新榮經歷極其類似的新竹地方菁英黃旺成二人，作爲相互參照之對象。

名詞定義上，張仲禮透過教育程度（學銜與官銜）、出身方式（正途或異途）與道德標準來定義「仕紳」（gentry），同時也注意到其有身分與社會地位高下的區別，將仕紳分爲上層士紳（正途或異途出身具有舉人資格以上者）與下層仕紳（生員、貢生與監生），但並不只有文官而已，尚有通過武科的學銜、功名（武監生、武生員、武舉人、武進士等）與官職來獲得仕紳的地位。[註8]

孔復禮（Philip A Kuhn）提出「地方菁英」（local elite）來區分仕紳與地方青英，並認爲應依據「地方菁英」的勢力影響範圍，可分爲全國性菁英、省區菁英與地方性菁英。[註9] Joseph Esherick 和 Mary Rankin 認爲除卻教育

〔註7〕1957 年，楊基振參選臺中縣長，後與雷震共同處理《自由中國》之事務。

〔註8〕Chang Chung-Li（張仲禮）,*The Chinese Gentry: Studies on Their Role in Nineteenth Century* (Seattle: University of Washington Press, 1967), pp.3~6, 11~21, 29~32；張仲禮，《中國紳士研究》（上海：上海人民出版社，2008），頁 5～10。

〔註9〕中國大陸書籍將 local elite 譯爲地方名流，但筆者於此處仍稱其爲地方菁英。

程度、道德標準、社會地位外，應以「影響力」（influence）作爲評斷社會菁英的標準，因此社會菁英不一定具有仕紳的身分與社會地位，更不一定需要以學識或道德標準來衡量，凡能夠運用「策略」（strategies）在地方上建構某些「主導模式」（patterns of dominace）來發展影響力的個人或家族，皆可稱爲菁英。〔註10〕陳世榮提到，社會菁英的判別標準，對應的是身分、社會地位、財富、道德、學識、名聲與影響力，但1910年之後，仕紳變成了紳章的擁有者，人格者、富農逐漸消失，漢學家逐漸被接受高等教育者所取代，而判別標準的身分、社會地位、財富與影響力並沒有變動，但是道德、學識與名聲的內涵，不僅開始出現變動，甚至連標準本身都開始鬆動。〔註11〕

　　總而言之，在清代仕紳代表的是有功名的人，菁英則是以他在地方上的影響力來評斷。至於與菁英類似的領導階層，在清代係指具有功名身分的仕紳、沒有功名的富商、地主與儒生。但是到日治時代，臺灣社會逐漸轉變，社會領導階層變爲在政治、經濟、教育與文化方面表現傑出者。〔註12〕由於總督府長期以財富和社會聲望作爲職銜的選任依據，這種保障既得利益與特權的政策，卻造就了地方政治參與的壟斷以及日後地方派系的形成。〔註13〕同時，透過教育體系出身的實業家、商賈，或者是擁有專業知識的醫師、律師與教師，在擁有快速掌握新訊息，處理新訊息的能力下，也逐漸在社會中成名，甚至有取代舊菁英的趨勢。〔註14〕因此本文以「菁英」稱呼這些在戰後臺灣社會具一定影響力的人士。

二、資料運用與文獻回顧

（一）資料運用

　　資料的運用上，主要是採用林獻堂《灌園先生日記》與吳新榮《吳新榮

Philip A Kuhn 著、謝亮生、楊品泉、謝思煒譯，《中華帝國晚期的叛亂及其敵人》（北京：中國社會科學出版社，1990），頁4。
〔註10〕李毓嵐，《世變與時變——日治時期臺灣傳統文人的肆應》（臺北：臺師大歷史系，2010），頁46。
〔註11〕陳世榮，〈近代豐原地區地方菁英影響力的形成與發揮〉（臺北：政治大學歷史研究所博士論文），2010，頁154。
〔註12〕李毓嵐，《世變與時變——日治時期臺灣傳統文人的肆應》，頁47。
〔註13〕陳世榮，〈國家與地方社會的互動：近代社會菁英的研究典範與未來研究的趨勢〉，《近代史研究所集刊》第54期（2006年12月），頁139。
〔註14〕陳世榮，〈近代豐原地區地方菁英影響力的形成與發揮〉，頁155。

日記全集》爲核心材料。採用日記的原因，如同陳翠蓮在《臺灣人的抵抗與認同》一書中所述，如要探悉臺灣人內心的想法，日記是最適切的素材。原因在於 1、日記書寫的目的是私密而非公開，不會受到時局壓力而做言不由衷的表態，因此可以反映作者眞實的內心。2、日記的內容是事發時的心情，較不會事過境遷而記憶零落，或者是因時空變化而扭曲。3、因日記書寫主要是紀錄並非是詮釋，如實的記下作者各個時間點的感想，對於同一件事情在不同時間點的感受可能矛盾，卻正可呈現心理轉折甚至人性上的掙扎。〔註 15〕且日記是個人逐日將行事、感知寫成文字，而長時間的日記更可看出事件的連貫性，向來是研究人物史的頂級資料。〔註 16〕因此欲探討戰後臺灣高壓統治下社會菁英的內心看法與轉變，日記是相當重要的素材。

但是日記因作者生活上的忙碌與轉變，或多或少都會有所缺漏，例如吳新榮在 1952 年 11 月就任臺南縣文獻委員會編纂組組長，所以日記 1952～1953 年的部分就缺漏甚多。〔註 17〕因此筆者會搭配《震瀛回憶錄》〔註 18〕、《震瀛採訪記》〔註 19〕、《琑琅山房隨筆》〔註 20〕、《吳新榮選集》〔註 21〕與《震瀛隨想錄》〔註 22〕等詩文集與回憶錄資作爲補充。林獻堂方面，除了《灌園先生日記》外，另外使用《林獻堂先生紀念集：遺著、詩集》〔註 23〕當中的《海上唱和集》、《東遊吟草》與《軼詩》等詩文集，加上口述歷史《霧峰林家相關人物訪談紀錄（頂厝篇）》〔註 24〕等等，作爲補充其內心世界的材料。另有《民報》、《臺灣民聲日報》與《聯合報》等報刊。因此本文所使用的資料除卻日記外，亦有詩文集、回憶錄以及當時的報刊等史料。

〔註 15〕陳翠蓮，《臺灣人的抵抗與認同 1920～1950》（臺北：遠流，2008），頁 227。

〔註 16〕李毓嵐，〈陳懷澄的街長公務職責與文人生活：以〈陳懷澄日記〉爲論述中心（1920～1932）〉，《臺灣史研究》第 23 卷第 1 期（2016 年 3 月），頁 77。

〔註 17〕吳新榮著，張良澤編，《吳新榮日記全集 1948～1953》，頁 284。

〔註 18〕吳新榮，《震瀛回憶錄》（臺北：前衛，1989）。

〔註 19〕張良澤主編，《震瀛採訪記》（臺北：遠景，1981）。

〔註 20〕吳新榮，《琑琅山房隨筆》（臺北：遠景，1981）。

〔註 21〕吳新榮著、張良澤、葉笛譯，《吳新榮選集》（臺南：臺南縣立文化中心，2001）。

〔註 22〕吳新榮，《震瀛隨想錄》（臺南：琑琅山房，1966）。

〔註 23〕林獻堂先生紀念集編纂委員會編，《林獻堂先生紀念集：遺著、詩集》（臺北：海峽學術出版社，2005）。

〔註 24〕許雪姬編，《霧峰林家相關人物訪談紀錄（頂厝篇）》（臺中：臺中縣立文化中心，1998）。

　　其他菁英方面，主要使用日記、相關著作、口述訪談與回憶錄等資料為主，例如，楊肇嘉以《楊肇嘉回憶錄》〔註25〕為主要材料，搭配《楊肇嘉傳》〔註26〕、口述歷史〈六然居的世界──媳婦心中的肇嘉先生〉〔註27〕等相關研究作為補充；楊基振是使用《楊基振日記》〔註28〕為主；黃旺成部分，可惜日記尚未出版完全，因此主要使用口述歷史〈黃旺成先生訪問記錄〉〔註29〕及〈父親黃旺成的追憶〉〔註30〕，為核心材料，搭配報刊、《臺灣省政府公報》、臺灣省議會開會紀錄等等，力求還原出當時的情境。

（二）文獻回顧

1.日記研究

　　日記對於臺灣史研究具有多重的意義，近十餘年來各種日記史料相繼面世，運用這些資料的研究也陸續出現。日記解讀工作則需要長時間的努力，1999年中研院臺史所成立「林獻堂日記解讀班」，經歷14年才將27冊《灌園先生日記》出版完畢。當林獻堂日記解讀完成後，臺史所持續解讀其他日記，例如《楊水心女士日記》、《陳岑女士日記》等等，2009年開始解讀《黃旺成先生日記》、〔註31〕2014年進行《吉岡喜三郎日記》，臺灣歷史博物館則展開《陸紀盈日記》的解讀工作。〔註32〕由此可知，目前有關日記的發現、整理、出版與研究方興日盛，隨著這些豐富的日記資料相繼出現，更促使社會、政治、精神、音樂、生活、性別、文化等方面的研究更加多元。〔註33〕

〔註25〕楊肇嘉，《楊肇嘉回憶錄》（臺北：三民，2004）。
〔註26〕周明，《楊肇嘉傳》（臺北：臺灣省文獻會，2000）。
〔註27〕張炎憲、張啓明、陳鳳華，〈六然居的世界──媳婦心中的肇嘉先生〉，《臺灣史料研究》第20期（2003年3月），頁178～201。
〔註28〕楊基振著、黃英哲、許時嘉編，《楊基振日記（上）（下）》（臺北：國史館，2007）。
〔註29〕王世慶，〈黃旺成先生訪問紀錄〉，收錄於黃富三、陳俐甫編，《近代臺灣口述歷史》（臺北：林本源基金會，1991），頁71～144。
〔註30〕黃繼文口述、張炎憲、許明薰、張啓明、陳鳳華訪問，〈父親黃旺成的追憶〉，《竹塹文獻》第10期（1999年1月），頁41～55。
〔註31〕許雪姬，〈《灌園先生日記》全套廿七冊出版完成記〉，收於林獻堂著、許雪姬等編，《灌園先生日記（廿七）》（臺北：中研院近史所、臺史所，2013），頁493～504。
〔註32〕許雪姬，〈臺灣日記研究的回顧與展望〉，《臺灣史研究》第22卷第1期（2015年3月），頁163。
〔註33〕許雪姬，〈臺灣日記研究的回顧與展望〉，頁167～169。

目前為止，臺灣史學界曾舉辦六次日記研討會，前三次分別以曾任臺灣總督的《田健治郎日記》（2000）、豐原櫟社詩人張麗俊《水竹居主人日記》（2004）、臺灣社會著名耆老林獻堂的《灌園先生日記》（2006），這三套出版完成的日記為主題。其中兩次有出版論文集，分別為《水竹居主人日記學術研討會論文集》〔註34〕和《日記與臺灣史研究：林獻堂先生逝世50周年紀念論文集》〔註35〕，這兩本論文集對於記主生活都有相當細膩的討論。二者差別在於，前者單純以《水竹居主人日記》為討論中心；但後者除卻《灌園先生日記》外，亦有蔣渭水、簡吉與賴和的《獄中日記》、《楊基振日記》、《呂赫若日記》與韓國的《求禮柳氏家日記》、〈林紀堂日記〉、〈林癡仙日記〉、《王叔銘日記》等日記一同討論，其中還有相關日記價值之介紹。〔註36〕

後三次分別在2010年於中興大學、2012年於臺灣歷史博物館、2014年在高雄歷史博物館舉辦。〔註37〕後三次的討論主題相當多元，從各種日記探討社會生活、臺灣人的家族生活、宗教、飲食、理財經驗與醫療等等，顯示出日記研究並非侷限於單人記主之研究，與社會、生活、臺灣史各個面向均可相互結合。〔註38〕

以下列出幾篇使用日記進行研究的著作，做相關的文獻回顧。從日記來探討臺灣人認同問題的研究有陳翠蓮《臺灣人的抵抗與認同 1920～1950》〔註39〕當中的第五章〈想像與真實：臺灣人的祖國印象〉，此章以謝春木、黃

〔註34〕 臺中縣文化局編，《水竹居主人日記學術研討會論文集》（臺中：臺中縣文化局，2005）。

〔註35〕 許雪姬編，《日記與臺灣史研究：林獻堂先生逝世50周年紀念論文集（上）、（下）》（臺北：中研院臺史所，2008）。

〔註36〕 李毓嵐，〈〈林紀堂日記〉與〈林癡仙日記〉的史料價值〉、黃英哲，〈楊基振日記的史料價值〉，二者收於許雪姬編，《日記與臺灣史研究：林獻堂先生逝世50周年紀念論文集（上）》（臺北：中研院臺史所，2008），頁37～88、89～122。

〔註37〕 許雪姬，〈臺灣日記研究的回顧與展望〉，頁164。

〔註38〕 2010年8月19日，臺史所與中興大學合辦「日記與臺灣史研究學術研討會」；2012年11月16日，臺史所與臺灣歷史博物館及成功大學合辦「日記與社會生活史學術研討會」；2014年11月20日，臺史所與高雄歷史博物館與高雄醫學大學合辦「日記與臺灣史研究學術研討會」。許雪姬，〈《灌園先生日記》全套廿七冊出版完成記〉，頁493～504；許雪姬，〈臺灣日記研究的回顧與展望〉，頁164。

〔註39〕 陳翠蓮，《臺灣人的抵抗與認同 1920～1950》（臺北：遠流，2008）。

旺成、吳濁流、鍾理和四人的遊記及文學作品爲文本，觀察四人於 1930 年代至 1940 年代的「祖國」之旅，作者認爲四人均發現中國的落後，卻不約而同爲祖國辯護，顯示其情感壓過理性，感性凌駕眞實。第六章〈戰爭、世代與認同：以林獻堂、吳新榮與葉盛吉爲例〉，以不同世代三個人的日記作爲分析文本，檢視戰爭體制下臺灣人的生活實況、進退選擇，以及國族認同變化情形。作者認爲臺灣人在戰爭時期的政治認同並非一成不變，而是呈現出游移、流動的現象，各有其因應局勢之道。戰爭使得殖民地不得不與殖民母國站在同一條船上，卻強化了本土認同。透過三人的觀察，顯示出不同世代間似乎出現認同差別。

曾士榮 *"From Honto Jin to Bensheng Ren-the Origin and Development of the Taiwanese National Consciousness"* 〔註 40〕一書，同樣的也是使用日記爲主要材料，以黃旺成與吳新榮的日記爲文本，觀察他們政治環境轉變時的內心掙扎，例如日治時期臺灣人是本島人，到了戰後則轉變爲本省人，本書主要是在政治認同的問題上做研究。

許雪姬〈臺灣史上一九四五年八月十五日前後——日記如是說「終戰」〉〔註 41〕，用林獻堂、黃旺成、黃繼圖、吳新榮、吳鴻麟、楊基振、楊英風、吳平成八人的日記，探討戰爭結束前後一個月臺灣人的情況，文中提及臺灣人當時的生活狀況、得知八月十五日戰爭結束時的反應以及戰爭結束後日記主人對於整個局勢的認知與行動。許雪姬另有〈「臺灣光復致敬團」的任務及其影響〉〔註 42〕一文，文中利用光復致敬代表團團員林獻堂、葉榮鐘、李建興的日記以及丘念台的回憶錄，加上當時的報紙，討論光復致敬團的任務是否達成，文中指出團員本來想陳情中央，希望可以改善臺灣政局，但是最後卻只能觀光與致敬，說明當時臺灣人在這個活動所遭遇的問題。前述兩篇爲與本論文有相當直接的關係，文中對於這些人心理狀態都有相當程度的描寫。

阿部賢介《關鍵的七十一天：二次大戰結束前後的臺灣社會與臺灣人之

〔註 40〕 Tzeng, Shih-jung. *From Honto Jin to Bensheng Ren- the Origin and Development of the Taiwanese National Consciousness*, Lanham, Maryland: University Press of America, 2009.

〔註 41〕 許雪姬，〈臺灣史上一九四五年八月十五日前後——日記如是說「終戰」〉，《臺灣文學學報》第 13 期（2008 年 12 月），頁 151～178。

〔註 42〕 許雪姬，〈「臺灣光復致敬團」的任務及其影響〉，《臺灣史研究》第 18 卷第 2 期（2011 年 06 月），頁 97～145。

動向》〔註43〕，用日記爲主要材料，再加上報紙與檔案，探討「八一五事件」，以了解辜振甫與許丙在這起事件中所扮演的角色，並且斷定這是日本人與臺灣人合謀的獨立事件，同時確認了臺灣人在這個事件中的地位。

陳信行〈日治時期臺灣知識分子國族認同之轉折——以林獻堂、葉榮鐘、陳逢源三人爲例〉〔註44〕，使用林獻堂與葉榮鐘的日記，描述進入戰爭末期的皇民化運動時，這些在 1920 年代被稱爲「穩健派」的知識份子，心中對於「國族認同」的轉變，作者認爲臺灣人終究不是日本人，這種認知在 1930 年代後，讓這些人心中的國族認同產生矛盾與混亂，因此在戰爭狀態下，並不能以高道德標準，來評論這些知識份子的想法。

2. 林獻堂研究

關於林獻堂的研究相當多，但是大多著重於他在日治時期的社會思想〔註45〕、女性觀與地方教育〔註46〕、生活〔註47〕、旅遊〔註48〕、詩社〔註49〕、

〔註43〕阿部賢介，《關鍵的七十一天：二次大戰結束前後的臺灣社會與臺灣人之動向》（臺北：國史館，2013）。

〔註44〕陳信行，〈日治時期臺灣知識分子國族認同之轉折——以林獻堂、葉榮鐘、陳逢源三人爲例〉（臺南：國立臺南大學臺文所碩專班碩士論文，2013）。

〔註45〕王振勳，《林獻堂的社會思想與社會活動新論》（臺北：稻田，2009）。

〔註46〕李毓嵐，〈林獻堂與婦女教育——以霧峰一心會爲例〉，《臺灣學研究》第 13 期（2012 年 06 月），頁 93～126。
周婉窈，〈「進步由教育　幸福公家造」——林獻堂與霧峰一心會〉，《臺灣風物》第 56 卷第 4 期（2006 年 12 月），頁 39～89。
李毓嵐，〈日治時代傳統文人的女性觀〉，《臺灣史研究》第 16 卷第 1 期（2009 年 03 月），頁 87～129。
李毓嵐，〈林獻堂生活中的女性〉，《興大歷史學報》第 24 期（2012 年 06 月），頁 59～98。

〔註47〕鄭政誠，〈從《灌園先生日記》看林獻堂的讀書生活〉，《兩岸發展史研究》第 7 期（2009 年 06 月），頁 45～72。
邱坤良，〈林獻堂看戲——《灌園先生日記》的劇場史觀察〉，《戲劇學刊》第 16 期（2012 年 7 月），頁 7～35。

〔註48〕許雪姬，〈林獻堂《環球遊記》與嚴國年《最近歐美旅行記》的比較〉，《臺灣文獻》第 62 卷第 4 期（2011 年 12 月），頁 161～219。
林丁國，〈林獻堂遊臺灣——從《灌園先生日記》看日治時期島內旅遊〉，《運動文化研究》第 17 期（2011 年 06 月），頁 57～111。
許雪姬，〈林獻堂著「環球遊記」研究〉，《臺灣文獻》第 49 卷第 2 期（1998 年 06 月），頁 1～33。

〔註49〕李毓嵐，〈日治時代臺灣傳統詩人的休閒娛樂——以櫟社詩人爲例〉，《臺灣學研究》第 7 期（2009 年 06 月），頁 51～76。

民族運動〔註 50〕與政治生活〔註 51〕等層面。黃富三《林獻堂傳》〔註 52〕一書
則全面性的描述林獻堂的一生，至於其他黃富三的作品大多是描述林獻堂
在戰後的遭遇或者是心境上的轉折，例如〈戰後初期在日臺灣人的政治活動
——林獻堂與廖文毅之比較〉〔註 53〕一文，以日記爲史料，比較林獻堂和廖
文毅在日本活動的差別，包括二人前往日本的原因，以及他們對於當時臺灣
政治的看法，到最後國民政府要將他們勸回，林獻堂不肯而廖文毅接受。〈林
獻堂與三次戰爭的衝擊：乙未之役、第二次世界大戰、國共戰爭〉，〔註 54〕分
別論述這三場戰爭對於林獻堂所造成的影響，文中認爲林獻堂的離臺主要是
對於國民黨政府的不滿，也因國民黨政府的威脅而不得歸臺。另外還有較爲
早期的研究有賴西安所寫的《臺灣民族運動倡導者：林獻堂傳》〔註 55〕、張
振昌《林獻堂與臺灣民族運動》〔註 56〕等書。

　　陳佳宏《鳳去臺空江自流——從殖民到戒嚴的臺灣主體性研究》〔註 57〕
第二章〈鳳凰折翼〉，主旨在分析林獻堂晚年政治意向之轉折。以《灌園先生
日記》爲基礎，加上其他當事人的回憶錄和外交部檔案，重現當時的政治氛
圍，來解釋林獻堂的心境轉變。由於林獻堂性格溫和且具妥協性，所以面臨
皇民化運動時，不得不展現對殖民母國的忠心，使得他在戰後表面上受尊崇，
實際上卻是受到打壓。二二八事件使臺灣「再殖民」的事實昭然若揭，倖免

　　　　　　許雪姬，〈林獻堂與櫟社〉，《兩岸發展史研究》第 2 期（2006 年 12 月），頁
　　　　　　27～65。
〔註50〕張炎憲，〈林獻堂對民族運動的貢獻〉，《臺灣文獻》第 50 卷第 4 期（1999 年
　　　　　12 月），頁 86～90。
〔註51〕許雪姬，〈反抗與屈從——林獻堂府評議員的任命與辭任〉，《國立政治大學歷
　　　　　史學報》第 19 期（2002 年 05 月），頁 259～296。
　　　　　許雪姬，〈皇民奉公會研究——以林獻堂的參與爲例〉，《中央研究院近代史研
　　　　　究所集刊》第 31 期（1999 年 06 月），頁 167～211。
〔註52〕黃富三，《林獻堂傳》（南投：國史館臺灣文獻館，2004）。
〔註53〕黃富三，〈戰後初期在日臺灣人的政治活動——林獻堂與廖文毅之比較〉，《財
　　　　　團法人交流協会日臺交流センター歷史研究者交流事業報告書》（東京：財団
　　　　　法人交流協会，2005），頁 1～39。
〔註54〕黃富三，〈林獻堂與三次戰爭的衝擊：乙未之役、第二次世界大戰、國共戰
　　　　　爭〉，《臺灣文獻》第 57 卷第 1 期（2006 年 03 月），頁 1～42。
〔註55〕李蕭，《臺灣民族運動宣導者：林獻堂傳》（臺中：臺灣省文獻委員會，1978）。
〔註56〕張振昌，《林獻堂與臺灣民族運動》（臺北：益群書店，1981）。
〔註57〕陳佳宏，《鳳去臺空江自流——從殖民到戒嚴的臺灣主體性研究》（臺北：博
　　　　　揚文化，2010）。

於難的林獻堂決心移居日本，最終病逝他鄉。回顧林獻堂一生，作者認爲他的保守個性造就了其格局和結局，體制內改革在前提上已承認外來統治的合法性，自然得依附殖民體制。他在移居日本後雖與海外臺獨團體有所接觸，但始終敬而遠之，不願再引起國民黨政府的忌諱。林獻堂一方面和國民黨保持良善關係，另一方面卻以政治受難者之名義，向日本申請永久居留，臺灣的「解殖民」在他有生之年終究沒有實現。

　　楊淑珺在中興大學臺文所的碩士論文〈時代創傷與世局觀照——林獻堂晚年旅日詩作及日記探微〉〔註58〕，以林獻堂的詩文與日記，探討戰後林獻堂的心境變化。此外，周婉窈〈思鄉何不歸故里——林獻堂先生的晚年心境試探〉〔註59〕、陳思〈林獻堂眼中的國民黨與臺灣——以《灌園先生日記》資料爲中心〉〔註60〕與何義麟〈危邦不入，亂邦不居——事變中林獻堂先生之參政與退隱〉〔註61〕，均在分析林獻堂在國民黨政權下從熱心參與政治到心灰意冷，最終遠赴日本，死於異鄉的心境變化。

　　許雪姬〈二二八事件中的林獻堂〉〔註62〕提到，在二二八事件發生時，嚴家淦擔任省財政廳長，負責彰化銀行接收與改組工作的林獻堂，將嚴家淦帶到霧峰林家大宅躲避，以性命保護他的安全。在此事件後，林獻堂曾被國民政府列名爲"臺省漢奸"，幸得友人相助，才免去牢獄之災。

　　土地改革與林獻堂有關的文章主要以何鳳嬌〈戰後初期臺灣收購大戶餘糧問題——以《灌園先生日記》爲中心的討論〉〔註63〕爲核心，大戶餘糧政策是政府土地改革的第一步，從 1947 實施到 1953 年，由於對於大戶進行剝削，造成地主們的不滿，林獻堂便是其中之一。此篇文章針對戰後初期的糧

〔註58〕楊淑君，〈時代創傷與世局觀照——林獻堂晚年旅日詩作及日記探微〉，臺中：國立中興大學臺文所碩專班碩士論文，2014。

〔註59〕周婉窈，〈思鄉何不歸故里——林獻堂先生的晚年心境試探〉，收於周婉窈，《日據時代的臺灣議會設置請願運動附篇》（臺北：自立報系文化，1989）。

〔註60〕陳思，〈林獻堂的眼中國民黨與臺灣——以《灌園先生日記》資料爲中心〉，《臺灣研究集刊》，2014 年第 1 期（2014 年 04 月），頁 49～57。

〔註61〕何義麟，〈危邦不入，亂邦不居——事變中林獻堂先生之參政與退隱〉，《臺灣文獻》第 50 卷第 4 期（1999 年 12 月），頁 94～99。

〔註62〕許雪姬，〈二二八事件中的林獻堂〉，收於胡健國編，《20 世紀臺灣歷史與人物——第六屆中華民國史專題論文集》（臺北：國史館，2002），頁 989～1061。

〔註63〕何鳳嬌，〈戰後初期臺灣收購大戶餘糧問題——以《灌園先生日記》爲中心的討論〉收於許雪姬編，《日記與臺灣史研究：林獻堂先生逝世 50 周年紀念論文集（下）》（臺北：中研院臺史所，2008），頁 509～572。

荒問題、政策施行時的不足、林獻堂的應對方式及做法,都有詳盡的描述。
林佳燕〈1950 年臺灣土地改革的理想與現實——以省級議員之言論分析爲中
心〉〔註64〕,提及國民黨實施土地改革,對於臺灣原本的地主階級造成衝擊,
還談到林獻堂以省議員的身分,對於政府的土地改革政策有所反彈,作者認
爲,由於省政府強硬實施土地改革,對於省籍議員的發言提問與反彈大多置
之不理,造成原地主失去土地,且中小地主也面臨生活上的危機,林獻堂的
收入也因此短少了四成。

以詩作來分析戰後林獻堂心境的作品,有廖振富〈櫟社三家詩研究——
林癡仙、林幼春、林獻堂〉〔註65〕、〈欲吐哀音只賦詩——戰後的林獻堂詩〉
〔註66〕、〈與「二二八事件」相關之臺灣古典詩析論——以詩人作品集爲討論
範圍〉〔註67〕、〈林獻堂詩與近代臺灣〉〔註68〕與顧敏耀〈臺灣古典詩與二二
八事件——以林獻堂、曾今可及其步韻詩爲主要研究對象〉〔註69〕等文章,
這些文章都以林獻堂的詩作來探討其內心世界的衝擊以及變化。

3. 吳新榮研究

針對吳新榮日記研究的文章,大多著重在其文學成就上,但是林慧姃《吳
新榮研究》〔註70〕分析吳新榮的生平與其戰後的精神演變,當中提及 1920 年
代吳新榮留日期間,受到社會主義的影響,思想產生了極大變化,社會主義
思想成爲其思想上的底流,此後吳新榮在不同國家體制的強制力下,不管從
事文化與政治活動,都可以反映出他左翼份子的反抗精神,與人民土地共存

〔註64〕林佳燕,〈1950 臺灣土地改革的理想與現實——以省級議員之言論分析爲中
心〉(臺北:臺北教育大學臺文所碩士論文,2014)。

〔註65〕廖振富,〈櫟社三家詩研究——林癡仙、林幼春、林獻堂〉(臺北:國立臺灣
師範大學國文系博士論文,1995)。

〔註66〕廖振富,〈欲吐哀音只賦詩——戰後的林獻堂詩〉,《臺中商專學報》第 28 期
(1996 年 06 月),頁 99～117。

〔註67〕廖振富,〈與「二二八事件」相關之臺灣古典詩析論——以詩人作品集爲討論
範圍〉,《臺灣文學研究學報》第 1 期(2005 年 10 月),頁 109～168。

〔註68〕廖振富,〈林獻堂詩與近代臺灣〉,《竹塹文獻雜誌》第 13 期(1999 年 11 月),
頁 124～138。

〔註69〕顧敏耀,〈臺灣古典詩與二二八事件——以林獻堂、曾今可及其步韻詩爲主要
研究對象〉,收於楊振隆主編,《二二八事件 62 周年學術研討會:二二八歷史
教育與傳承學術論文集》(臺北:財團法人二二八事件紀念基金會,2009),
頁 169～228。

〔註70〕林慧姃,《吳新榮研究》(臺南:臺南縣政府,2005)。

的決心。1930 年代的青風會，將草根性的文化組織匯入了臺灣新文學運動的主流。戰後初期吳新榮由政治活動轉向文化活動，從他的一生可以看出日治時代臺灣知識分子的歷史意義。施懿琳所寫的《吳新榮傳》〔註71〕一書，使用日記、回憶錄等資料描述吳新榮的生平。其他關於吳新榮的研究，主要著重其左翼思想與文學思想上，例如鄭雅黛〈冷澈的熱情者——吳新榮及其作品研究〉〔註72〕、河原功〈探求吳新榮的左翼思想——談〈吳新榮舊藏雜誌拔粹集〉與《吳新榮日記全集》〉〔註73〕等文章。

關於吳新榮文化上的研究，陳祈伍〈激越與戰慄：臺南地區的文化發展——以龍瑛宗、葉石濤、吳新榮、莊松林爲例（1937～1949）〉〔註74〕，描述日治時期吳新榮的文化活動，以及戰後局勢變化與政治參與。作者並且由吳新榮的自傳、回憶錄與日記，說明他在二二八事件的參與過程。王秀珠〈日治時期鹽分地帶詩作析論——以吳新榮、郭水潭、王登山爲主〉〔註75〕，談到吳新榮創立佳里青風會，成爲鹽分文學集團的基礎，也展現日治下臺灣知識份子對時局的關懷。其次，分析該集團當中最重要的三人之詩作，作者認爲吳新榮對於鄉土的描繪放在「變遷」與「歷史意識」上，由於受到社會主義思想的訓練，使他在回顧鄉土時，不忘凸顯現代社會的缺失，更讓他筆下的鄉土意識顯得沉重與嚴肅。其他尚有陳祈伍〈挫傷的心靈——吳新榮戰爭時期的思想與文學〉〔註76〕、〈吳新榮新詩探析——以「臺灣文藝」、「臺灣新文學」之詩爲例〉〔註77〕、施懿琳〈吳新榮「琅山房隨筆」初探〉〔註78〕、

〔註71〕施懿琳，《吳新榮傳》（南投：國史館臺灣文獻館，1999）。

〔註72〕鄭雅黛，〈冷澈的熱情者——吳新榮及其作品研究〉（臺中：國立中興大學中文系碩士論文，1997）。

〔註73〕河原功著，高板嘉玲譯，〈探求吳新榮的左翼思想——談〈吳新榮舊藏雜誌拔粹集〉與《吳新榮日記全集》〉，《臺灣文學評論》第9卷第3期（2009年07月），頁160～164。

〔註74〕陳祈伍，〈激越與戰慄：臺南地區的文化發展——以龍瑛宗、葉石濤、吳新榮、莊松林爲例〉（臺北：文化大學史學系博士論文，2011）。

〔註75〕王秀珠，日治時期鹽分地帶詩作析論——以吳新榮、郭水潭、王登山爲主〉（高雄：高雄師範大學國文教學碩士班碩士論文，2004）。

〔註76〕陳祈伍，〈挫傷的心靈——吳新榮戰爭時期的思想與文學〉，《南榮學報》復刊7期（2003年11月），頁157～191。

〔註77〕陳祈伍，〈新榮新詩探析——以「臺灣文藝」、「臺灣新文學」之詩爲例〉，《南榮學報》復刊5期（2001年08月），頁221～244。

〔註78〕施懿琳，〈吳新榮「琅山房隨筆」初探〉，《國立中正大學學報》第8卷第1期（1997年12月），頁49～81。

許献平〈鹽分地帶新文學拓荒者〉〔註79〕等文章。

　　討論吳新榮醫師與文人雙重角色的文章，例如林秀蓉〈日治時期臺灣醫事作家及其作品研究——以蔣渭水、賴和、吳新榮、王昶雄、詹冰為主〉〔註80〕與張雅惠〈日治時期的醫師與臺灣醫學人文——以蔣渭水、賴和、吳新榮為例〉〔註81〕，這兩篇文章都關注當時醫生與文人之間的關係，論述日治時期臺灣醫事作家的社會參與及文學主題的表現。作者認為吳新榮是「醫師為本妻，文學為情婦」的浪漫主義醫師，他的文學成就在鹽分地區具有主導的地位，被譽為「鹽分地帶的文學領航者」。其他尚有林秀蓉〈醫人、醫國的文學作家——吳新榮〉〔註82〕、林衡哲〈臺灣醫師對臺灣文化、文學的貢獻〉〔註83〕等文章。

　　也有研究吳新榮日常生活的作品，例如陳文松〈從躲空襲到避政治：日治後期到戰後初期吳新榮的圍棋戲〉〔註84〕，提到政權轉換之後，吳新榮再度燃起政治熱情，卻因為國共內戰失去政權的國民黨政府在臺倒施逆行、地方派系的權鬥營私，讓他在戰後不到十年內，接連兩次受到政治冤獄。之後為了逃避政治而深居簡出，與分散四方的老友重聚下圍棋，遂成為吳新榮享受生活的美好時光，不過此為時局的作弄，實非吳新榮所願。其他尚有陳文松〈日記所見日治時期臺灣人的「打麻雀」——以吳新榮等人的經驗為中心〉〔註85〕、王靖雯〈論吳新榮的愛情觀與家庭觀——以《吳新榮日記全集》為主〉〔註86〕、黃文源〈雙新記——論蘇新與吳新榮的「抵抗之道」〉〔註87〕等等。

〔註79〕許献平〈鹽分地帶新文學拓荒者〉，《南瀛文獻》第 4 期（2005 年 09 月），頁 146～173。

〔註80〕林秀蓉，〈日治時期臺灣醫事作家及其作品研究——以蔣渭水、賴和、吳新榮、王昶雄、詹冰為主〉（高雄：高雄師範大學國文學系博士論文，2001）。

〔註81〕張雅惠，〈日治時期的醫師與臺灣醫學人文——以蔣渭水、賴和、吳新榮為例〉（臺北：臺北醫學院醫學研究所碩士論文，2001）。

〔註82〕林秀蓉，〈醫人、醫國的文學作家——吳新榮〉，《南瀛文獻》第 1 期（2002 年 01 月），頁 268～273。

〔註83〕林衡哲，〈臺灣醫師對臺灣文化、文學的貢獻〉，《臺灣文學評論》第 9 卷第 1 期（2009 年 01 月），頁 181～196。

〔註84〕陳文松，〈從躲空襲到避政治：日治後期到戰後初期吳新榮的圍棋戲〉，《臺灣史研究》第 23 卷第 1 期（2016 年 3 月），頁 121～154。

〔註85〕陳文松，〈日記所見日治時期臺灣人的「打麻雀」——以吳新榮等人的經驗為中心〉第 45 期（2013 年 12 月），頁 129～176。

〔註86〕王靖雯，〈論吳新榮的愛情觀與家庭觀——以《吳新榮日記全集》為主〉（臺南：國立臺南大學臺文所碩士論文，2014）。

4. 其他菁英研究

本文所選擇的其他參照對象，筆者於此簡略介紹。楊肇嘉相關的研究，有周明《楊肇嘉傳》〔註88〕一書，書裡主要使用材料爲回憶錄，論述楊肇嘉從日治到戰後的過程。期刊論文部分有洪可均〈《楊肇嘉回憶錄》中的虛與實——國家、民族與家庭情感的纏結〉〔註89〕，由於回憶錄出版時，臺灣仍處於戒嚴時代，當時的時空環境並無法讓其自由發揮，作者使用相當多的旁證，討論回憶錄與眞實感受的異同。另外，許雪姬〈在上海的楊肇嘉及其所涉入的「戰犯案」〉〔註90〕一文，當中討論戰後楊肇嘉被行政長官公署檢舉而被捕，究其原因實因楊肇嘉本人關心臺事，痛心陳儀施政，因而赴京請願，因此得罪陳儀而遭報復。

蔡培火的相關研究，大多集中於日治時代，例如林佩蓉〈抵抗的年代・交戰的思維——蔡培火的文化活動及其思想研究〉〔註91〕，作者在文章中討論蔡培火在日治時代接受近代化的啓蒙論述，並以此爲基礎，發現其在不觸犯殖民政府的合法性下，批判殖民者的思想，以作有限度的抵抗。戰後的研究有洪可均〈日本與中國——蔡培火的「母國」與「祖國」〉〔註92〕，作者討論蔡培火從日本到中國的祖國認同，認爲他偶然成爲當時代檯面上的臺灣人，他一方面想替臺灣人做事，但又害怕忤逆當局，這中間的拉扯，便是作者討論的重點。其他尚有洪可均〈跨時代的臺籍菁英的抉擇與困境——蔡培火的政治參與〉〔註93〕、陳慕眞〈語言主張與民族認同——蔡培火戰前戰後之探討〉〔註94〕、陳玟錚〈蔡培火及其文化抗日運動〉〔註95〕等文章。

〔註87〕黃文元，〈雙新記——論蘇新與吳新榮的「抵抗之道」〉，《臺灣史料研究》第36期（2010年12月），頁73～94。

〔註88〕周明，《楊肇嘉傳》（臺北：臺灣省文獻會，2000）。

〔註89〕洪可均，〈《楊肇嘉回憶錄》中的虛與實——國家、民族與家庭情感的纏結〉，《臺灣史料研究》第41期（2013年6月），頁39～65。

〔註90〕許雪姬，〈在上海的楊肇嘉及其所涉入的「戰犯案」〉，《興大歷史學報》第30期（2016年6月），頁81～116。

〔註91〕林佩蓉，〈抵抗的年代・交戰的思維——蔡培火的文化活動及其思想研究〉（臺南：成功大學臺文所碩士論文，2005）。

〔註92〕洪可均，〈日本與中國——蔡培火的「母國」與「祖國」〉，《成大史粹》第23期（2012年12月），頁77～107。

〔註93〕洪可均，〈跨時代的臺籍菁英的抉擇與困境——蔡培火的政治參與〉，《中華行政學報》第6期（2009年6月），頁187～196。

〔註94〕陳慕眞，〈語言主張與民族認同——蔡培火戰前戰後之探討〉，《淡水牛津臺灣

　　黃旺成由於其有日記出版，因此相關研究較多，黃美蓉〈黃旺成與其政治參與〉〔註96〕一文，作者使用目前尚未出版之日記作爲資料，因此可以更明確的看出黃旺成在戰後的內心想法，雖然本文對於戰後黃旺成的著墨並不多，但可更清楚了解黃旺成在戰後初期三青團等活動。吳沁昱〈新竹市自治選舉與議會運作——以黃旺成政治參與爲中心（1935～1951）〉〔註97〕，作者以日記爲主要材料，首先探討黃旺成在地方政治參與的過程，而後延伸至分析新竹地方的政治參與、地方派系的演變。其他文章有莊勝全〈紅塵中有閒日月：1920 年代黃旺成的社會觀察、政治參與及思想資源〉〔註98〕、張炎憲〈黃旺成的轉折——從社會參與到纂寫歷史〉〔註99〕、陳萬益〈臺灣報業史上的一等評論——論黃旺成的「冷語」「熱言」〉〔註100〕、張德南〈黃旺成——從教師到記者的轉折〉〔註101〕等文章。

　　林茂生與陳炘的部分，李筱峰《陳炘、林茂生和他們的時代》〔註102〕一書，當中後半部著重於林茂生與陳炘在戰後的選擇與做法，同時針對他們在二二八遇害的原因，進行相當深刻的探討。其他有關林茂生的研究，包括李東華〈光復初期（1945～50）的民族情感與省籍衝突——從臺灣大學的接收改制做觀察〉〔註103〕、〈論陸志鴻治校風格與臺大文學院〉〔註104〕、戚嘉林

文學研究集刊》第 7 期（2004 年 12 月），頁 87～100。

〔註95〕陳玟錚，〈蔡培火及其文化抗日運動〉（新竹：清華大學歷史所碩士論文，2006）。

〔註96〕黃美蓉，〈黃旺成與其政治參與〉（臺中：東海大學歷史系碩士論文，2007）。

〔註97〕吳沁昱，〈新竹市自治選舉與議會運作——以黃旺成政治參與爲中心（1935～1951）〉（臺北：臺北教育大學臺文所碩士論文，2011）。

〔註98〕莊勝全，〈紅塵中有閒日月：1920 年代黃旺成的社會觀察、政治參與及思想資源〉，《臺灣史研究》第 23 卷第 2 期（2016 年 06 月），頁 111～164。

〔註99〕張炎憲，〈黃旺成的轉折——從社會參與到纂寫歷史〉，《竹塹文獻》第 10 期（1999 年 1 月），頁 6～28。

〔註100〕陳萬益，〈臺灣報業史上的一等評論——論黃旺成的「冷語」「熱言」〉，《竹塹文獻》第 10 期（1999 年 1 月），頁 29～40。

〔註101〕張德南，〈黃旺成——從教師到記者的轉折〉，《竹塹文獻》第 10 期（1999 年 1 月），頁 58～67。

〔註102〕李筱峰，《陳炘、林茂生和他們的時代》（臺北：自立晚報，1993）。

〔註103〕李東華，〈光復初期（1945～50）的民族情感與省籍衝突——從臺灣大學的接收改制做觀察〉，《臺大文史哲學報》第 65 期（2006 年 11 月），頁 183～221。

〔註104〕李東華，〈論陸志鴻治校風格與臺大文學院〉，《臺大歷史學報》第 36 期（2005 年 12 月），頁 267～315。

〈林茂生之死——解構臺獨史觀下的二二八〉〔註105〕等文章。陳炘的部分有何輝慶〈臺灣金融先驅陳炘在二二八受難的旁證——郵政封函的歷史印證效果〉〔註106〕等文章。其他另有林偉盛〈由〈楊基振日記〉看他的從政與交友（1957～1960）〉〔註107〕，鄭鳳雀〈黃純青及其詩作研究〉〔註108〕，黃秀政、蕭明治〈二二八事件的善後與賠償——以「延平學院復校」爲例〉〔註109〕等探討戰後臺灣菁英的個案研究。

三、研究方法與章節安排

本文使用的研究方法主要採用文獻分析法與比較法。首先歸納整理出相關之史料，再進行史料之比較。日記、回憶錄、口述歷史、詩集等同源史料之比較，可以相互補充不足之處，前述資料加入報刊、公報與官方文書等異源史料進行比較後，更可考證出史料歧異之處。其次，將文獻史料進行分析與歸納，透過史料蒐集與解析，爬梳歷史事實的發展與演變，並進一步得出史實發展中適當的歷史解釋。最後，將不同個案之經歷透過比較方法，求出異同之處，以期帶出戰後政府與政治環境和當代本土菁英之間的關係。

本論文分爲五個章節，第一章爲緒論：分爲研究動機與目的、文獻回顧與章節安排三節。第二章：從終戰到二二八事件前（1945～1947）。第三章：從二二八事件到中央政府遷臺（1947～1949）。第四章：中華民國在臺灣：臺灣局勢與菁英們的內心演變（1949～1955）。第五章：結論。

〔註105〕戚嘉林，〈林茂生之死——解構臺獨史觀下的二二八〉，《海峽評論》第 219 期（2009 年 03 月），頁 58～62。

〔註106〕何輝慶，〈臺灣金融先驅陳炘在二二八受難的旁證——郵政封函的歷史印證效果〉，《中國郵刊》第 80 期（2005 年 8 月），頁 153～161。

〔註107〕林偉盛，〈由〈楊基振日記〉看他的從政與交友（1957～1960）〉，《臺灣風物》第 63 卷第 1 期（2013 年 03 月），頁 61～103。

〔註108〕鄭鳳雀〈黃純青及其詩作研究〉（臺北：東吳大學中文系碩士論文，2013）。

〔註109〕黃秀政、蕭明治，〈二二八事件的善後與賠償——以「延平學院復校」爲例〉，《興大歷史學報》第 20 期（2008 年 08 月），頁 135～150。

第二章　從終戰到二二八事件前
（1945～1947）

　　1945年8月15日，日本宣布無條件投降，二次大戰結束，8月29日蔣介石特任陳儀為臺灣省行政長官，9月7日又命陳儀兼任臺灣省警備總司令，10月25日在臺北中山堂舉行受降典禮。〔註1〕中華民國政府接收之初，臺灣民眾對於祖國的到來，表現得相當樂觀，尤其是對於脫離「殖民統治」、「重歸祖國」的生活充滿期待，故以「簞食壺漿表歡迎」的心情來迎接接管的國軍。〔註2〕

　　但在正式接收前，總督府已經失去統治權威，各地開始出現各種治安問題，臺灣進入了「政治真空期」，在這種無政府狀態之下，臺灣民眾展現出進步的國民素質，在各街各庄組織三民主義青年團，自動擔當維持治安的工作，這些團員並沒有領到任何酬勞，自主的維持著臺灣社會的安定。〔註3〕面對此種嶄新局面，臺灣菁英所採取的反應與發揮的功能，主要可分為三項：一、維持社會治安；二、歡迎國民政府；三、協助國府接收臺灣。

　　臺灣社會在「政治真空期」期間，社會內部存在相當多的隱憂，首先留

〔註1〕 鄭梓，〈戰後臺灣的接收、復原與重建──從行政長官公署到臺灣省政府〉，收於呂芳上主編，《戰後初期的臺灣（1945～1960s）》（臺北：國史館，2015），頁3。

〔註2〕 呂芳上，〈戰後初期臺灣的政治發展〉，收於呂芳上主編，《戰後初期的臺灣（1945～1960s）》，頁253。

〔註3〕 陳翠蓮，《百年追求：臺灣民主運動的故事》（新北：衛城出版，2013），頁212～218。

駐臺灣的日軍估計共有二十三萬五千餘人左右，其中少壯軍人是否「安份」是一個值得討論的問題。其次，原有行政機關失去拘束力，各地屢次發生暴動，且社會上又普遍發生物資不足的情況，產米地區唯恐一旦有事，物資並不足以自給，因此地方上禁止米糧出境，造成人口稠密的都市頗以爲苦，社會治安與秩序都受到相當的影響。〔註4〕這段期間臺灣發生了一些風波，例如八一五事件，即臺灣獨立事件〔註5〕。但整體而言，社會狀況大致穩定，而維持各地穩定之工作，大多是落在林獻堂或者是吳新榮這些地方菁英身上。

不過，行政長官陳儀到達臺灣後，卻展現出不同於臺灣人所期待的形象，導至各種政治問題、治安問題或是地方經濟問題接連發生。首先，實施經濟統制，被認爲是與民爭利，卻沒能控制通貨膨脹，再加上政府官員不無貪汙腐敗情事，駐軍的軍紀也時常引發爭議，因此臺灣人反而有不如日本統治之感嘆。〔註6〕另一方面，政治上有排斥臺籍菁英的情形出現，當時有一定數量的中國人認爲因日本據臺半世紀，臺灣人已經被日本奴化，〔註7〕遂認爲消除日本殖民影響是當務之急，1946年5月，陳儀在省參議會做施政報告時，更將「心理建設」放在政治與經濟之前，〔註8〕臺籍知識份子對此事感到相當不滿。

同時陳儀認爲臺灣人不懂國語文，因此極少任用臺籍人士，加上陳儀手操軍政二柄，同時集行政、立法、司法三權於一身，更讓臺灣人認爲無異是總督制的復活，且像是將臺灣視爲中國的殖民地。前述種種促使本省人不信任外省人，呂芳上曾言：「戰後初期臺灣政治的急遽惡化，更與兩岸隔閡因素有關。因爲兩種長期分離的體系，驟然間整合，勢必產生調整的問題。陳儀雖然明白臺灣環境特殊，卻未能正視臺灣人的歸向」。〔註9〕這也使得地方治

〔註4〕 李筱峯，《臺灣戰後初期的民意代表》（臺北：自立晚報，1993），頁155～157。

〔註5〕 以辜振甫爲首的「臺灣獨立案」，發生於1945年8月22日，一群臺灣士紳至臺灣總督府請求安藤利吉總督協助臺灣獨立，不過卻爲安藤總督勸阻，隨即不了了之。蘇瑤崇，〈「終戰」到「光復」期間臺灣政治與社會變化〉，《國史館學術集刊》第13期（2009年9月），頁50。

〔註6〕 呂芳上，〈戰後初期臺灣的政治發展〉，頁254～255。

〔註7〕 陳翠蓮，〈去殖民與再殖民的對抗：以1946年「臺人奴化」論戰爲焦點〉，《臺灣史料研究》第9卷第2期（2002年12月），頁145～201。

〔註8〕 陳儀，〈臺灣省施政總報告〉，收於陳鳴鐘、陳興唐編，《臺灣光復和臺灣光復後五年省情》（南京：南京出版社，1989），頁228～229。

〔註9〕 呂芳上，〈戰後初期臺灣的政治發展〉，頁255。

安與原有的政府制度遭到破壞，進而在二二八事件發生之前，埋下全島暴動的種子。

對於臺籍菁英，陳儀不但以奴化稱之，更以苛刻的手段對待。1946 年 1 月的漢奸懲治問題、9 月 3 日的臺灣省停止公權人登記規則，當中規定除法定褫奪公權外，曾在日治時代擔任皇民奉公會工作者，或經檢舉有漢奸嫌疑者，都納入停止公權的範圍，停止公權也代表不得參加公民宣示、不得參選公職、不得為各級公務員、律師等等。〔註 10〕這些問題多不勝舉，從漢奸到文化等問題，都代表陳儀始終在針對位於臺灣社會上層的菁英，同時也看出行政長官並不相信臺灣人的忠誠。

整體而言，陳儀在臺灣政治上的失敗，可以歸納為以下幾個原因：一、從人格特質來看，陳儀個性剛愎自用不肯納言，諸多措施遭民怨時，又無意去撫順。二、用人政策不當，陳儀具有省籍情結又歧視臺民，其官僚人員又多無能，引起人民反感。三、堅持社會主義統制經濟，不斷與商人利益相衝突，執法者素行不良且貪污腐化。四、接收日產不當，將日臺合資的產業，一律視為日產處理，加上處理日產的官僚變相佔有與貪汙問題不斷。五、無力控制通膨，對於戰後糧食短缺、物價上揚、失業率高等問題，均無能為力；為修復戰爭所破壞的工廠設施，濫發貨幣，更促成惡性通膨，影響人民生計甚鉅。〔註 11〕整體而言，陳儀對於臺灣的統治，引起人民相當大的反感，同時，又歧視原本屬於政府與人民中間橋梁的菁英，更讓這些人對於陳儀政府的統治，從期待逐漸轉變成冷淡，最後產生反感。〔註 12〕

〔註10〕陳翠蓮，《臺灣人的抵抗與認同一九二○～一九五○》（臺北：遠流，2008），頁 347。

〔註11〕陳明通，〈派系政治與陳儀治臺論〉，收於賴澤涵主編，《臺灣光復初期歷史》（臺北：中研院人文社科所，1993），頁 224～225。

〔註12〕並非所有研究者皆責難陳儀，戴國輝認為，陳儀和他的治臺班底企圖一展政治抱負，希望將臺灣作為他們心中的「三民主義試驗區」，因此陳儀若打算實施經建計畫，就需要獨攬大權，才有「臺灣行政長官公署組織條例」；為穩定臺灣經濟，拒絕四大銀行設立分行，且單獨使用臺幣，都是為了不讓大陸惡性通膨影響臺灣。當時中央各派系人士發現臺灣物產豐饒，想分一杯羹，卻被陳儀阻擋於門外，促使這些人吩咐手下杯葛陳儀。陳儀手下，除自己團隊外，尚有軍統、CC 系等派系以做監督之用，陳儀雖有心在臺施展鴻圖，但卻缺少推行的力量，實際可掌握的行政團隊不如一般民眾所想，在無法達成強而有力的中央時，更無法喝止地方上官員的貪弊歪風。戴國輝、葉云云，《愛憎二二八》（臺北：遠流，2002），頁 72～104、129～137。

　　不過，此時期中華民國對於臺灣的治理，並非沒有正面的建設，例如在民意機關的建立上，即有一定的貢獻。1945 年的中國，由於對日抗戰剛結束，國共鬥爭漸趨尖銳，但是由於美國的壓力，雙方暫告停戰，各黨派的政治協商也正在展開，蔣介石且決定實施民主憲政，訂於 1946 年 5 月 5 日召開制憲國民大會，增選臺灣、東北代表，與各黨派的賢達參與。〔註 13〕中央政府也下令臺灣應於 1946 年 5 月 1 日前設立各級民意機關，以便臺灣參議會可以推選代表，及時趕上制憲國大的召開。〔註 14〕當時臺灣內部的不滿與反感的情緒正在醞釀，陳儀當局想藉此收攏人心，因此臺灣省各級民意機關成立方案也就此定案。〔註 15〕行政長官公署在 1945 年 12 月 26 日頒布「臺灣省各級民意機關成立方案」，規定在 1946 年 2 月前，各縣市政府成立村里民大會，並選舉村里長與鄉鎮民代表，同時也應選舉區民代表；3 月 15 日前成立區民代表大會與鄉鎮民代表會，選舉市參議員與縣參議員。1946 年 4 月 15 日前，成立縣市參議會，選舉省參議員。對於選舉，臺灣民眾的反應相當熱烈，因為這是在殖民統治下難以實現的夢想，雖然議決權與立法權仍然相當有限，但是本土菁英認為，選舉仍然提供了一條施展抱負的道路。〔註 16〕

　　本章所要探討的便是此時期的新知識菁英與舊時代菁英，在當時的政治局勢下，個人的遭遇與內心想法。文中是以林獻堂與吳新榮二人為主軸，探討的議題分為幾個面向：祖國想像、幻想破滅、內心衝擊以及二二八事件之前的醞釀。前兩節分別敘述 1945 年後林獻堂與吳新榮的經歷，第三節將林、吳二人做比較，並加入其他菁英，以看出當時臺灣菁英的共相。

第一節　林獻堂的期盼與衝擊

一、終戰時的林獻堂

　　1945 年 8 月 15 日 12 時，日本天皇「玉音放送」，日本正式投降，林獻

〔註 13〕郭廷以，《近代中國史綱》（香港：中文大學，1980），頁 765～758。

〔註 14〕鄭梓，〈戰後臺灣的接收、復原與重建——從行政長官公署到臺灣省政府〉，頁 18～19。

〔註 15〕鄭梓，〈戰後臺灣的接收、復原與重建——從行政長官公署到臺灣省政府〉，頁 19～20。

〔註 16〕李筱峯，《臺灣戰後初期的民意代表》，頁 14～27；鄭梓，〈戰後臺灣的接收、復原與重建——從行政長官公署到臺灣省政府〉，頁 18。

堂感慨的寫道：「嗚呼！五十年來以武力建置之江山，亦以武力失之也。」
〔註17〕次日，林獻堂拜會臺中州知事清水七郎、警察部長石橋內藏之助等人，
商議是否需協助維持治安；17 日，陳炘、黃朝清、張文環等地方人士前來拜
訪，希望他出面組織治安維持會，但是林獻堂認為此事需要官方的參與方可
行，他在這種混亂的情況下，並不敢妄動。〔註18〕

　　此時期的林獻堂，內心對於未來的政治發展，是希望可以採取「聯省自
治」，8 月 22 日的日記裡談到：

> 早餐後往會清水知事、石橋警察部長，告以安藤總督之情形，並告
> 以中華民國有聯省自治之風說，若能實現，臺灣亦為聯省之一，日、
> 臺協力自治，誠為萬幸，他聞之甚喜。〔註19〕

許雪姬指出，林獻堂認為戰後的中日關係惟有親善、提攜，他在日治時期的
親日行為〔註20〕才不會被徹底追究，而在尋求臺灣高度自治的過程中，也需
要中國各省的協助，因此才會鼓吹日華親善、聯省自治。〔註21〕黃富三《林
獻堂傳》一書提到，戰後林獻堂內心萬分欣喜，顯示他是一個典型的中國民
族主義信奉者，且預期將在戰後政壇扮演要角。〔註22〕但筆者認為林獻堂內
心對於中華民國的接收，並沒有過於歡欣鼓舞的心態，從其日記內容觀之，
他初始聽聞消息時，僅表露感慨的情緒，且後續只是很冷靜地在思考未來的
做法，所以才會有「日華提攜」的想法出現。綜觀林獻堂在日治時代的作為，
可以了解到，他提出的「聯省自治」，其實可以聯想到過去他所追求的「臺人
治臺」理念。

　　同時，他也擔心過去的親日行為會給他帶來困擾，因此加強與政府人員
的接觸。在政治上，則採取較為保守的做法，例如郭國基與洪約伯請他組織
臺灣國民黨，他即加以推卻。〔註23〕不過，林獻堂本人雖然謹慎保守，卻贊
成親屬在政治上扮演較積極的角色。10 月，林培英來請林雲龍出面組織三青

〔註17〕林獻堂著，許雪姬等編，《灌園先生日記（十七）一九四五年》（臺北：中研
　　　　院近史所、臺史所，2010），頁 245。

〔註18〕林獻堂著，許雪姬等編，《灌園先生日記（十七）一九四五年》，頁 246～247。

〔註19〕林獻堂著，許雪姬等編，《灌園先生日記（十七）一九四五年》，頁 252。

〔註20〕在皇民奉公會中擔任要員，捐助經費與協助皇民化運動的推行。

〔註21〕許雪姬，〈臺灣史上一九四五年八月十五日前後——日記如是說「終戰」〉，
　　　　《臺灣文學學報》第 13 期（2008 年 12 月），頁 170。

〔註22〕黃富三，《林獻堂傳》（南投：國史館臺灣文獻館，2006），頁 127。

〔註23〕林獻堂著，許雪姬等編，《灌園先生日記（十七）一九四五年》，頁 273。

團霧峰區隊，林獻堂便相當贊成，〔註24〕而他自己要到12月才加入國民黨。
〔註25〕因此，筆者認爲在日本投降後，接收之初的林獻堂，對於政治的態度
是屬於心態冷靜，且保守應對的情況。

二、米糧問題、漢奸檢舉事件與政府失政

　　林獻堂對於維持社會穩定上所做的努力，是可以看見的，例如糧食問
題、原住民問題〔註26〕、協助滯留海外臺胞歸臺〔註27〕等等，在日記中有相
當多的例子。地方上的糧食不足時，他會出面設法斡旋，例如10月18日的
日記中提到，中寮庄的庄民無米可食，但是草屯洪元煌卻想將食糧營團剩餘
的米高價賣到南投，使得中寮、名間與南投的人民頗以爲苦，因而生出種種
紛擾，林獻堂便去勸告洪元煌，讓他放棄高價賣米。〔註28〕

　　不過，林獻堂對於行政長官公署仍然感到失望，原因在於當時臺灣的社
會問題叢生。首先，在米糧問題方面，戰時日本在臺灣實施米穀統制〔註29〕，
但接收之初，長官公署與日治時期同樣實施配給制度，此舉引起許多人質疑，
要求改善米糧的管理政策。同時，政府對於地主、佃農是否可存留米糧，亦

〔註24〕林獻堂著，許雪姬等編，《灌園先生日記（十七）一九四五年》，頁323。

〔註25〕林獻堂著，許雪姬等編，《灌園先生日記（十七）一九四五年》，頁420。

〔註26〕1945年10月31日，黃朝順受原住民囑託請林獻堂幫忙，有關原住民被日本
　　　　巡查毆打、臺人與原住民同行被毆打、糧食收穫時害怕被取去等事件，林獻
　　　　堂答應前往幫忙處理，同時給予金錢上的援助。林獻堂著，許雪姬等編，《灌
　　　　園先生日記（十七）一九四五年》，頁361。

〔註27〕1945年12月8日，林獻堂向長官公署秘書處長夏濤聲陳述，請求政府設法將
　　　　滯日臺胞載回。林獻堂著，許雪姬等編，《灌園先生日記（十七）一九四五年》，
　　　　頁413～414。

〔註28〕林獻堂著，許雪姬等編，《灌園先生日記（十七）一九四五年》，頁344～
　　　　347。

〔註29〕米穀統制：自一九二〇年代開始延續至戰爭結束，可分爲三個階段。第一階
　　　　段爲1920年代到30年代，主要目的在透過限制價格和數量的方式，抑制臺
　　　　灣過度成長的米穀生產，以防止其影響臺灣糖業資本及日本本國農業。第二
　　　　階段起自一九三〇年代，臺灣總督府利用農會及後來的農業會，將米穀的流
　　　　通權控制在國家手中，包括輸出與島內消費的分配，進行整合式統制。自一
　　　　九三九年到一九四五年間爲第三階段，因爲戰爭局勢規模擴大且日漸緊張，
　　　　物資消耗劇烈，所以對島內米穀食糧進行「總收購、總配給」的全面統制措
　　　　施，從生產、儲存、加工、運輸、分配到銷售等過程，均受嚴格的管制。李
　　　　力庸，《日治時期臺中地區的農會與米作（一九〇二～一九四五）》（臺北：稻
　　　　鄉，2004），頁225～226。

反覆不定，例如日記 12 月 29 日所載：

> 陳青岩，臺中人也，來言十一月下旬有許可業主、佃人留食糧，近
> 日當局通知業主所留之粟皆要供出，臺中市民有留粟者大起恐慌，
> 似乎朝令暮改將如之何。余之對此亦無辦法也，唯對陳儀長官抗議
> 而已。〔註30〕

　　林獻堂認為米穀統制的解除不可避免，但是解除之後應該要有獎勵生產
等配套措施隨之實行，否則問題只會更加嚴重。果不其然，1946 年 1 月 10 日
解除管制之後，隨即發生霧峰農倉的米，將封存以供國軍之用的問題，如 1
月 14 日日記所述：

> 米穀統制於十日解除，隨即配給中止，庄民無飯可食，甚起恐慌，
> 百數十人到役場農業會大鬧，因是而開庄民大會。蓋十日黃周郡守
> 傳劉存忠縣長之命，為農倉所存之粟將以供國軍之用，其數五十一
> 萬斤也。庄民聞之大不平，故庄長主催而開此會。〔註31〕

顏清梅曾分析，1945 年的糧食問題乃受限於戰後的肥料供應，陳儀政府無法
得到足量的肥料；〔註32〕1946 年的米荒主因是陳儀政府實施的經濟管制政策
因無效率而失敗，同時無法快速恢復生產的情況下，所造成的「人為」災禍，
〔註33〕這也證實林獻堂曾經提出過的觀點。當時政府之所以有封存糧倉的舉
動，係因米糧開放自由買賣後，長官公署為了掌握實物，以供軍需及緊急調
度使用，隨即擬定各地封存米穀處理辦法，將各地農倉稻穀封存，不准製米
配給。〔註34〕

　　此後，米荒的問題並沒有得到緩解，反而越演越烈。3 月 6 日，霧峰鄉民
召開自救會，組成「霧峰鄉糧食救濟委員會」，林獻堂擔任顧問，決議借款 20
萬，買樹薯簽粉，補糧食之不足。〔註35〕但不久又發生霧峰糧倉事件，如 3

〔註30〕林獻堂著，許雪姬編，《灌園先生日記（十七）一九四五》，頁 444。

〔註31〕林獻堂著，許雪姬編，《灌園先生日記（十八）一九四六》（臺北：中研院近
　　　　史所、臺史所，2010），頁 19。

〔註32〕就亞硝酸而言，臺灣每年需求為十萬公噸，但是陳儀僅爭取到聯合國善後救
　　　　濟總署所提供的二千七百噸。顏清梅，〈光復初期臺灣米荒問題初探〉，收於
　　　　賴澤涵主編，《臺灣光復初期歷史》（臺北：中研院中山人文社科所，1993），
　　　　頁 93。

〔註33〕顏清梅，〈光復初期臺灣米荒問題初探〉，頁 95～96。

〔註34〕顏清梅，〈光復初期臺灣米荒問題初探〉，頁 87～88。

〔註35〕林獻堂著，許雪姬編，《灌園先生日記（十八）一九四六》，頁 55。

月13日日記所載：

> 會蔡繼琨、劉存忠，商對徵收糧食之事，霧峰農食現存米一千八百
> 包，願分六百包與國軍，其餘以配給庄民。蔡言受當局之命，非全
> 取去不可……，自九時商量至十一時二十分，不能解決，余不禁大
> 怒，痛罵其無理辦法，拂袖而歸。〔註36〕

次日，蔡繼琨命軍隊二十餘人持槍包圍農倉強搶糧食，林獻堂只好命令眾人不可抵抗任其搶奪。事後蔡繼琨向柯遠芬告狀，提到林獻堂阻止他運送糧食，因此熊克禧與王光濤兩位少將受命前往臺中調查，在座談會上，蔡、熊言語十分強硬，要求農倉中所有的米盡歸軍隊所有，最終不歡而散。〔註37〕由此可知，當時政府對於糧食問題，態度相當強硬，時任臺中縣長劉存忠，也就糧食問題與軍方有諸多摩擦。〔註38〕

　　糧食問題無法解決，社會很容易漸趨混亂，此時開始出現許多恐嚇、竊米等事件。鑒於社會現況，林家人曾商議籌備義勇警備隊，來維持地方的治安，但是義勇警察隊問題不少，被警察所長黃宗儒解散，林獻堂對於治安的問題批評道：「盜賊之縱橫，皆由政府之放任，實無異政府之養成也」〔註39〕。因此治安不能維持成為林獻堂對政府不滿的原因之一。〔註40〕

　　除卻社會問題，行政長官公署對於菁英的打壓行動，也開始出現。1946年1月16日，臺灣省警備總司令部發布〈第五六號公報〉，奉國民政府陸軍總司令何應欽之令，全國各地舉行漢奸總檢舉，要求全省民眾盡量告發過去日寇統治臺灣時所有御用漢奸之罪惡。〔註41〕2月至3月間，辜振甫、許丙、林熊祥等人，因八一五事件被逮捕。〔註42〕2月20日，林獻堂可能因1945年

〔註36〕林獻堂著，許雪姬編，《灌園先生日記（十八）一九四六》，頁96。
〔註37〕林獻堂著，許雪姬編，《灌園先生日記（十八）一九四六》，頁101。
〔註38〕林獻堂著，許雪姬編，《灌園先生日記（十八）一九四六》，頁104。
〔註39〕林獻堂著，許雪姬編，《灌園先生日記（十八）一九四六》，頁77。
〔註40〕黃富三，《林獻堂傳》，頁140。
〔註41〕陳翠蓮，《百年追求：臺灣民主運動的故事》（新北市：衛城出版，2013），頁231～233。
　　　其實早在1月25日，國府司法院就已發布〈院解字第3078號函〉指出「凡臺人被迫應征、隨敵作戰、或供職各地敵偽組織者，應受國際法之裁判，不適用漢奸懲治條例。」
〔註42〕1947年7月，辜振甫、許丙、林熊祥被判刑1年10個月。阿部賢介，《關鍵的七十一天：二次大戰結束前後的臺灣社會與臺灣人之動向》（臺北：國史館，2013），頁98～99。

8月19日至20日，與許丙、辜振甫和林熊祥等人有所接觸，且曾與許丙等人前去會見安藤總督，因而被約談，最終雖審查後獲得釋放，〔註43〕但林獻堂對此事的感想爲：「全臺盜賊橫行不能治，而以莫須有之事虐待紳士，臺灣統治之黑暗從此更甚矣。」〔註44〕他認爲政府對於社會問題不去解決，反而以莫須有罪名對仕紳出手，對陳儀政府的觀感更爲惡化。

林獻堂本人對於陳儀政府的土地申告政策也多有抱怨，政府認爲這是在平均地權，但是林獻堂在日記中卻寫到：「以現在經濟之不安，何能決定土地價格，不過徒使紛擾而已。」〔註45〕此外，日記對於一些賄絡的事情也有記載。〔註46〕

由此觀之，林獻堂曾努力維持社會秩序的穩定，只是當時政府對於臺灣傳統士紳並不重視，甚至還對其滿懷敵意，加上行政長官公署施政上的問題，使得林獻堂對於政府日漸不滿。

三、政治上的參與

此時期林獻堂也有參與政治活動，他曾表示：「本人此次不顧衰老之身而出，只願粉身碎骨爲鄉邦服務」。〔註47〕1946年3月底參選縣議員，〔註48〕4月參選省參議員，〔註49〕選舉省參議會正副議長時，林獻堂原有意參選，但陳儀反對林獻堂參與，支持半山黃朝琴，同時派出李翼中將林獻堂勸退，由此可看見陳儀對於「臺灣自治」頗有疑慮，且對臺籍菁英的戒備也相當重。〔註50〕另一方面，林獻堂雖然參與政治活動，但事後十分感慨，他認爲省參

〔註43〕雖然陳佳宏認爲，林獻堂曾涉入八一五事件，推論此爲「臺灣菁英長期自治理想之短期嘗試」，但是阿部賢介認爲林獻堂並沒有參與這件事情，筆者從日記中看來，也認爲林獻堂並沒有提到這類獨立的事情。陳佳宏，《鳳去臺空江自流──從殖民到戒嚴的臺灣主體性研究》（臺北：博揚文化，2010），頁34～36；阿部賢介，《關鍵的七十一天：二次大戰結束前後的臺灣社會與臺灣人之動向》，頁109；林獻堂著，許雪姬編，《灌園先生日記（十八）一九四六》，頁66。

〔註44〕林獻堂著，許雪姬編，《灌園先生日記（十八）一九四六》，頁68。

〔註45〕林獻堂著，許雪姬編，《灌園先生日記（十八）一九四六》，頁123。

〔註46〕林獻堂著，許雪姬編，《灌園先生日記（十八）一九四六》，頁220。

〔註47〕〈慶祝臺灣省首屆參議會成立大會紀念特刊〉，《臺灣新生報》，1946年5月2日。

〔註48〕林獻堂著，許雪姬編，《灌園先生日記（十八）一九四六》，頁112。

〔註49〕林獻堂著，許雪姬編，《灌園先生日記（十八）一九四六》，頁134。

〔註50〕陳翠蓮，《百年追求：臺灣民主運動的故事》，頁238～240。

議會只是諮詢機關，就算有決議，但政府若不施行，也無可奈何，所以在 7月 8 日，便提出辭呈。如日記 7 月 8 日所示：

> 省參議員之辭職，自未閉會之前已決意辭退，蓋羞與噲之爲偶，又此會爲諮詢機關，雖決議，政府若不實施，亦無可如何也。今日提出辭表，蓋因縣參議會報告並表辭意，故延至今日也。〔註51〕

不過，此事有關國府顏面，因此參議會推派黃朝琴議長與林連宗參議員，於 7 月 16 日前往霧峰慰留，林獻堂才打消辭意。〔註52〕7 月 31 日，林忠鳳、黃朝琴、李萬居等人，勸林獻堂出馬競選參政員，但他力辭，8 月 3 日省參議會仍決議選他爲參政員，8 月 16 日開票，林獻堂得到 14 票，雖有當選但與原本民意調查〔註53〕相差甚遠。〔註54〕黃富三認爲，由此可以看出林獻堂的影響力已今非昔比。〔註55〕21 日，陳儀公布「臺灣省停止公權人登記規則」，規定曾任日本統治時期皇民奉公會重要工作，查證屬實必須停權，時間在一年以上五年以下，此一規定顯然衝著林獻堂而來，後因監察委員丘念台認爲此一政策後遺症太大，予以緩辦，但是從此可以看出陳儀對林獻堂的忌諱之深。〔註56〕

四、光復致敬團的任務

　　1946 年 3 月 31 日，丘念台與范東昇等人前來拜訪林獻堂，目的是商談全臺派出代表二十三人前往南京，對蔣介石派李文範爲特使來宣慰答禮，以及表達光復感謝之意，〔註57〕此即「臺灣光復致敬團」。〔註58〕林獻堂初始不

〔註51〕 林獻堂著，許雪姬編，《灌園先生日記（十八）一九四六》，頁 241。

〔註52〕 政府也發函拒絕林獻堂請辭案。臺灣省議會史料總庫，典藏號：0010180035001；黃富三，〈林獻堂與三次戰爭的衝擊——乙未之役、第二次世界大戰、國共戰爭〉，頁 23。

〔註53〕 林獻堂在民意測驗中，預估票數爲 80 票，名列第一，第二爲楊肇嘉 57 票，第三爲蔡培火 47 票。〈測驗民意，丘念台氏曾發測驗票，林獻堂氏最高八〇票〉，《民報》，1946 年 8 月 17 日，02 版。

〔註54〕 林獻堂著，許雪姬編，《灌園先生日記（十八）一九四六》，頁 281～284。

〔註55〕 黃富三，《林獻堂傳》，頁 152。

〔註56〕 黃富三，《林獻堂傳》，頁 152。

〔註57〕 林獻堂著，許雪姬編，《灌園先生日記（十八）一九四六》，頁 114。

〔註58〕 丘念台以臺灣省黨部執行委員和臺灣省的監察委員身分回到臺灣後，覺察到「本外省人感情之疎隔」，生活狀況日益惡化，導致臺灣人對中央逐漸由希望轉爲失望。丘念台認爲必須盡速彌補雙方的裂縫，以免擴大。因此他在 1946年 3 月初回臺後，即在 3 月底開始籌劃致敬團的種種。許雪姬，〈「臺灣光復

想參加致敬團，只想攤款、捐款來助成，原因是他對戰後政局頗爲灰心，已決意辭省參議員。〔註 59〕但到 7 月下旬，林忽然改變態度決意參加，主要是蔡培火、省黨部主委李翼中和丘念台一再勸導所致。〔註 60〕林獻堂本視此行爲「陳情」之行，丘念台則勸林獻堂前往「南京會中央諸要人，庶免在臺灣受壓逼」，但因受行政長官陳儀嚴重警告，使此行只能算是「致敬」之行。〔註 61〕陳儀對此事表面上未曾阻止，但心中卻不贊成，懼怕致敬團到中央訴苦、陳情，但此團名義正當，似無阻止之理由，且是否能組成，尚在未定之天，因此靜觀其變。到出發前三天，陳儀對致敬團提出五點奇怪要求：

1. 不許做過日本貴族院議員的林獻堂出任團長。
2. 不許受過公署拘留過的臺紳陳炘擔任團員。
3. 必須自臺北直赴南京，不得在上海停留及接受臺人團體之招待。
4. 不可上廬山見蔣主席。
5. 不必前往西安祭黃陵。〔註 62〕

由此觀之，陳儀相當害怕他們前去告狀，因此設下諸多限制，〈「臺灣光復致敬團」的任務及其影響〉一文提到，陳儀應該是害怕他們這些人去「告狀」。

其後致敬團按原訂計畫出發，由林獻堂等人在大陸的發言，即可以理解陳儀爲何會害怕，亦可看出他們對於以陳儀爲首的行政長官公署有諸多不滿。9 月 28 日，致敬團一行人會見國民政府文官吳鼎昌，吳鼎昌提及陳儀「果敢能幹」、「大爲陳長官辯解」等等；林獻堂對於吳鼎昌的說詞：「亦表贊成，但嫌其所用不得其人耳」。〔註 63〕10 月 3 日，上官雲相拜訪林獻堂一行時，同團的黃朝清向上官雲表達：「陳儀無視於民意。」〔註 64〕另外，林獻堂曾向國民黨政府秘書葉實之說明自己的想法：「現時貪汙之聲遍於全國，欲肅清之，非獎勵節儉不可，欲減殺共產黨之勢力，非實行地方自治不可。」〔註 65〕希望葉實之可以轉達給蔣主席。從上述言語可知，他們對於以陳儀爲首的行

致敬團」的任務及其影響〉，《臺灣史料研究》第 18 卷第 2 期（2011 年 6 月），頁 100。
〔註 59〕林獻堂著，許雪姬編，《灌園先生日記（十八）一九四六》，頁 204。
〔註 60〕林獻堂著，許雪姬編，《灌園先生日記（十八）一九四六》，頁 259。
〔註 61〕許雪姬，〈「臺灣光復致敬團」的任務及其影響〉，頁 98。
〔註 62〕林獻堂著，許雪姬編，《灌園先生日記（十八）一九四六》，頁 299。
〔註 63〕林獻堂著，許雪姬編，《灌園先生日記（十八）一九四六》，頁 356。
〔註 64〕林獻堂著，許雪姬編，《灌園先生日記（十八）一九四六》，頁 365。
〔註 65〕林獻堂著，許雪姬編，《灌園先生日記（十八）一九四六》，頁 348。

政長官公署無能處理貪官汙吏、打壓仕紳、專制統治與社會治安敗壞等問題，感到相當不滿，同時可以看出，林獻堂還是希望可以實現「臺人治臺」的理念。

從上述事件看來，林獻堂最初對於臺灣光復的看法較爲冷靜，他認爲臺灣人可以參與政治，達成臺人治臺。他在局勢不明朗時，採取較爲保守的態度，不過仍不遺餘力維持地方秩序的穩定。不久他開始對政策的朝令夕改、軍隊強搶糧倉與漢奸逮捕等事件感到失望，即便如此，他還是參與政治活動，參選縣議員，再參選省參議員，問鼎議長寶座時，卻因陳儀不信任臺灣菁英，屬意半山黃朝琴擔任議長，林獻堂便被勸退。當林獻堂宣布辭省參議員時，提到省參議會只有諮詢作用，他的內心應該是感到相當無奈。後來林獻堂參加臺灣光復致敬團，從團員們的發言可看出，他們這一輩的菁英對於陳儀爲首的行政長官公署有相當程度的不滿，而從陳儀給出的限制中，也可看出陳儀對於這些菁英，也有一定的提防。

筆者認爲一直到這個階段，林獻堂只是對於行政長官公署的統治有所不滿，但是觀其與其他國民政府人員的接觸，對於蔣介石政權應該沒有太大的反彈。周婉窈曾在〈思鄉何不歸故里——林獻堂先生的晚年心境試探〉一文，分析林獻堂在日治時代時的政治思想，她認爲林獻堂是屬於現實主義型的人物，承認現況而願在此限制內做努力，因此希望成就的改革目標自然有限。〔註66〕且其孫林博正提到：「祖父從梁啓超那裏得到啓示，他以當時愛爾蘭人反抗應政府的方式爲例告訴我祖父，日本軍閥相當兇猛，抗日運動應以溫和方式取代暴力，如以武力反抗準會犧牲生命卻又於事無補」。〔註67〕筆者認爲就此點來看，林獻堂在戰後也還是秉持著這種方式，與中國政府相處，這相當符合這段時間林獻堂的作法。

從社會方面來看，從林獻堂的日記可以看出，行政長官公署在 1945 與 1946 兩年的統治，導致社會治安愈加混亂，臺籍菁英也備受政府猜忌。當然，社會混亂的原因並不只有上述的那些事件，陳翠蓮也提到相當多的因素，例如破壞了日本在文官體系中的考試制度，變成了用人唯親的狀態，加上行政

〔註66〕周婉窈，〈思鄉何不歸故里——林獻堂先生的晚年心境試探〉，收於周婉窈，《日據時代的臺灣議會設置請願運動》（臺北，自立報系文化，1989），頁254～255。

〔註67〕〈林博正先生訪問紀錄〉，收於許雪姬著，《霧峰林家相關人物訪談紀錄（頂厝篇）》（臺中：臺中縣文化中心，1998），頁104～105。

長官公署不斷地提出臺灣人是受「奴隸化的教育」，所以不配擁有公民權利等等的論調；還有如廖文毅的選票被烏塗等事件，最後蔣渭川提出「手槍強於法律、面子強於法律」，這些均是二二八事件之前社會不安的原因。〔註68〕這些原因，導致林獻堂逐漸地心灰意冷。

第二節　吳新榮的盼望與失落

一、「終戰」到「光復」的喜悅與維持地方秩序的努力

　　1945年8月15日，日本天皇宣布投降，當晚吳新榮透過友人鄭國津得知此消息，兩人共同慶祝。隔日與徐清吉、呂寶夜及鄭國津四人，跳下溪中，洗落十年來的戰塵及五十年來的苦汗，同時在海邊大聲地叫道：「自今日起吾人要開新生命啦！」〔註69〕，晚上，與日本友人吃飯時，友人提到吳三連、吳新榮與莊眞三人是日本人黑名單上的人物，因日本戰敗投降，故此份名單已毀掉，因此而幸免於難。〔註70〕另外，他與過去的日本舊識一同吃飯談論時事，也激盪不出火花，代表過去的親密感已蕩然無存了。〔註71〕吳新榮對於祖國的期待與歡迎的心情，可以從其9月8日寫到的〈歡迎祖國軍來〉中了解：

> 旗飛滿城飛，鼓聲響山村。我祖國軍來，你來何遲遲。五十年來暗
> 天地。今日始見青天，今日始見白日。大眾歡聲高，民族氣概豪。
> 我祖國軍來，你來何堂堂。五十年來爲奴隸。今日始得自由，今日
> 始得解放。自恃黃帝孫，又矜明朝節。我祖國軍來，你來何烈烈。
> 五十年來破衣冠，今日始能拜祖，今日始能歸族。〔註72〕

從上述引文中可以相當明確的看出，吳新榮對「祖國」抱持著相當樂觀的期待，也可以看見他期待臺灣就此可以從殖民統治中解脫，回歸中國代表著可以不再是奴隸，可以堂堂正正的做人，總而言之，可以看出他對於光復是有

〔註68〕陳翠蓮，《百年追求：臺灣民主運動的故事》，頁230～258。

〔註69〕吳新榮著，張良澤編，《吳新榮日記全集1945～1947》（臺南：臺灣文學館，2008），頁174。

〔註70〕吳新榮，《震瀛回憶錄》（臺北：前衛，1989），頁186～187。

〔註71〕許雪姬，〈臺灣史上一九四五年八月十五日前後──日記如是說「終戰」〉，頁172。

〔註72〕吳新榮著，張良澤編，《吳新榮日記全集1945～1947》，頁188。

深切的期盼以及雀躍的心情。

其後，吳新榮看到接收前的青黃不接，導致國家制度與秩序都快速的崩壞，因此他原本打算在地方上組織青年同志會，以響應祖國接收的工作。〔註73〕9月21日，蘇新從臺北歸來之後，說明與張克敏大佐相會之內容，提到當時國民黨的作風是：「黨外無黨，團外無團」，〔註74〕因此要他以組織「三民主義青年團」為使命，而吳新榮是曾北分團的負責人。〔註75〕在組織尚未成立之前，佳里地區卻已起暴動，民眾對警察進行襲擊，以發洩心中的不滿。吳新榮等人則是一面勸導，一面為組織三青團而奔走。〔註76〕10月13日，蘇新自臺北歸來後，三青團換了編成，吳新榮任三青團臺灣區團臺南分團北門區隊主任。〔註77〕25日，陳儀抵臺舉行受降式，吳新榮等人也早起慶祝。〔註78〕同時在各地為三青團各區隊的成立奔走，吳新榮也被選為佳里區區隊長。〔註79〕由此可以看出吳新榮對於祖國的熱烈期盼，以及他自身由於英雄主義澎湃〔註80〕，而積極熱情的參與地方政治活動。此時期的吳新榮對於中華民國的接收，是抱持樂觀與積極的態度。

有趣的是，吳新榮將地方的地痞流氓與日本時代的臺灣兵集合起來，成立忠義社，來協助維持地方治安。他也認為他讓傳統的舊仕紳看見他們這一輩新菁英的力量，他在回憶錄中提到，傳統仕紳對他的態度是從忌妒到反感，再到最後的針鋒相對，吳新榮自認，他為了國家的進步，應該要和他們鬥爭下去。〔註81〕

為了維護地方的治安，吳新榮除卻為三青團奔走外，也為維持社會穩定的義勇警察隊奔走。同時，新政府來接管之時，吳新榮也相當歡喜的協助接收工作，召集當地的人士組織自治協會，吳新榮並當選理事長。此外，當時

〔註73〕吳新榮，《震瀛回憶錄》，頁189。
〔註74〕吳新榮，《震瀛回憶錄》，頁189。
〔註75〕吳新榮著，張良澤編，《吳新榮日記全集1945～1947》，頁195。
〔註76〕吳新榮著，張良澤編，《吳新榮日記全集1945～1947》，頁200～202。
〔註77〕吳新榮著，張良澤編，《吳新榮日記全集1945～1947》，頁207～208。
〔註78〕吳新榮著，張良澤編，《吳新榮日記全集1945～1947》，頁212。
〔註79〕吳新榮著，張良澤編，《吳新榮日記全集1945～1947》，頁213。
〔註80〕筆者認為吳新榮是充滿浪漫氣息的人，觀其日記裡，時常會出現捨我其誰的英雄主義，認為自己做到了像先驅者那樣熱情和純情，也像殉教徒般冷激且悲壯，因此時常會有憂國憂民與自怨自艾的情緒出現，更常讓自己陷入矛盾的情緒之中。
〔註81〕吳新榮，《震瀛回憶錄》，頁192。

各鄉鎮成立自治協會，他又當選北門區理事長。但是隨著國民黨的地方組織成立，黨部人士眼見自治會被青年團壟斷，而感到不滿，不待原先籌畫的地方自治會成立，就開始接收工作，使得原本就有矛盾的黨團衝突越演越烈，吳新榮也因此對於新政府開始感到失望。〔註82〕

二、政府失政對吳新榮的衝擊

除卻黨團衝突問題外，政府的政策如米糧政策、人事與治安等問題，也使得當時的臺籍菁英，開始對新政府發出怨言。11月初，對於食米配給的問題，吳新榮特別去行政長官公署交涉，他認為這會是新政府施政的大障礙。〔註83〕11月底，臺南州接管委員聯合四、五名官員來北門接收，吳新榮等人表達相當的誠意，不過最後選舉五名代表為接收委員時，政府當局推薦四名人員，導致民間推選人員只有一人可以入選，吳新榮在日記中表達：「當局自薦一事，就是表現新政府第一步的汙點。」〔註84〕

1945年底，吳新榮開始感到不平，他在11月29日的日記中提到：

> 嗚呼這樣的多忙，雖然是過渡期應當的工作，我們已感覺厭倦無意義了，我們已不能對付這不義不信的時代，我們也要退場反省了。
> 這個□□□□的時代，這個□□的時代，趕緊過去吧。〔註85〕

吳新榮在回憶錄時常提到，一般民眾日日所看到的不是奸商的跋扈，就是官僚的惡評，加上過去的期待過大，這些反差使得人們從熱烈的心情轉變為寒心，再由寒心變成恐慌，吳新榮自己內心也轉變成一種不安的狀態。〔註86〕1945年結束的總結與未來期望裡，吳新榮說：「還我良心！願與義行！」〔註87〕或許是他本人的英雄主義又出現了，他決心再嘗試一次，在臺南縣政府成立後，他再次參選縣議員。

三、政治上的參與和內心的不安

吳新榮雖然對於社會亂象有所不滿，但是他認為這只是接收初期的混

〔註82〕施懿琳，《吳新榮傳》，頁126。
〔註83〕吳新榮著，張良澤編，《吳新榮日記全集1945～1947》，頁216～217。
〔註84〕吳新榮著，張良澤編，《吳新榮日記全集1945～1947》，頁229。
〔註85〕吳新榮著，張良澤編，《吳新榮日記全集1945～1947》，頁230。口的部分，乃難以辨認之處。
〔註86〕吳新榮，《震瀛回憶錄》，頁196。
〔註87〕吳新榮，《震瀛回憶錄》，頁196。

亂，還有機會可以改變，因此他對於接下來的政治還有一定程度的期望。

在社會狀態普遍不安的情況之下，吳新榮邀請佳里、西港、將軍、北門等地的代理街庄長向第一任縣長袁國欽建言，但是袁縣長只是表面應諾，事實上卻沒有接受這些地方菁英的意見，而他自己也因為對執政者感到失望，決意投入地方選舉活動當中，以實際上的參與監督，期望可以進行改革。〔註88〕

1946 年 3 月 24 日，吳新榮當選臺南縣議員，〔註89〕他在日記中寫道：「我不做官，不□〔賺〕錢，但我永久甘願為民族犧牲，為大眾□□〔服〕務，所以當選為縣參議，反覺悟一種的悲□□〔愁〕」。〔註90〕看的出來，吳新榮對於參與政治是抱持著熱切的心情。4 月 5 日他決意參選省參議員，〔註91〕卻慘遭失敗，他檢討原因，認為是自己缺少選舉運動所致，有權力及財力的人可使用背景來運動，〔註92〕因此他認為自己輸給那些有錢有權的人。不過，當時臺南縣在省議員選舉中是最激烈的地區，總共 481 人競爭 4 個名額，當選率只有 0.83%，而全省的平均當選率有 2.45%。〔註93〕因此當地的競爭相當激烈，要當選實屬不易。有趣的是，在選舉期間，他寫了幾句話諷刺舊仕紳的參選，寫道：「反對御用的利權主義者再出風頭。反對古董的老頭兒再出來裝飾臺灣政壇。」〔註94〕筆者認為，吳新榮是一個新時代的菁英份子，對於過去的舊仕紳抱持著相當大的敵意，原因可能是他對於曾妥協日本政府的仕紳有所不滿，他自認為是新時代的知識份子，應該對於社會做出改革及貢獻，而舊有傳統勢力是一種變革的阻礙，再加上他在回憶錄中一直提到臺南高家〔註95〕對他的打壓與政府的妥協追求利益等原因，才使得他對於舊有勢力一直存有反對的想法。

〔註88〕 吳新榮，《震瀛回憶錄》，頁 196～197。

〔註89〕 〈臺南縣參議員，各鄉鎮選舉告俊〉，《民報》，1946 年 3 月 30 日，02 版；吳新榮著，張良澤編，《吳新榮日記全集 1945～1947》，頁 243。

〔註90〕 吳新榮著，張良澤編，《吳新榮日記全集 1945～1947》，頁 244。

〔註91〕 吳新榮著，張良澤編，《吳新榮日記全集 1945～1947》，頁 249。

〔註92〕 吳新榮著，張良澤編，《吳新榮日記全集 1945～1947》，頁 255。

〔註93〕 鄭梓，〈戰後臺灣的接收、復原與重建——從行政長官公署到臺灣省政府〉，頁 24。

〔註94〕 吳新榮著，張良澤編，《吳新榮日記全集 1945～1947》，頁 254。

〔註95〕 吳新榮與高家的恩怨可上朔至祖父高玉瓚，戰後最初對於吳新榮的打壓是當時擔任北門區區長的高應賢，利用職權謀殺忠義社的三名幹部，二二八事件後，高應賢也趁機排擠吳新榮。吳新榮，《震瀛回憶錄》，頁 199～200；吳新榮著，張良澤編，《吳新榮日記全集 1945～1947》，頁 364。

此後，吳新榮對於政治已經逐漸萌生退意，1946 年臺灣整體的政治還是相當混亂不安，他時常提到，社會方面，糧荒的問題始終不能獲得解決，只有愈加嚴重，連他自己的生活也遭受到影響。〔註 96〕在政府官員方面，他提及在討論預算時，對於預算的天文數字如何能算出來，感到懷疑，認爲中國的糊塗做事，馬馬虎虎的作風相當的不好。〔註 97〕對於政府的失政，他在 7月 2 日日記中列出以下幾點原因：

第一、接收失敗，貪官汙吏之使然也。

第二、政令不行，行政技能之惡劣也。

第三、糧荒到底，治安壞亂之原因也。

第四、惡疫蔓延，文化科學之低級也。〔註98〕

相當有趣的一件事情是，吳新榮雖然對於社會上的混亂有相當多的不滿，可是他一直認爲這些事情總有機會可以改變，甚至非常天眞的以爲：

解決我個人的政治問題，即解決我臺灣的政治問題，即解決我中國的政治問題，即解決世界的政治問題。……我的生命甘願爲世界的政治問題、中國的政治問題、臺灣的政治問題犧牲，我的安康即是世界的安泰；我的憂惱，即是世界的憂悶。〔註99〕

這種想法，筆者認爲是讓吳新榮持續在政治上前進的主要動力。4月，吳新榮加入國民黨，同時被推爲北門區書記，他參與國民黨的事務相當熱心，他認爲他只能參與這樣的政治，因爲這裡面也有好的政策，這些好的政策要爭取實現。〔註100〕吳新榮在這樣的理想之下，10月，再次參與佳里鎭長的選舉，雖然一開始是青年團的秘密命令，但他也想實現自己的政治抱負。不幸失敗後，他檢討自己敗選的原因，是因爲人格不能壓倒金錢，正義不能勝過權力，最重要的是他被斥爲出外人，被強大的封建勢力所排擠，以及當局對於政治的干涉相當嚴重。〔註101〕吳新榮在日記與回憶錄中並沒有特別提到「出外人」是什麼意思，但是筆者認爲應是非當地出生之人，吳新榮出生於

〔註96〕吳新榮著，張良澤編，《吳新榮日記全集 1945～1947》，頁 258。

〔註97〕吳新榮著，張良澤編，《吳新榮日記全集 1945～1947》，頁 279。

〔註98〕吳新榮著，張良澤編，《吳新榮日記全集 1945～1947》，頁 283。

〔註99〕吳新榮著，張良澤編，《吳新榮日記全集 1945～1947》，頁 294～295。

〔註100〕吳新榮著，張良澤編，《吳新榮日記全集 1945～1947》，頁 294。

〔註101〕吳新榮著，張良澤編，《吳新榮日記全集 1945～1947》，頁 321；吳新榮，《震瀛回憶錄》，頁 202。

臺南縣將軍鄉，他在1932年自東京醫學專門學校畢業後，同年9月返臺，方定居於佳里，〔註102〕因此推測是否在選舉時，當地的地方勢力以此攻擊吳新榮非當地人，他才會有受強大封建勢力排擠的想法。

社會上的混亂與政治上的挫折等問題，促使他興起暫時引退的想法，重新整理好自身，等待可以有捲土重來的機會。他原本期望可以回歸家園生活，回到醫師、作家與文化人的工作，可惜緊接而來的二二八事件，卻又將他捲入了這一漩渦之中。

吳新榮從1945年到1947年2月前的日子，熱烈期盼可以將心中的抱負實現到現實的政治活動上，結果卻在權力與財力不足、地方勢力的排擠下導致失敗，但是他心中常有的英雄主義卻促使他一再的進入政治活動，可惜的是，他在一系列的事件後，認為自己受到相當多的不公平待遇，因此心灰意冷，決心歸隱回到家園生活。有趣的是，吳新榮作為新知識分子，對於傳統仕紳相當不滿，本文第一節的林獻堂即屬於傳統仕紳，而吳新榮是新知識菁英，他們的經歷與想法有些雷同與衝突之處，這些將是下一節所要討論的議題。

第三節　同時代的菁英們與小結

一、當時代的菁英們

其他菁英方面，1945年林茂生聽聞日本投降時，大聲地呼喊：「咱贏了！」從李筱峰的著作中，可以看出林茂生對於回歸中華民國，感到相當開心，國慶、受降等典禮，均熱烈參與，認為他終於盼到了「努力服務之真國家」。其後進入臺灣大學協助國民黨接收，擔任接收委員，也被聘為臺大教授。同時創辦《民報》，擔任社長一職，《民報》之所以重要，因為它代表著臺灣知識分子對於臺灣未來的改革呼聲。〔註103〕但是在經歷了陳儀的統治之後，林茂生曾對其子林宗義說臺灣少了一個李承晚，他認為陳儀在臺灣仍然重複日本殖民式的統治，並不能如李承晚一般，帶領韓國走出殖民重關家園，〔註104〕由此可見林茂生在接觸中華民國統治之後的無奈。不過，他並沒

〔註102〕施懿琳，《吳新榮傳》，頁234。
〔註103〕李筱峰，《林茂生、陳炘與他們的時代》（臺北：玉山，1996），頁128～168。
〔註104〕林宗義口述、胡慧玲記錄，〈我的父親林茂生〉，收於胡慧玲，《島嶼愛戀》

有放棄，隨後又投入了國民參政員的選舉，但是在同票問題發生時，他聲明放棄，顯示林茂生的挫折與扼腕。但選委會以林茂生退選手續未完備不同意其聲明，因此於 9 月 6 日，出席抽籤會，結果林茂生當選為國民參政員，但是他在當選後，以「不改初衷」為由，於 7 日再提辭呈。〔註105〕雖然如此，他仍然與中國高層有所來往，1946 年加入軍統的外圍組織——正氣學社，並擔任該社之幹事，可是就像陳翠蓮所言：「戰後行政長官公署的派系林立，更令臺籍菁英們無所適從，因此他們只好自創團體，或者是依附派系以求生存」。〔註106〕

陳炘對於臺灣光復的看法，與林茂生不盡相同，他對於新政府表現出熱烈的觀迎，包括迎接、受降等活動他都有參加，但是其內心卻對國民黨的到來抱持著相當的戒心。〔註107〕1946 年開始漢奸逮捕時，陳炘受到牽連而被逮捕，雖然兩個月後釋回，但其經營的大公企業公司，也受到行政長官公署的排擠，係因大公企業代表的是臺灣本土金融的公司，創立之初，又有對抗江浙財閥的意圖，這些都引起陳儀的不安，因此陳儀對此公司進行諸多鉗制。同時，在同年的「光復致敬團」中，他亦受到排擠，行政長官公署提出的條件中，有一條即是不准陳炘擔任團員，最後雖然以財務委員的身分讓他隨行，但是由此可見，陳儀對陳炘的猜疑有多麼大。〔註108〕

李筱峰認為，二人在經過一番歡迎祖國的熱潮後，更親身體會到祖國的政治，使得他們內心充滿矛盾與挫折，但是他們於此時期，並沒有「臺獨」的想法，他們期待的是「臺人治臺」，然而他們所受到的卻是來自中國的殖民統治，這使得他們更加矛盾。但是整體而言，他們仍然是順應著大環境，尤其 1946 年 12 月，憲法通過之後，他們對於未來的政治，仍然有一定程度的期望。〔註109〕

前文提到《民報》代表著臺灣知識分子對於臺灣未來的改革呼聲，那麼必須談一下其總主筆——黃旺成。1945 年 9 月，二戰之後，黃旺成興高采烈

（臺北：玉山，1995），頁 7～22。

〔註105〕李東華，〈光復初期（1945～50）的民族情感與省籍衝突——從臺灣大學的接收改制做觀察〉《臺大文史哲學報》第 65 期（2006 年 11 月），頁 200～204。

〔註106〕陳翠蓮，《派系鬥爭與權謀政治——二二八悲劇中的另一面相》（臺北：時報文化，1995），頁 241。

〔註107〕李筱峰，《林茂生、陳炘與他們的時代》，頁 146。

〔註108〕李筱峰，《林茂生、陳炘與他們的時代》，頁 248～254。

〔註109〕李筱峰，《林茂生、陳炘與他們的時代》，頁 255～258。

擔任了三民主義青年團新竹州分團主任，想一展抱負。在政治眞空期時，黃旺成所領導的三青團，對於新竹地方上的秩序、交通與糧食問題等議題，都有所努力，因此可以知道，黃旺成關心的議題，仍然是以社會大眾為主要目標。〔註110〕10月，《民報》創刊，黃旺成擔任總主筆，11月30日，辭去三青團職務，開始展開「熱言」專欄，批評時政，尤其對陳儀政府是非不分、特權腐敗，責難批評，促其改革。〔註111〕此專欄對於時政之批評相當尖銳，為各種不平之事發聲，這段期間，黃旺成是一位興論的尖兵，也為奴化、漢奸、外省人的優越感等事一一辯護，〔註112〕從「熱言」的評論中可以看到，黃旺成認為陳儀政府在臺灣的施政非常失敗。在政治參與上，1946年他投入省議員選舉，為第二候補，至1949年遞補。〔註113〕

另外，蔡培火則是站在黨國立場上來論述。1945年蔡培火赴重慶加入國民黨，〔註114〕1946年回臺之後發表〈歸臺述懷〉一文，呼籲臺胞不可有本省外省之分，發表臺灣是中華民國之一省，大家都是一家人等言論，相當明確的表明其中國國民黨的立場。1946年他參選參政員失利，1947年參選第一屆立法委員。〔註115〕其他像是陳逢源〔註116〕、葉榮鐘〔註117〕、朱昭陽〔註118〕等人皆然，對於回歸祖國均抱持著極度樂觀的態度。其中朱昭陽亦有協助政府接收，且於1946年創辦延平學院，他在回憶錄中對於當時的政策有諸多批

〔註110〕黃美蓉，〈黃旺成與其政治參與〉，東海大學歷史系碩士論文，2008，頁119。

〔註111〕張炎憲，〈黃旺成的轉折——從社會參與到纂寫歷史〉，《竹塹文獻》第10期（1999年1月），頁14；葉榮鐘，〈臺灣省光復前後的回憶〉，收於葉榮鐘，《臺灣人物群像》（臺北：時報文化，1995），頁419～420。

〔註112〕陳萬益，〈臺灣報業史上的一等評論——論黃旺成的「冷言」「熱語」〉，《竹塹文獻》，10（1999年1月），頁36～39。

〔註113〕王世慶訪問，〈黃旺成先生訪問記錄〉，收於黃富三、陳俐甫編，《近現代臺灣口述歷史》（臺北：中研院臺史所，1991），頁95。

〔註114〕洪可均，〈日本與中國——蔡培火的「母國」與「祖國」〉，《成大史粹》第23期（2012年12月），頁92。

〔註115〕洪可均，〈跨時代臺籍菁英的抉擇與困境——蔡培火的政治參與〉，《中華行政學報》第6期（2009年6月），頁191。

〔註116〕謝國興，《陳逢源：亦儒亦商亦風流（1893～1982）》（臺北：允晨，2002），頁234～242。

〔註117〕葉榮鐘曾於光復初期做一詩：忍辱包羞五十年，今朝光復轉淒然，三軍解甲悲刀折，萬重開顏慶瓦全，合浦還珠新氣象，同床異夢舊因緣，莫言宿怨中須報，餘地留人與改悛。葉榮鐘，〈臺灣省光復前後的回憶〉，收於葉榮鐘，《臺灣人物群像》（臺北：時報文化，1995），頁419～420。

〔註118〕朱昭陽，《朱昭陽回憶錄》（臺北：前衛，1994），頁75～82。

評，尤其是對行政長官公署禁臺語的政策，頗有微詞。〔註119〕而葉榮鐘對於政府的施政，亦有些許不滿，〔註120〕且與林獻堂等人，共同參與光復致敬團的任務。〔註121〕

楊基振在 8 月 15 日的日記中提到：「故此一來，故鄉臺灣事隔五十餘年後回歸中國，從悲慘的命運中解放，從此永遠接受祖國的擁抱。如作夢般，我流下欣喜的淚水」。〔註122〕楊基振是臺灣第一位前往滿洲鐵路工作的人，根據其日記，他因不滿日本在臺灣的統治，因此憤而離開臺灣前往中國，日本戰敗投降之後，楊基振對回歸祖國一事，感到相當欣喜。可是在同一年，楊基振被誣指為漢奸，日記 12 月 23 日寫道：

> 我不在的時候，警察與憲兵襲擊唐山的家，欲以漢奸的名義逮捕我
> 真是諷刺萬分。懂事以來時時心繫祖國，一路走來始終反日，但今
> 日竟把我當成親日份子檢舉，真是天大的冤枉。〔註123〕

楊基振在此事件中，失去所有的事業與家產，又因這起漢奸事件，連妻子病故後，都不能回去奔喪。他在日記中，相當沉重的談到：「阿！當中國人竟是如此悲慘。想到光復時還歡天喜地成為中國人，更毋寧令人覺得可笑又瘋狂。成為中國人所帶來的現實苦惱，竟是如此深痛。」〔註124〕這件事對楊基振的打擊相當大，苦心累積的財富被中國人用各種名目奪走，被政府誣陷後人們對他的疏離，以及妻子的逝去，讓他一度感到失去希望，在日記痛苦地記下：「我從幸福的高空種種跌落到絕望的谷底。學校畢業後忍受十二年寒冬才有今日成就，如今卻一轉眼就化為流水」。〔註125〕因此在 1946 年 6 月回到臺灣。

當楊基振在基隆港下船時，看到滿目瘡痍的戰後景象，更是感慨，之後在岳父家休養了四個月，重新整理好情緒之後，準備重新出發。〔註126〕當時他對於臺灣的現況感到相當不滿，日記中提到：「中央政府的腐敗、臺灣省長官

〔註119〕朱昭陽，《朱昭陽回憶錄》，頁78～90。
〔註120〕葉榮鐘，〈臺灣省光復前後的回憶〉，頁423～429。
〔註121〕葉榮鐘，〈「臺灣光復致敬團」旅行日記（1946）〉收於葉榮鐘，《葉榮鐘日記（上）》（臺中：晨星，2002），頁231～266。
〔註122〕楊基振著，黃英哲、許時嘉編，《楊基振日記》（臺北：國史館，2007），頁180。
〔註123〕楊基振著，黃英哲、許時嘉編，《楊基振日記》，頁212。
〔註124〕楊基振著，黃英哲、許時嘉編，《楊基振日記》，頁243。
〔註125〕楊基振著，黃英哲、許時嘉編，《楊基振日記》，頁215。
〔註126〕楊基振著，黃英哲、許時嘉編，《楊基振日記》，頁244。

公署的貪污無能，造成經濟如此變動，逐日加深臺灣的社會不安」。〔註127〕

另外，楊肇嘉在日本投降之後，心情相當快樂，在上海的臺灣人，紛紛找上楊肇嘉，他提供政府日治臺灣五十年的民情實況，並協助流落大陸的臺灣人返鄉，他自己另組臺灣問題研究。不久，臺灣旅滬同鄉會成立，楊肇嘉被選爲理事長，開始以「民族一體」和「建設新臺灣」爲主題四處演講，並且展開勞軍與救濟臺胞的工作。〔註128〕同時，上海同鄉會出資一百萬元，由楊肇嘉與謝春木以全體臺胞的名義送與湯恩伯，作爲勞軍的貢獻。〔註129〕對於旅滬的臺人，他也以臺灣重建協會上海分會理事長的身份，來協助他們回鄉，並保釋在戰俘營裡的臺灣同胞，向政府交涉發還他們的財務。〔註130〕總而言之，楊肇嘉盡其所能的幫助旅滬的臺灣人。

楊肇嘉也曾經被指爲漢奸，起因是1946年7月，閩臺建設協進會上海分會、臺灣重建協會上海分會、福建旅滬同鄉會等六個團體選出代表，至南京向國民政府、立法院、行政院、國民黨中央黨部、國防最高委員會、國民參政會請願，提出三項要求：一、撤廢臺灣省行政長官公署條例，改設與各省相同的省政府。二、禁止臺灣銀行發行臺幣，並阻遏其壟斷金融。三、取消臺灣的專賣制度及官營貿易企業制度。這些請願有礙陳儀政府的顏面。〔註131〕

1946年8月，楊肇嘉在國民參政員的選舉中，也受到陳儀政府的排擠。楊肇嘉人在上海，原本無意參加，但是臺灣的朋友幫他登記，等他發現乃去電在《臺灣新生報》服務的朋友洪耀南，請他幫忙刊登不參選啓事，但朋友並未照辦。此次參加競選的有27人。8月15日開票後，楊肇嘉與廖文毅，都因爲其中一張選票是否爲廢票而引起的糾紛，最後請示南京政府後，當作廢票論，但是楊肇嘉的回憶錄提到，林獻堂的得票與民意測驗差距相當大，他認爲內中原委實已不言而喻。〔註132〕許雪姬也提到：「楊肇嘉是行政長官公署不受歡迎的人物」。〔註133〕

〔註127〕楊基振著，黃英哲、許時嘉編，《楊基振日記》，頁245。
〔註128〕周明，《楊肇嘉傳》（南投：臺灣省文獻委員會，2000），頁128～130。
〔註129〕楊肇嘉，《楊肇嘉回憶錄》（臺北：三民，2004），頁348。
〔註130〕楊肇嘉，《楊肇嘉回憶錄》，頁348～350。
〔註131〕周明，《楊肇嘉傳》，頁133～134。
〔註132〕楊肇嘉，《楊肇嘉回憶錄》，頁358～359。
〔註133〕許雪姬，〈在上海的楊肇嘉及其所涉入的「戰犯」案〉，《興大歷史學報》第30期（2016年6月），頁105。

　　9月，楊肇嘉在上海以「戰俘」的罪名被逮捕，其因是臺灣行政長官公署警務處出面檢舉，指他於戰爭期間設立大東洋行，代替日軍收購糧抹，楊肇嘉為此度過三十七天的牢獄之災。所幸經臺灣光復致敬團、監察委員丘念台以及家人的請命下，楊在 11 月 1 日獲釋，但官司仍持續。1947 年 1 月，上海最高法院檢察官調查，楊涉及的罪名並不足證，並轉知臺灣省警務處再提事證。此時楊肇嘉又因二二八事件，再上京陳情，長官公署更是難以容忍，找不出有力證據卻又堅持楊的罪狀。所幸楊肇嘉自行自救，補上日治的報紙和臺灣的刊物，得軍法檢察官採證，因而於 1947 年 9 月處分不起訴。〔註134〕他自己也清楚這是得罪陳儀之後的結果，並沒有太過意外。

　　其他像是黃純青，他與林獻堂同樣是屬於舊時代的傳統菁英，在戰後協助接收臺灣，1945 年接受陳儀派任，就職海山郡守，1946 年擔任七星區署區長。〔註135〕之後投入省參議員的選舉，以臺北縣第一高票之姿，順利當選。〔註136〕從他省參議員的諮詢紀錄可以看到，他對於臺灣設置行政長官公署一事相當不滿，認為這是專制統治，希望可以改制為省政府。〔註137〕對於社會的各種混亂情況，例如：治安問題〔註138〕、糧食問題〔註139〕以及教育問題〔註140〕等等，亦皆可發現他諮詢的身影，從中亦可得知他所關注的社會民生問題。

二、綜合論述

　　綜合來看，日本投降初期，大多數的知識份子對於未來充滿理想與憧憬，只有林獻堂因為早期的經歷，較為擔心國民黨來臺後的未來，因此有所顧慮。其次，與其他人較為不同的是，對於臺灣未來的政治走向，林獻堂有明確的「臺人治臺」與「聯省自治」理念，其他人只是單純地對於脫離日本殖民統治與回歸中國漢人文化的懷抱，感到喜悅，並沒有看到有什麼特別的政治理念，但是他們仍然盡力的為臺灣付出，例如吳新榮對於政治與地方秩

〔註134〕許雪姬，〈在上海的楊肇嘉及其所涉入的「戰犯」案〉，頁 111～114。
〔註135〕鄭鳳雀，〈黃純青及其詩作研究〉（臺北：東吳大學中國文學系碩士論文，2013），頁 71。
〔註136〕李筱峰，《戰後初期的民意代表》，頁 26。
〔註137〕臺灣省議會史料總庫，典藏號：001-01-01OA-00-6-1-0-00208。
〔註138〕臺灣省議會史料總庫，典藏號：001-01-01OA-00-6-2-0-00104。
〔註139〕臺灣省議會史料總庫，典藏號：001-01-01OA-00-6-8-0-00061。
〔註140〕臺灣省議會史料總庫，典藏號：001-01-01OA-00-6-6-0-00200。

序有許多投入，他認爲自己是接收時期的先驅者，維持穩定與平安接收的行動者。

林獻堂與吳新榮兩人對於回歸祖國的看法並不太一致，林獻堂對於祖國的想法相當冷靜，並沒有特別的情緒出現，誠如許雪姬所言，他對於中國的接收，不免擔心遭到清算，所以他才會提出日華提攜、聯省自治的主張；反觀吳新榮，他是相當的雀躍，對於未來充滿想像與憧憬，甚至認爲臺灣人自此終於脫離了被殖民的地位。所以兩人在行動上不太一樣，林獻堂採取保守態度，對於中國政府的觀望態度相當濃厚，而吳新榮則是對於三青團的組成不遺餘力，甚至連自己的生活都受到影響。

從中亦可解答吳新榮在日記中對於傳統士紳的不滿，筆者認爲，這與他們自己的性格和背景有相當的關係，所以才會有所不同。吳新榮充滿著年輕的衝力，同時亦存在著文化人的浪漫，帶有「捨我其誰」這種英雄主義的情懷；可是像林獻堂這種傳統菁英，對於社會與政治問題，是採取較爲緩和與徐徐圖之的做法，屬於「穩扎穩打」的類型。雖然吳新榮認爲舊派仕紳均與過去的利權集團有掛勾，然而從林獻堂身上可以看到，其實傳統仕紳想要施展政治抱負時，通常是採取緩慢前進或與當政者合作的方式。

加上其他菁英的經歷來看，他們大多數對於脫離日本殖民統治、回歸祖國感到相當歡喜，認爲自己終於可以爲新的社會展現自我抱負。同時，不約而同自主地維持社會上的穩定，又或者與在中國的臺灣人，共同伸出援手，救援海外臺胞，可見在戰後臺灣，這些菁英是扛起「社會領頭人」的角色，尤其治安、糧食等問題，都是他們所關注的焦點，並組織維持治安的隊伍，協助處理各種社會問題。

但是，他們對於陳儀政府的施政，都有所不滿。當時的糧政問題、政府施政效能不佳、官僚腐壞等等，都讓這些菁英有所抱怨，菁英們大多投身於議員選舉，以謀求改革，但是林獻堂遭遇到政府對臺籍菁英的不信任，並且壓迫的情況；吳新榮則受到當地傳統勢力的排擠。不約而同的是，他們在政治上都有一定的挫折，起初他們都認爲可以就此實現政治理想，可惜卻受到一定的限制。當然，受到壓力較爲嚴重的是林獻堂，他在省級議會中，尤其是在正副議長選舉上，受到的壓迫，更是特別地明顯。

其他的菁英在歷經陳儀爲首的行政長官公署統治後，再加上陳儀政府對於臺灣人的排斥，讓他們對於「祖國」地統治感到心灰意冷。同時，不論在

中國的臺灣人抑或是在臺之菁英，均分別遭受到來自中國政府的壓力。這些臺灣菁英，在中國勝利者眼中，就如同敵方的幫助者一般，頗爲排斥。尤其在政治參與上，從省參議會議長選舉一事，即能看出陳儀政府對於臺籍人士的不信任；在國民參政員的選舉中，楊肇嘉與林獻堂的選舉結果，與之前所做的民調相差相當甚鉅，更因廢票糾紛，引起輿論抨擊，楊肇嘉認爲這是一個政府在民主政治上的失敗，更促使廖文毅到日本進行臺灣獨立的活動。〔註141〕另外，楊肇嘉的被誣陷、針對林獻堂的法令，都可看出政府對臺灣菁英的排擠，因此，參政上的受挫，也讓這些菁英心中的熱情逐漸冷卻。

除了楊基振明確的指出對中央政府的不滿之外，林獻堂、吳新榮、楊肇嘉、林茂生、陳炘等人，主要都是將矛頭對準陳儀的行政長官公署，其中包含了米糧政策、官員營私、政治上的排擠、社會秩序的嚴重破壞等等，但是他們大抵上仍舊認同中華民國。筆者認爲，不只林獻堂，多數菁英在這段「終戰」到「二二八」前的時期，他們的政治理念都類似於「臺人治臺」的概念，他們並沒有反對中華民國的統治，包括後來組織「臺灣獨立黨」的廖文毅亦同，畢竟他還是有參與中央層級「參政員」選舉。筆者相信他們對於未來仍舊懷抱一定的希望，包括時常寫著要離開政壇的吳新榮，筆者認爲他只是在尋求一個重新休整的機會。

當然，每個菁英們都有自己選擇的隊伍，林獻堂、吳新榮、陳炘、林茂生、黃旺成等人，他們追求的是臺灣社會的穩定，對於行政長官公署而言，他們就變成了眼中釘，可是蔡培火卻與政府走到一塊，成爲堅定的「黨國份子」，這些選擇，與後來他們的遭遇息息相關。

最後，可以看出，雖然臺灣政治混亂如斯，但是林、吳二人對於中華民國，大抵上仍舊是認同的，他們將混亂的原由，歸咎於陳儀爲首的行政長官公署。林獻堂仍舊期望可以改變這些現況，他主要的訴求爲「臺人治臺」；吳新榮則希望可以投身地方鄉里，爲地方做出貢獻。由此可見，他們心繫地主要還是臺灣這塊土地。其他菁英基本上也都是在此範圍內，以此爲基礎，做出他們的努力。因此這段時期的各個事件，可以清楚地看見他們在面對來自祖國的殖民統治時，分別做出何種應對此種情況的各種抉擇，而這些抉擇，可以看出他們的性格、政治理念以及對社會的想法。

〔註141〕楊肇嘉，《楊肇嘉回憶錄》，頁360。

第三章　從二二八事件到中央政府遷臺
（1947～1949）

　　1947 年 2 月 27 日，由於臺北查緝私菸，引發全省性的二二八事件，嚴重衝擊了臺灣的民間與社會，此一事件，不僅使得許多仕紳與菁英喪生，也導致許多民眾生命、財產遭受損失與蒙受牢獄之災。〔註 1〕此事件的原因，並非只是單純的私菸問題，也代表臺灣社會沉積已久憤恨的爆發，如同前章所述，臺灣民眾在接收初期對於新來的政府期望相當高，但是接收人員之素質，卻讓他們感到相當的失望，此外陳儀政府對於臺灣人民的不信任及專制統治，也導致相當多的怨言與衝突產生，因此 1945 年之後的臺灣社會對於政府的不滿逐漸升高。而後組織的二二八事件處理委員會，其政治立場從〈告全國同胞書〉中可以看出：「親愛的各省同胞們！這次二二八事件的發生，我們的目標是在清肅貪官汙吏，爭取本省的政制改革，不是要排斥外省同胞。」〔註 2〕可見他們只是要求政治改革，擺脫行政長官公署的專制獨裁，進行大規模的省治改革運動。另檢閱處理大綱四十二條的內容，要求制定省自治法，縣市長在六月前實施選舉，省各處長人選應經省參議會同意與省各處長三分之二需由本省居住十年以上者擔任等條件，〔註 3〕可以很明顯看出他們的要求。但

〔註 1〕　賴澤涵總主筆，《「二二八事件」研究報告》（臺北：時報文化，1994），頁 3。
〔註 2〕　二二八事件處理委員會，〈二二八處委會告全國同胞書〉，轉引自陳翠蓮，《派系鬥爭與權謀政治——二二八事件另一個面相》（臺北：時報文化，1995），頁 456。
〔註 3〕　二二八事件處理委員會，〈處委會闡明事件真相中外廣播及三十二條處理大綱附加十條要求〉，轉引自陳翠蓮，《派系鬥爭與權謀政治——二二八事件另一個面相》，頁 457～463。

是自 3 月 7 日開始，處委會內部開始分裂，8 日下午，隨著楊亮公與憲兵二營在基隆登陸，陳儀便開始著手進行鎮壓，10 日，陳儀下令解散二二八事件處理委員會及一切非法團體。〔註4〕隨之而來的清鄉手段，更使得後來的臺灣民眾對於政治這塊議題噤聲不語。

另一方面，隨著二二八事件的落幕，國民政府爲緩和臺灣人民的積怨，且順應臺灣要求省制變革的輿情，4 月 24 日下令：「臺灣省行政長官公署著改制爲臺灣省政府」；同日任命魏道明爲臺灣省政府委員兼主席。〔註5〕在〈戰後臺灣的接收、復原與重建──從行政長官公署到臺灣省政府〉一文中，提到改制的臺灣省政府較諸改制前的行政長官公署，組成結構上最顯著的變化，是臺籍人士大幅提高，例如在一級主管方面，從 0%上升至 25%，鄭梓認爲這是當年國府中央爲了安撫臺灣同胞、延攬本土菁英與調和省籍色彩所致。〔註6〕1947 年 5 月 16 日，首屆臺灣省政府成立大會當天，魏道明宣布了幾項立即生效的省政命令，分別爲：解除戒嚴令、結束清鄉工作、撤銷新聞圖書郵電之檢查及交通通信之軍事管制與調整臺幣與法幣等措施，〔註7〕雖然此時新設的省政府仍然存在一定程度的問題，但是可以看出，自二二八事件之後，國府對於臺灣的統治，開始有所變化。

隨著大陸地區國共內戰逐漸白熱化，臺灣省政府也施行多項改革。1947 年 10 月 21 日，爲了因應內戰的需要，實施大戶餘糧政策，國府要求大戶繳交餘糧，由政府以低價收購，名義上是爲了制止囤積、平抑米價，實際上則是強徵臺灣米糧輸出至中國，以供內戰之需。爲此不斷起訴不配合政策之地主，甚至派出軍隊持槍搶奪，〔註8〕此政策對於地方菁英的經濟狀況開始造成衝擊。1949 年，隨著徐蚌等戰役的失利，蔣介石在下野前，宣布了幾項重大政策，其中任命陳誠爲臺灣省政府主席，以及派蔣經國就任國民黨臺灣省黨

〔註4〕賴澤涵總主筆，《「二二八事件」研究報告》，頁 207～211。
〔註5〕《臺灣省政府公報》，36 年夏字第 40 期，1947 年 5 月 16 日，頁 1～2。
〔註6〕鄭梓，〈戰後臺灣的接收、復原與重建──從行政長官公署到臺灣省政府〉，收於賴澤涵主編，《臺灣光復初期歷史》（臺北：中研院人文社科所，1993），頁 37。
〔註7〕鄭梓，〈戰後臺灣的接收、復原與重建──從行政長官公署到臺灣省政府〉，頁 38。
〔註8〕何鳳嬌，〈戰後初期臺灣收購大戶餘糧問題──以《灌園先生日記》爲中心討論〉，收於許雪姬編，《日記與臺灣史研究：林獻堂先生逝世 50 週年紀念論文集》（臺北：中研院臺史所，2008），頁 548～555。

部主委，似乎已經將臺灣準備作為最後的退路。1949 年 2 月 1 日，陳誠宣布減租政策的實施要點，3 月，全省行政會議通過決定施行三七五減租。〔註9〕4 月開始，陳誠便以鐵腕手段推行此一政策。三七五減租即是將地租上限設定在千分之三七五，是對佃農相當有利的政策，〔註10〕不過推行並不容易，原因在於許多仕紳與菁英的經濟基礎都是土地，因此勢必會遭遇到他們的反彈。然而陳誠的鐵腕手段，可以從民間流傳的陳誠談話中看出：「三七五減租工作一定要確實施行，我相信困難是會有，刁皮搗蛋不要臉的人也有，但是，我相信，不要命的人總不會有！」徐世榮提到這句話雖然官方無記載，但在民間廣泛流傳，足以呈現出當時政府之高壓手段。〔註11〕此外，從〈1950 年代臺灣土地改革的理想與現實──以省級議員之言論分析為中心〉一文之分析來看，此政策之所以成功，除去陳誠的鐵腕以外，臺灣的地主較為守法，當政府決心推行時，常常可以主動執行，所以能使工作更加順利。〔註12〕不過此政策也造成相當多的問題，例如強迫退耕、假自耕、收取黑市地租等情況均層出不窮，使得民間的業佃關係緊張。〔註13〕但是總結而言，陳誠的強勢手段，對於三七五減租的執行有極大助益；而此項土地改革，對於傳統的仕紳與菁英來說，無疑對於他們的經濟造成重大的打擊。

　　1949 年 4 月，共軍發動渡江戰役，隨即席捲長江以南省區。1949 年 12 月，中華民國中央政府落腳臺北。國民黨政府遷臺後，面臨諸多必須解決的難題，例如各種派系的紛爭，而隨國民黨而來的外省人，約有 120 餘萬，佔當時臺灣約 800 萬人口相當大的比例，〔註14〕因此外省人與本省人之間的問題會逐漸浮現。因此國民黨退守臺灣後，外有共軍的壓力，內部又有派系各種問題，在內政上勢必會採用強勢的控制手段，而此時期的臺灣仕紳們，對

〔註9〕　劉志偉、柯志明，〈戰後糧政的建立與土地制度的轉型過程中的國家、地主與農民（1945～1953）〉，《臺灣史研究》第 9 卷第 1 期（2002 年 6 月），頁 151。

〔註10〕　林佳燕，〈1950 年代臺灣土地改革的理想與現實──以省級議員之言論分析為中心〉（臺北：國立臺北教育大學臺文所碩士論文，2014），頁 17～18。

〔註11〕　徐世榮，〈耕地三七五減租政策的過去與未來〉，行政院國家科學委員會專題研究計畫成果報告，計畫編號：NSC 98-2410-H-004-147，2010，頁 12。

〔註12〕　林佳燕，〈1950 年代臺灣土地改革的理想與現實──以省級議員之言論分析為中心〉，頁 20。

〔註13〕　劉志偉、柯志明，〈戰後糧政的建立與土地制度的轉型過程中的國家、地主與農民（1945～1953）〉，頁 151～154。

〔註14〕　呂芳上，〈戰後初期臺灣的政治發展〉，收於呂芳上主編，《戰後初期的臺灣》（臺北：國史館，2015），頁 257～267。

於整體大環境也做出了不同的應對，林獻堂便藉醫病之名出國躲避。本章節探討的便是在這混亂及快速變遷的局勢中，不同菁英對於政府有什麼樣的看法及其不同方式的應對。

第一節　林獻堂的失望與離臺

一、二二八事件與林獻堂

　　二二八事件時，林獻堂在中部參加彰銀股東大會，並未捲入動亂之中，〔註15〕而且在事件發生當下，他並沒有特別的行動，是採取較爲保守穩重的態度來應對。據林博正回憶，當時參加股東大會的嚴家淦與市長黃克立，會後到林家吃飯時，傳來警報，林獻堂意識到此係二二八事件在全臺的蔓延，因而動身前往臺中打探消息，將二人留於林家，並將他們藏於隱密房間加以保護。〔註16〕3月6號，林獻堂被選爲二二八事件處理委員會委員，〔註17〕但是林獻堂並沒有到臺北開會，黃富三指出，主要原因在於他在臺中與霧峰的各種事務就已讓其分不開身。〔註18〕8日，林獻堂被選爲臺中地區處理委員會委員，林獻堂以一人何能做兩方事情爲由欲辭退，但被黃朝清勸服，仍然捐獻六萬元與米五包。〔註19〕隔日林獻堂出席處委會，但其日記記載：「余看場中百數十人，多有帶刀，形勢險惡，遂先退出」。〔註20〕同時，他聽聞有兵數千將由基隆上路等等，因此勸嚴家淦不必著急，暫住在霧峰。在處委會中他的發言也不甚積極，因此引起了左派人士的不滿。〔註21〕

　　林獻堂對於處理委員會的觀察，曾書寫於日記：「余提議時局處理委員會無力又責任不專，若從此遷延不決而爲左派利用，將來之混亂必定不可收拾」。〔註22〕由此可以看出，林獻堂對於處委會是相當小心謹慎且不信任的。

〔註15〕林獻堂著，許雪姬等編，《灌園先生日記（十七）一九四七年》（臺北：中研院近史所、臺史所，2011），頁138。

〔註16〕〈林博正先生訪問紀錄〉，收於許雪姬編，《霧峰林家相關人物訪談記錄（頂厝篇）》（臺中：臺中縣立文化中心，1998），頁103。

〔註17〕林獻堂著，許雪姬等編，《灌園先生日記（十七）一九四七年》，頁142。

〔註18〕黃富三，《林獻堂傳》（南投：國史館臺灣文獻館，2006），頁164。

〔註19〕林獻堂著，許雪姬等編，《灌園先生日記（十七）一九四七年》，頁143。

〔註20〕林獻堂著，許雪姬等編，《灌園先生日記（十七）一九四七年》，頁147。

〔註21〕黃富三，《林獻堂傳》，頁164。

〔註22〕林獻堂著，許雪姬等編，《灌園先生日記（十七）一九四七年》，頁150。

其後，嚴家淦聽聞援軍到來，想回到臺北，12 日，林獻堂派其次子送嚴家淦返回臺北。〔註 23〕13 日，嚴家淦到達臺北後，請林獻堂速往臺北；另一方面，市長黃克立復出，國民黨軍隊即將進入臺中市，因此林獻堂與市長準備迎接國軍。〔註 24〕

　　筆者認為，林獻堂在面對前述事情時，並非只是單純的沉著應對，同時應該對於當時中部地區的處委會有一定程度的共產黨份子參與其中而有所顧忌，臺中的菁英也有不少人查覺謝雪紅的行動，〔註 25〕這與原先標榜的改革省政訴求，越來越遠，因此趨向於消極與妥協。〔註 26〕許雪姬認為事變中林獻堂採穩健作風，一者保護嚴家淦的人身安全，反對謝雪紅的武裝抗爭手段，甚至以年紀已老，消極多於積極。〔註 27〕筆者認為，林獻堂如同黃富三所述，相當冷靜沉著的面對二二八事件，因此會有保護嚴家淦等人的行動出現，後來他接觸到了處理委員會的人員，卻對他們感到相當的不信任與不放心，導致他對於此事的態度愈加消極。不過林獻堂在事件後，為社會與臺灣人民利益與安全所做的努力，卻是可以看的出來的。

　　隨著 3 月 8 日國軍登陸，全臺灣的混亂逐漸被鎮壓下來。15 日，林獻堂前往臺北，先拜會嚴家淦，後與陳儀會面，會中，林獻堂對陳儀說到：「此回之事，誠為意外，請寬大處致〔置〕」。〔註 28〕陳儀雖然回答既往不咎，但是神情相當的不好。事實上這件事情對陳儀的傷害相當大，他認定此事是叛國行為，因此，早就展開報復性的清鄉行動。〔註 29〕隔日林獻堂會晤黃朝琴時，

〔註 23〕林獻堂著，許雪姬等編，《灌園先生日記（十七）一九四七年》，頁 154。
〔註 24〕林獻堂著，許雪姬等編，《灌園先生日記（十七）一九四七年》，頁 156。
〔註 25〕以謝雪紅為首的「二七部隊」，開闢除了議會路線以外，另一條武裝對抗的路線，在中南部的鬥爭之中，以「二七部隊」的反抗最為持久。但陳芳明指出，二七部隊只是一個概括性的稱呼，最大功能在於使各地自動組成的自衛隊能夠互相調度，因此參與這個部隊的，不一定認同謝雪紅或鐘逸人。臺中地區暴動的焦點，會全部集中於謝雪紅一人身上，是因為謝雪紅具有共產黨背景，而政府為了將此事限縮在共產黨煽動，因此自然就誇大了她的角色。賴澤涵總主筆，《「二二八事件」研究報告》，頁 92。；陳芳明，《謝雪紅評傳》（臺北：前衛，2000），頁 327～349。
〔註 26〕賴澤涵總主筆，《「二二八事件」研究報告》，頁 91。
〔註 27〕許雪姬，〈二二八事件中的林獻堂〉，收於胡健國編，《20 世紀臺灣歷史與人物——第六屆中華民國史專題論文集》（新店：國史館，2002），頁 1027～1033。
〔註 28〕林獻堂著，許雪姬等編，《灌園先生日記（十七）一九四七年》，頁 158。
〔註 29〕黃富三，《林獻堂傳》，頁 166。

黃朝琴與游彌堅等人要擁護陳儀留任，但是林獻堂反對他們的行爲，說出了他認爲這次事件發生的主要原因：「蓋此回之暴動原因爲人民怨陳長官用不得其人，多貪污而不能任事所致，若極力擁護，恐成爲人民怨府」。〔註30〕17日，中央派國防部長白崇禧前來調查事件的主要原因，林獻堂前往會面，向其說明事變原因：〔註31〕

　　一、國內歸來軍屬被虐待而出報復。

　　二、青年失業、物價騰貴。

　　三、野心分子從中煽動。

　　四、學生純眞易於誘惑。

　　五、貪官汙吏被民眾厭惡。

而後他請求白部長寬大處置。林獻堂也在隔天的參議會，代表臺灣人道歉，也提到應該努力於以後的教育，不可以有互相仇視之心。之後黃朝琴等人，提議支持長官制度等等，林獻堂都表態反對。〔註32〕23日，白崇禧又再次會見林獻堂，林獻堂在日記中提到：〔註33〕

　　白部長問此回暴動之遠因，答曰：一、人事之關係，長官公署九個處長，其次、科長無一本省人，縣市長有四、五人皆重慶同來者；二、接收日人之工廠、礦山及各種會社，皆爲公營事業，多半停頓，以致生產少而失業者多；三、海外歸來之青年，有三、四萬人皆無事業，而政府不爲之設法；四、米及物價騰貴，無從餬口；五、中（層）以下之外省人多貪汙不守法，使本省人看不起；六、共產黨及野心家之扇動，有此種種原因。

由上述的原因，可以推斷林獻堂在此時期，仍然不反對中華民國在臺灣的統治，認爲透過改革現況，可以有所改變，讓社會進入更美好的狀態。林獻堂對於政治，注重的是臺灣的社會穩定與利益，反對的是那些貪官汙吏，以及相對應的不當政策。

　　在事件結束後，林獻堂仍然致力於事件的善後，其行動包括：協助受難家屬、請求寬赦學生與協助維持社會秩序等工作，〔註34〕如同他在3月21日

〔註30〕林獻堂著，許雪姬等編，《灌園先生日記（十七）一九四七年》，頁163。
〔註31〕林獻堂著，許雪姬等編，《灌園先生日記（十七）一九四七年》，頁165。
〔註32〕林獻堂著，許雪姬等編，《灌園先生日記（十七）一九四七年》，頁177。
〔註33〕林獻堂著，許雪姬等編，《灌園先生日記（十七）一九四七年》，頁181。
〔註34〕黃富三，《林獻堂傳》，頁167～168。

的日記中寫道：「余主張爲臺灣大局計也，任人毀譽，我皆不關焉」。〔註35〕
林獻堂也在警總主導的《正氣月刊》發表了一篇輸誠詩：

> 光復欣逢舊弟兄，國家重建倍關情。
>
> 干戈頓起誰能料？消息傳來夢亦驚！
>
> 全島幾難分黑白，大墩有幸自昏明。
>
> 從茲綏靖多良策，不使牝雞〔註36〕得意鳴！〔註37〕

但有趣的是其秘書葉榮鐘，發表了一篇〈敬步灌園先生二二八事件感懷瑤韻〉：

> 莫漫逢人說兄弟，鬩牆貽笑最傷情，
>
> 予求予取擅威福，如火如荼方震驚，
>
> 浩浩輿情歸寂寞，重重疑案未分明，
>
> 巨奸禍首傳無恙，法外優遊得意鳴。〔註38〕

李筱峰提到，這是一首幾乎完全在反駁林獻堂的詩，他認爲可能是代表著林
獻堂眞正的內心想法。〔註39〕1949 年 12 月 20 日，林獻堂在日記中記載：

> 陳儀、張學良、趙小姐、莫德惠十一日在臺灣銃斃，……。陳儀接
> 收臺灣未曾舉行一事爲臺民之利益，因人民甚不滿，以致二二八之
> 暴動，儀不返〔反〕省，藉事而行虐殺，林茂生、陳炘、施江南、
> 林連宗外千餘名皆死於彼之毒手，彼固應受之報，茂生等有知當含
> 笑於地下矣。〔註40〕

雖然林獻堂聽到的消息並不正確，因爲陳儀在 1950 年 6 月才被槍決，槍決的
原因也並非是二二八事件。但是筆者認爲從上述的引文可以看出，林獻堂對
於二二八事件的發生，感到相當不滿，也可以連接呼應到葉榮鐘所寫的〈敬
步灌園先生二二八事件感懷瑤韻〉詩中的：「巨奸禍首傳無恙，法外優遊得意

〔註35〕林獻堂著，許雪姬等編，《灌園先生日記（十七）一九四七年》，頁 177。

〔註36〕牝雞有影射謝雪紅之意。

〔註37〕林獻堂，〈二二八事變感懷〉，原登載於《正氣月刊》第 2 卷第 5 期（1947 年 5 月）。轉引自陳芳明，《謝雪紅評傳》，頁 345。

〔註38〕葉榮鐘，〈敬步灌園先生二二八事件感懷瑤韻〉，收於葉榮鐘，《少奇吟草》（臺北：晨星，2001），頁 183。

〔註39〕李筱峰，〈盼來了祖國 又避祖國——林獻堂的心路〉，《民報》，2015 年 5 月 16 日。

〔註40〕林獻堂著，許雪姬等編，《灌園先生日記（二一）一九四九年》（臺北：中研院近史所、臺史所，2011），頁 456。

鳴。」如今巨奸伏首，林獻堂的友人們終於可以含笑九泉。

　　事件落幕之後，林獻堂因救助嚴家淦，被臺中市黨部認爲「深明大義，守正不阿，擁護本黨，分化奸徒力量」，列爲有功人員。〔註 41〕1947 年 4 月 29 日，林獻堂被任名爲省政府委員。〔註 42〕5 月 16 日，臺灣省政府成立，魏道明就任臺灣省主席。1948 年 4 月 16 日，省政府委員通過設立臺灣省通誌館，林獻堂被任命爲館長。1949 年，臺灣省通誌館改爲「臺灣省文獻委員會」，由林獻堂出任主任委員。黃富三提到，這些官職都屬於酬庸性質，他認爲當局仍然不重視林獻堂。〔註 43〕

二、經濟上的衝擊：從隨賦徵糧、大戶餘糧到「三七五」減租

　　經濟政策上的打擊，也對林獻堂有一定程度上的傷害。1947 年初，政府訂定「三十六年度臺灣省收購糧食辦法暨其實施細則」，規定隨賦收購糧食〔註 44〕，此外也訂定收購大戶餘糧辦法，在 1947 年 7 月，第一屆省參議會第三次大會中通過。〔註 45〕隨賦徵糧加上收購大戶餘糧，幾乎搜刮了大戶所有稻米，特別是收購價格低，且採累進稅率，最高要將餘糧六成依政府公定價格賣與政府，導致大戶不滿，不斷尋求解決之方法。〔註 46〕

　　林獻堂對此事，只針對收購價格有所爭論，1947 年 6 月 2 日，林獻堂去找魏道明，討論收購餘糧價格不可過賤，〔註 47〕27 日在省政府委員會中，糧食局長李連春並不敢言明收購價格，只說政府已經決定。〔註 48〕7 月 18 日，李連春與副局長林振成等人拜會林獻堂，請求他諒解與援助，但是林獻堂對於此事的態度是：

〔註 41〕黃富三，《林獻堂傳》，頁 169。
〔註 42〕林獻堂著，許雪姬等編，《灌園先生日記（十七）一九四七年》，頁 254。
〔註 43〕黃富三，《林獻堂傳》，頁 170。
〔註 44〕按稻田正稅，每元隨田賦收購 12 公斤稻米。意思是田賦改徵實物，然除卻原本田賦外，照政府公定價格強制收購糧食。〈臺灣省卅六年度收購糧食辦法施行細則〉，《臺灣省政府公報》，36 年秋字 8 期，1947 年 7 月 7 日，頁 115～117。
〔註 45〕何鳳嬌，〈戰後初期臺灣收購大戶餘糧問題——以《灌園先生日記》爲中心討論〉，頁 522。
〔註 46〕何鳳嬌，〈戰後初期臺灣收購大戶餘糧問題——以《灌園先生日記》爲中心討論〉，頁 523。
〔註 47〕林獻堂著，許雪姬等編，《灌園先生日記（十九）一九四七年》，頁 320。
〔註 48〕林獻堂著，許雪姬等編，《灌園先生日記（十九）一九四七年》，頁 360。

> 余指謫其虐待業主之無理：……二、每一元之地租要十二公斤賣與
> 政府，每一台斤一元六角半，太過賤價；三、那前兩條外，所有餘
> 糧又要賣出六成或四成，貧人食貴米是不可以，而剝奪業主亦是不
> 可以也。〔註49〕

可以看出林獻堂對於餘糧出售這件事情，他並不反對，只是價錢過賤，反對
的是剝削地主的政策。中部的地主們以林獻堂為首，紛紛尋求管道透過地方
議會向省級代議機關陳情，〔註50〕由於省參議會掌管審查稻穀收購價格，所
以地主們決定先對議員疏通，藉由吳三連出面連絡招待省參議員，但無功而
返，米穀案仍照原案通過，因多位參議員被李連春收買，無一敢提出修正案，
令林獻堂感到可恨。〔註51〕

　　1948 年 3 月 12 日，洪元煌找林獻堂商議，要提出陳情書給丘念台，由葉
榮鐘起草，林獻堂修改，述說糧食局對大戶餘糧辦法的不公平，拜託他向省
政府與中央抗議。〔註52〕然而林獻堂的多方奔走似乎成效不大，政府人員對
於這些反對政策的人，態度相當惡劣，認為他們只是為了自己的利益而反對。
連霧峰林家本身，也因缺繳大戶餘糧被約談：

> 五弟為大戶餘糧亦被檢察召喚，頗以為慮。余告以對於治安、糧食
> 日前曾對陳主席說過，近日將再提出意見，請其改革，以除敲剝政
> 策。〔註53〕

最後林獻堂自己也是無可奈何：

> 余到銀行，接劍清來信，為李連春催促大戶餘糧，若再置之不理，
> 將提出告訴云云。聞之頗為不快，所謂餘糧者，有則賣與糧食局，
> 無則無辦法也。〔註54〕

大戶餘糧政策，對於地主階層的傷害相當大，林獻堂在 3 月 14 日的日記中記
到：

〔註49〕 林獻堂著，許雪姬等編，《灌園先生日記（十九）一九四七年》，頁 389。
〔註50〕 何鳳嬌，〈戰後初期臺灣收購大戶餘糧問題——以《灌園先生日記》為中心討
　　　　論〉，頁 533。
〔註51〕 何鳳嬌，〈戰後初期臺灣收購大戶餘糧問題——以《灌園先生日記》為中心討
　　　　論〉，頁 533。
〔註52〕 林獻堂著，許雪姬等編，《灌園先生日記（二十）一九四八年》（臺北：中研
　　　　院近史所、臺史所，2011），頁 94。
〔註53〕 林獻堂著，許雪姬等編，《灌園先生日記（二十一）一九四九年》，頁 77。
〔註54〕 林獻堂著，許雪姬等編，《灌園先生日記（二十一）一九四九年》，頁 279。

> 余本期總合收入粟三十萬斤，佃人種蔗及伙食減十一萬斤，田賦、
> 公學糧隨賦收購計十二萬斤，余之伙食及費用三萬餘斤，僅存三萬
> 餘斤，糧食局命余繳出十六萬斤，時〔實〕無餘糧可繳，任汝聘意
> 爲之。〔註55〕

可以看見，林獻堂每期稻作總收入30萬斤，但是光田賦、公學糧隨賦徵收與大戶餘糧，政府收取部分便有28萬斤，如此可以看見，此項政策對於地主們是多麼的不友善。依何鳳嬌的說法，大戶餘糧政策的推行，破壞了地主的經濟能力，政府並運用司法與警察系統威嚇，與後來的三七五減租、耕者有其田等土地改革推行的成功，有相當大的關係。〔註56〕

　　1949年1月，省政府改組，陳誠就任臺灣省主席，林獻堂繼任省府委員，對於政策的失當，林獻堂曾向陳誠的偵查員馮庸提出建言，請他向陳誠轉告糧食政策的不公平。〔註57〕2月14日，林獻堂與吳三連等人拜訪陳誠，向他當面陳述治安與糧食問題，約定隔天呈與書面。〔註58〕

　　從上面的經歷觀之，有幾點可以探討，首先，林獻堂對於政府的糧食政策，並非不支持，只是收購價格太過低廉。其次，林獻堂從這個時候開始，對於政治的影響力越來越低，多次的建言都無功而返，這代表其實他在國民黨政府的眼中，並不受到重視。

　　另一個重大打擊，是陳誠就任臺灣省主席後，所推行的三七五減租，黃富三認爲這一政策是壓垮牛背的最後一根稻草。〔註59〕1949年3月，臺灣省行政會議趁著省參議會休會時，快馬加鞭通過三七五減租決議。〔註60〕林獻堂對於三七五減租的看法，日記中有所記載：

> 三七五減租之案，佃人並無要求，政府與命令地主減租，不知田賦
> 意欲減少否，若不減少，殊不公平；若欲減少，政府之收入大有關
> 係，不可輕率從事也。〔註61〕

從上述反應可以看出，林獻堂非常反對這項政策，只是陳誠執行這項政策的

〔註55〕林獻堂著，許雪姬等編，《灌園先生日記（二十一）一九四九年》，頁101。
〔註56〕何鳳嬌，〈戰後初期臺灣收購大戶餘糧問題——以《灌園先生日記》爲中心討論〉，頁564。
〔註57〕林獻堂著，許雪姬等編，《灌園先生日記（二十一）一九四九年》，頁6。
〔註58〕林獻堂著，許雪姬等編，《灌園先生日記（二十一）一九四九年》，頁61。
〔註59〕黃富三，《林獻堂傳》，頁180。
〔註60〕黃富三，《林獻堂傳》，頁181。
〔註61〕林獻堂著，許雪姬等編，《灌園先生日記（二十一）一九四九年》，頁61。

決心相當強硬，同時也用恐嚇的方式來逼迫地主，林獻堂本身實也無可奈何。5月12日的日記記載：

> 陳宗熙市長請余說話，辭之不得。略謂國內共黨變亂，南京、杭州等處失守，上海被包圍，不日亦將放棄，共軍別動隊侵入福建，不日將影響於閩南一帶，將來欲克復中原，非以臺灣為基地不可，而所受之犧牲，不僅區區三七五減租而已，願諸君需有一番大覺悟也。〔註62〕

從上述的言語看來，林獻堂自己在經歷了大戶餘糧與三七五減租之後，他清楚明瞭後續一定還有其他政策會發佈。尤其5月20日之後，臺灣實施戒嚴體制，陳誠藉此機會下令，凡違抗或阻擾土地改革者，一律送至警備總部究辦，這更促使地主因為擔心害怕，而加快換約的速度。

林獻堂本身也是中部地主們的主要觀望對象，5月27日日記所記：

> 士英來，言三七五減租問題，一般皆注意先生之措施。余告知日，決定實行，但地番、甲數、等則整理尚未就緒，明後日就可以與佃人申報。〔註63〕

上面這段引文，代表林獻堂自己最後也是只能接受。6月8日的日記記載：「林木榮來，言田中央之二手佃，為三七五減租大喜，爭向業主蓋印提出申報」。〔註64〕這代表這些破壞地主階層的行動，對於佃農來說，卻是一項利多的政策；另一方面，顯示林獻堂不再代表著臺灣社會，而是走到了社會上多數人的對立面。其實就像黃富三所言：「國府贏得多數佃農之心，奠定長期統治的基礎，而臺灣傳統士紳的經濟基礎則徹底摧毀，不再是足以挑戰新政權的有力社會階級」。〔註65〕

三七五減租對於林獻堂的衝擊有多大，從其日記這段話可以看出：

> 攀龍甚熱望蓬萊中學之許可，今朝又來找余商量，余因三七五減租，財產已減百分之四十，而教員月給增加三倍，一高一低，恐將來之維持費有許多困難，故不敢積極進行。〔註66〕

〔註62〕林獻堂著，許雪姬等編，《灌園先生日記（二十一）一九四九年》，頁176。
〔註63〕林獻堂著，許雪姬等編，《灌園先生日記（二十一）一九四九年》，頁195。
〔註64〕林獻堂著，許雪姬等編，《灌園先生日記（二十一）一九四九年》，頁209。
〔註65〕黃富三，〈林獻堂與三次戰爭的衝擊——乙未之役、第二次世界大戰、國共戰爭〉，《臺灣文獻》第57卷第1期（2006年3月），頁26。
〔註66〕林獻堂著，許雪姬等編，《灌園先生日記（二十一）一九四九年》，頁282。

可以看出三七五減租使得林獻堂的財產，減少了四成之多，而財產的減少，更使他在推行原本熱衷的教育活動時，經濟負擔更加龐大，所以無法積極進行。同時，三七五已經讓他少了四成的財產，但是李連春仍然主張要收取大戶餘糧，林獻堂日記中寫道：「對地主毫無同情之意。」〔註67〕

綜合前述，從大戶餘糧到三七五減租，這些政策對於地主階層來說，無疑是重大的打擊，首先三七五減租使得地主收入減少了四成，又要徵收大戶餘糧，這使得地主剩餘的糧食所剩無幾。不過，林獻堂在經歷了二二八與清鄉後，對於此類議題的回答轉趨保守，《新生報》有一篇訪問林獻堂對三七五減租想法的報導，他回答道：「凡是對農民生活有好處的土地政策，就是我利益上有損失，我也是竭誠擁護的。」〔註68〕但是，上述這段話是否爲真心難以確定，只是觀其日記，對於糧食政策始終有諸多不滿，而且當時的地主，對於三七五的減租政策，大多是迫於無奈，才不得不接受與配合。林佳燕〈1950 年代臺灣土地改革的理想與現實——以省級議員之言論分析爲中心〉一文中，也提到大多數地主對外都是表達相當支持土地政策，但是從戒嚴之後地主的訪談紀錄與林獻堂日記中來看，卻都感受不到竭誠擁護與支持三七五減租的推行。〔註69〕

另一方面，此時期的林獻堂，雖然是屬於被剝削的一方，但是他的政治理念，從這段在美國領事館的談話中可以看出：「主權仍屬中國，而實行臺灣自治，做世界之自由貿易港。」〔註70〕顯示他仍然效忠中國，希望可以在中國的政治框架下，達到臺灣自治。在這段談話中，還有提到政府不信任臺灣人。林獻堂在經歷了戰後初期的政治混亂，二二八事件以及後來的土地改革，對他造成巨大衝擊，並感受到國民黨政府對於臺灣人在政治上的輕視與不信任後，促使他最終認清了祖國的真實面目，放棄了抵抗，進而遁往日本，赴日不歸。

〔註67〕林獻堂著，許雪姬等編，《灌園先生日記（二十一）一九四九年》，頁 285。
〔註68〕趙文山，《臺灣「三七五」地租運動的透視》（臺北市：自由出版，1949），頁 113～114。
〔註69〕林佳燕，〈1950 年代臺灣土地改革的理想與現實——以省級議員之言論分析爲中心〉，頁 48。
〔註70〕林獻堂著，許雪姬等編，《灌園先生日記（二十一）一九四九年》，頁 252。

三、林獻堂的赴日：從治病到躲避

關於林獻堂的赴日，黃富三認爲他在 1949 年 6 月議會休會之後，就開始規劃，原因在於陳誠不但未接受林獻堂所提的糧政改革建議，反進一步推動土地改革，甚至以他爲假想敵，讓他情何以堪。〔註71〕但是筆者認爲，林獻堂前往日本，醫治疾病應該也是重要的因素，原因在於，他在日記中長時間提到他頭暈或頭疼的症狀，且注射藥物之後，看起來成效似乎是一般。此外，在日本隨侍於他身邊的林瑞池也提到：「獻堂先生之所以來日，乃因身體不適心肌肥大、血壓高、頭常暈眩，而在臺灣又太忙，故原本想來日靜養幾個月就回去」。〔註72〕他日後留日不歸，除卻前文所述的各種政治遭遇與經濟衝擊之外，還與許多後來的境遇有關，這些會在下一章中詳細論述。

1949 年 9 月 3 日，林獻堂到臺北賓館參加陳誠的茶會，他向主席報告說將前往日本，理由是：一、視察日本復興之狀況。二、斟酌貿易之辦法。三、受名醫診察頭暈之病源。〔註73〕陳誠表示贊成之意。但是林獻堂身爲中部領頭菁英，此趟日本之行，不免引發各界揣測：「垂芳來，言一般之人聞吾叔欲往東京，謠言巨〔叵〕測，其最重要者運動託管及反對託管、自治、獨立，皆爲無常識之揣度也」。〔註74〕許多人勸他勿往東京，原因在於外面謠言實在太多，例如其姪女月霞、葉榮鐘等人皆是。12 日，林獻堂特別修書給陳誠與彭孟緝，告訴他們他要前往日本的目的，期望政府人員不會因爲託管那些不可思議的緋語，而被迷惑。〔註75〕此信主要目的是爲了闢謠。22 日，前往省政府辭行，當晚在公館開餞別宴。〔註76〕23 日，到達機場，前往日本。〔註77〕林獻堂在日本的遭遇以及延期歸臺等情事，下章會一一分析。

林獻堂在二二八事件時，扮演的是輔助社會民眾的角色，他冷靜沉著並沒有做出過度激烈的舉止，同時也對嚴家淦伸出援手。筆者認爲背後的原因，

〔註71〕黃富三，《林獻堂傳》，頁 185。
〔註72〕〈林瑞池先生訪問紀錄〉，收錄於許雪姬編，《霧峰林家相關人物訪談記錄（頂厝篇）》（臺中：臺中縣立文化中心，1998），頁 172。
〔註73〕林獻堂著，許雪姬等編，《灌園先生日記（二十一）一九四九年》，頁 333。
〔註74〕林獻堂著，許雪姬等編，《灌園先生日記（二十一）一九四九年》，頁 342。
〔註75〕林獻堂著，許雪姬等編，《灌園先生日記（二十一）一九四九年》，頁 345。
〔註76〕林獻堂著，許雪姬等編，《灌園先生日記（二十一）一九四九年》，頁 354。
〔註77〕林獻堂著，許雪姬等編，《灌園先生日記（二十一）一九四九年》，頁 356。

除了一般論著常提及的林獻堂本人沉著冷靜應對之外，應與處委會裡的組成份子有關，林獻堂始終擔心臺中處委會會遭到共產黨分子利用，因此才會採取較為保守的態度。事件結束後，他對於社會上的各階層份子均盡心盡力幫助，只是他雖然被列為有功份子，卻被放到酬庸性的官職上，並不能有所作為。緊接而來的大戶餘糧以及三七五減租政策，更將他的經濟實力剪除。這類土地政策更會將這些佔少數的地主階層推向社會大多數小農的對立面，而且政府的強硬手段與對臺灣人的不信任始終讓林獻堂有所不滿，因此林獻堂逐漸心灰意冷，決定遠遁日本，最終客死異鄉。

第二節　吳新榮的自新與政治活動

一、二二八事變中的吳新榮

　　二二八事變發生之後，吳新榮在 3 月 1 日中的日記說道，因為此事件，臺北實行了戒嚴令，他認為這是內戰造成的嚴重後果，又提到時常聽聞三月政變的說法，認為不一定不會發生。他一方面對於上一章所述及的政府施政與臺灣社會現況越來越失望，對於陳儀政府統治下的政治情況、社會混亂，都感到灰心喪志，一度想退出政治；另一方面也對事變的進展感到興奮。〔註78〕其實吳新榮對於二二八事變的看法，是相當樂觀與高興的，如 3 月 2 日日記中所載：「今朝，和妻子回佳里。晚上，和陳長發、陳添賜、賴石城諸君會餐於吳敏誠宅，舉杯祝賀臺北事件（二二八事件）」。〔註79〕當日吳新榮四處拜訪地方上的領導人物，首先是市黨部幹指導員〔註80〕，但是指導員卻說：「如有共黨的煽動不便出頭。」吳新榮認為此人已經失去領導民眾的信心，採取放任主義去了。其後造訪青年團的幹事長，幹事長卻回答：「事已達到這樣階段，卻要慎重做事。」〔註81〕施懿琳認為此時的吳新榮極為關懷時局，並感到相當憂憤，〔註82〕但是吳新榮在日記中提到事變時，用的詞為「起義」，加上他在事變發生時，所採取的態度是「祝賀」，因此，筆者認為他當

〔註78〕吳新榮著，張良澤編，《吳新榮日記全集 1945～1947》（臺南：臺灣文學館，2008），頁 356；吳新榮，《震瀛回憶錄》（臺北：前衛，1989 年），頁 214。
〔註79〕吳新榮著，張良澤編，《吳新榮日記全集 1945～1947》，頁 357。
〔註80〕筆者查無幹指導員之編制，推測應為時任臺南市市黨部指導員韓石泉。
〔註81〕吳新榮，《震瀛回憶錄》，頁 214。
〔註82〕施懿琳，《吳新榮傳》，頁 131。

下對於此事件，或許沒辦法完全了解，但是他對於人民開始反抗政府是感到興奮與支持的。

吳新榮在事變中所採取的行動爲何，見 3 月 3 日日記：

> 自早晨陸續入來消息，如臺南市、高雄縣也已經起義了；臺南縣內虎尾區、斗六區的新聞也是不好。……晚上，因南方歸還的志願兵激火難抑，而且治安機關也失了機能，所以召集鎮內的有志，組織「北門區時局對策臨時委員會」，接收警察局的軍器、配置防衛鄉土。〔註83〕

當時嘉義爆發三二事件〔註84〕，嘉義處委會決議號召臺籍志願兵與學生隊，佳里地區自動組織救援隊出發，由李池田率領，連同麻豆、曾文區隊一同前往。〔註85〕其中有幾人曾於出發前來找吳新榮，徵詢他的意見，但是吳新榮跟他們說應該等待事件明朗一些，才可以有反應。〔註86〕同時，他因地方上的治安機關已經失去機能，乃與北門區警察所長楊木水會同各機關代表，組成時局對策委員會。隔日開會明定委員會的主要目標：一、時局對策；二、保衛鄉土；三、維持治安。〔註87〕由此可以看出，吳新榮雖然內心對此事件是支持的，但是他所採取的策略較爲保守。他主張維持地方的安定，原因在於二二八事變發生時，各地烽火四起，造成混亂，因此吳新榮主張維持地方穩定，亦堅守「他不侵入來，我不打出去」的主張。而且吳新榮等人，對於外省人也有救助，事變中北門鹽場曾被群眾包圍，他也去到那裡，將外省人救出。〔註88〕筆者認爲，吳新榮雖然內心支持此事件，但是他的行動仍是以保守爲主，以維持地方穩定爲主要目的。

5 日，陳儀明令成立「二二八事件處理委員會」，吳新榮等人召集的「時局對策委員會」，也改組爲「事變處理委員會」，吳新榮擔任委員會副主席委

〔註83〕吳新榮著，張良澤編，《吳新榮日記全集 1945～1947》，頁 359。
〔註84〕1947 年 3 月 2 日，一群由臺中、彰化南下的青年，於嘉義火車站噴水池處號召嘉義人進攻市長官舍，而後民眾聚集於中山路噴水池處，一見外省人便上前攻擊，後來演變成圍攻憲兵隊與水上機場等地。許雪姬，〈臺灣光復初期民變：以嘉義三二事件爲例〉，收於賴澤涵主編，《臺灣光復初期歷史》，頁 173～183。
〔註85〕許雪姬，〈臺灣光復初期民變：以嘉義三二事件爲例〉，頁 184。
〔註86〕吳新榮，《震瀛回憶錄》，頁 215。
〔註87〕吳新榮，《震瀛回憶錄》，頁 217。
〔註88〕吳新榮，《震瀛回憶錄》，頁 233。

員。〔註89〕6 日，地方上的治安越來越混亂，警察當局自認無法維持，因此要求委員會設法，委員會決定組織民眾自衛隊，要求警察提供武器，才可以協助治安，吳新榮與所長楊木水，共同率領自衛隊與警察隊，出巡宣傳治安。〔註90〕7 日，吳新榮提出要將武器交還警察所，但是治安機關卻大爲恐慌。8 日，臺南縣民大會提議罷免縣長以下四十七名逃亡官吏，照原案通過。〔註91〕吳新榮認爲，事變的起事者還是在五里霧中，但他在此時所推測的有四種：一、好事的地痞流氓；二、傾向日本的舊軍人軍屬；三、反對貪官污吏的進步份子；四、有意識的共產黨份子。〔註92〕他自己對於這整起事件，尤其是臺灣人不信任政府的活動，主要歸咎於陳儀之罪，他認爲陳儀政府已經讓社會人心離析，故對他恨入骨隨。〔註93〕

　　隨著大陸方面的軍隊登陸，事情開始急轉直下。9 日，臺南縣二二八事件處理委員會成立，吳新榮當選總務組副組長。10 日，二二八事件處理委員會北門區支會成立，吳新榮就任主任委員。〔註94〕但到了晚上傳來不好的消息，臺北又宣布戒嚴，正規軍與學生隊開始戰鬥，所有人此刻才發現陷入陳儀的騙局，政府也宣布事件處理委員會爲非法組織，當日成立的北門支會也解散。〔註95〕11 日，臺北與高雄傳到臺南的消息非常不好，當日下午臺南市也進入戒嚴。筆者認爲，吳新榮此時內心的想法似乎開始有點不一樣：「吾人絕對不願做太平犬，也絕對不願作亂世民。總是自本日起，吾人要多小休息，以養精氣，以待再遇的世態，可能正確的行動。」〔註96〕當吳新榮聽到市長在廣播電臺大呼：「我們的救兵到了」時，他很明白這是對本省人的示威，感到相當寒心，認爲臺灣人雖然討厭貪官汙吏，但是從沒有反叛祖國的心理出現。〔註97〕吳新榮在隔日的日記中寫道：「總是事事都不能設想的，不照原則，不照道理而突發的，所以吾人不得不漸時退場以透察時局的推移。」

〔註89〕吳新榮著，張良澤編，《吳新榮日記全集 1945～1947》，頁 359～360；吳新榮，《震瀛回憶錄》，頁 218～219。
〔註90〕吳新榮，《震瀛回憶錄》，頁 219。
〔註91〕吳新榮著，張良澤編，《吳新榮日記全集 1945～1947》，頁 361。
〔註92〕吳新榮，《震瀛回憶錄》，頁 220。
〔註93〕吳新榮，《震瀛回憶錄》，頁 221。
〔註94〕吳新榮著，張良澤編，《吳新榮日記全集 1945～1947》，頁 361～362。
〔註95〕吳新榮著，張良澤編，《吳新榮日記全集 1945～1947》，頁 363。
〔註96〕吳新榮著，張良澤編，《吳新榮日記全集 1945～1947》，頁 363。
〔註97〕吳新榮，《震瀛回憶錄》，頁 224。

〔註98〕13 日，吳新榮被武裝份子押走，要求他交出武器庫的鑰匙，這一行動讓他感到非常傷心，認為整起事件復仇、恐怖、流血的謠言紛至，使得社會更加混亂，更甚者吳新榮的政敵，前章所述的傳統仕紳高家甚至想借刀殺人，更令他感到心寒，吳新榮於 18 日的日記中寫道：

> 遇到事變以來，我們漸決我民族的前途，我國家的將來，難禁傷淚。任我一個人如何活動，也難加減的。所以我當然是要由政治方面全部退場，對文藝方面加以勉勵，對生活方面上，要設法打開窮局。〔註99〕

可以看出，事變進行至此，吳新榮已經萌生淡出的想法，當然一開始他對事件是採取支持的態度，力主維持地方的安定，可惜後來情況越趨混亂，而且以陳儀為主的政府官員，以及地方上在事變後，消失不見的行政官員們，採取的行動又讓人更加心寒。

　　從吳新榮日記中可以看到，他自己也相當明白，這一事件是因為官僚的敗壞，所引發出來的民怨。他認為北門區在事變中可以如此安定，一切都是靠他們這些人的奔波。〔註100〕吳新榮被脅持後，隔日開始逃亡，躲到友人家中暫避風頭，此時他寫下〈讀《洪水》後〉，表達他對二二八事變的想法：

> 誰能料想三月會做洪水！
>
> 那突發的巨浪，沖破了那堅固的堤防。
>
> 那無情的巨浪，流失了那美麗的田園。
>
> 那激怒的巨浪，淹沒了那平和的城市。
>
> 誰能料想三月會做洪水！
>
> 有一位勇敢的青年，曾有過洋的經驗，未到堤防就被狂浪捲沒去了。
>
> 有一位理智的青年，抱有新進的理論，未到田園就被泥海埋沒去了。
>
> 有一位熱血的青年，吐露無限的純情，未到城市就被崩山壓沒去了。
>
> 誰能料想三月會做洪水！
>
> 洪水一過，滿地平坡！
>
> 洪水一過，族親四散！
>
> 洪水一過，人心如灰！

〔註98〕吳新榮著，張良澤編，《吳新榮日記全集 1945～1947》，頁 364。
〔註99〕吳新榮著，張良澤編，《吳新榮日記全集 1945～1947》，頁 365。
〔註100〕吳新榮著，張良澤編，《吳新榮日記全集 1945～1947》，頁 365。

> 誰能料想到三月會做洪水！
>
> 國家何時再建？
>
> 民族何時復興？
>
> 社會何時改革？〔註101〕

這是一首相當沉痛的詩，吳新榮借洪水二字，暗喻國民黨政府如洪水般吞噬了臺灣，吞噬了自己。他用三月洪水比喻二二八事變，那位青年指的是吳新榮，即便是被狂浪捲去、泥海埋沒又或者被崩山壓沒，儘管無語問蒼天，但是國家再建、民族復興、社會改革這些理想，仍舊常存於這位青年的心中，在不信、不滿、不安的情境之下，透過詩句呈現那被破壞而受傷的存在。〔註102〕

二、二二八的牽連：吳新榮的自新

在友人家躲避了一個禮拜後，吳新榮原本認爲風頭已過，局勢將逐漸穩定下來，但是3月24日，傳來憲兵同警察人員將要拘捕稱爲「北門三榮」的吳新榮、呂榮輝與李榮凱的消息。施懿琳提到：「三榮當中，李榮凱被視爲右派人士，呂榮輝因思想而被視爲左派人士，吳新榮自認是中間，但是不論派別，皆是政府要拘捕的人物，且此三人皆是高應賢的眼中釘。吳新榮擔心會牽連到家人，因此他決定出逃」。〔註103〕但從《保密局臺灣站二二八史料彙編》看來，李榮凱係因3月4日帶頭接收鹽業公司七股辦公室及區署，同時就任佳里區民軍總司令，且曾參與嘉義三二事件，率眾圍攻水上機場；吳新榮因擔任李榮凱之顧問而被列爲同謀；呂榮輝是被視爲共產黨份子，三人因而被捕。〔註104〕

經歷了二十天左右的逃亡，4月9日，吳新榮父親閱讀新營警察所長沈大成的密信，當中提到自新一事，因此吳新榮父親要去找人商議此事，但是在路途當中被人押去，關押於臺南憲兵隊。〔註105〕但被捕之原因，係因李榮凱等人曾於其住處開會，且被搜出通緝犯陳梧桐的皮包與西裝，因而被捕。

〔註101〕吳新榮著，張良澤編，《吳新榮日記全集1945～1947》，頁366。
〔註102〕張秀嬌，〈〈誰能料想三月會做洪水〉的療傷書寫與《洪水集》研究〉，《文史臺灣學報》第7期（2013年12月），頁78～79。
〔註103〕施懿琳，《吳新榮傳》（南投：臺灣省文獻委員會，1999），頁138。
〔註104〕〈北門區匪徒王土地口供〉，收於許雪姬主編，《保密局臺灣站二二八史料彙編（二）》（臺北：中研院臺史所，2016），頁62。
〔註105〕吳新榮著，張良澤編，《吳新榮日記全集1945～1947》，頁373。

〔註106〕14 日，吳新榮拿到陳清堯轉交的臺南指揮部顧問侯全成名片，他們勸吳新榮前去自新。經過商議後，19 日，吳新榮決心前去自新，理由是：第一、他自信自己並沒有做出甚麼壞事，第二、他想用自己生命賭一賭政府的承諾，第三、因為他父親被捕，因此他想試看看能不能因此幫助其父恢復自由，第四、他也想結束因為逃亡而引發的家屬不安。〔註107〕

26 日，吳新榮將自新手續辦完後，到憲兵隊接受訊問，主要也是關乎二二八事變處理委員會的事情。〔註108〕吳新榮總共經歷五個機關：臺南市警察局、臺南憲兵營、臺北憲兵第四團部、臺灣警備司令部第二處、臺灣警備司令部軍法處。他在這段時間經歷審訊與牢獄之災，初期牢獄中的生活環境相當惡劣，直到 5 月 15 日，魏道明來臺成立省政府後，吳新榮方才提到獄中生活環境有所改善。然而直到 6 月 13 日，批准吳新榮得以找保後，方才確定無事。〔註109〕吳新榮可以自這場災害脫身的最主要原因在於，他在事變過程中，曾經對外省人伸出援手，北門鹽場公署為此發了一張證明書，對於吳新榮在整個事變中的角色有所證明。直到 21 日，吳新榮方才出獄，同時領了一張「盲從附和被迫參加暴動份子自新證」。〔註110〕不過吳新榮在獄中時，對於這起事件的想法仍舊沒有改變，在獄中寫到：「廿八事變起，三臺意氣高；流盡青年血，滿監革命歌。」〔註111〕因此，當看到自新證的內容時，其實相當諷刺，只是當下吳新榮也不得不接受這種捏造的罪名，因其父親尚在牢獄中。

吳新榮出獄後，第一件事便是探望父親，他回到鄉里走訪親友的結果，大多主張花錢買命，以三十萬為代價來換取其父的平安，但在走訪老友石錫純時，他卻主張先不花錢，以人脈來疏通看看，而後得到黃百祿、陳啓川等人的協助，終於在 9 月 3 日，彭孟緝下令改判吳萱草無罪，9 月 9 日獲釋。〔註112〕

〔註106〕許雪姬主編，《保密局臺灣站二二八史料彙編（二）》，頁 66。
〔註107〕吳新榮著，張良澤編，《吳新榮日記全集 1945～1947》，頁 373；吳新榮，《震瀛回憶錄》，頁 242～243。
〔註108〕吳新榮著，張良澤編，《吳新榮日記全集 1945～1947》，頁 374。
〔註109〕吳新榮著，張良澤編，《吳新榮日記全集 1945～1947》，頁 374～377。
〔註110〕吳新榮著，張良澤編，《吳新榮日記全集 1945～1947》，頁 377～380。
〔註111〕吳新榮，《震瀛回憶錄》，頁 256。
〔註112〕吳新榮，《震瀛回憶錄》，頁 259～263。

三、重燃熱情：決心再次踏入政治之路

二二八事變之後，吳新榮一度對於政治心灰意冷，其妻亦勸他道：「爲這十幾家口著想，千萬不要再幹公事，那麼我也願意做牛馬，來再建家庭」〔註113〕。吳新榮出獄之後的政治活動也一度低調，像是縣議會第六、七、八次大會，他都只有出席，而沒有任何的諮詢或提案。〔註114〕吳新榮在回憶錄中提到：「自事變以來不願出席，但他看到縣長假笑面、議員裝啞巴的場面，又明言節約酒菜有差而事實阿媚魚肉不錯的場面，他已沒有既往那樣熱情來應付了」。〔註115〕從上述引文可以得知，吳新榮在此時期，對政治活動已經相當冷淡。

不過，吳三連決定參選國大代表後，吳新榮又再一次決定投入政治的漩渦之中。他支持吳三連的理由是三個候選人中，溫川匯是發光復財的商人，張懷是被稱瘋人的大地主，只有吳三連是純粹的文化人，而且在地緣、血緣、人員的觀點上，吳新榮認爲吳三連是最能代表北門區的地方傳統。〔註116〕因此吳新榮擔任了吳三連競選北門區的負責人，經歷一個多月的奔波後，吳三連在11月28日以全國最高票當選國大代表，吳新榮也因此又對政治活動燃起了一定程度的信心。〔註117〕12月15日，他當選國民黨臺南縣黨部執行委員，〔註118〕在縣議會第九次到第十七次大會，開始有提案、諮詢與聯署，同時可以了解到他所關心的層面也是相當的廣闊，諸如醫政問題、教育建設、地方發展、人民生活等等，都是他在議會問政的焦點。〔註119〕

1949年9月10日，吳新榮從報紙上看到臺灣即將實施地方自治，由於他對此事相當心動，計畫日後投身選舉，便在日記擬定參選的政見大綱：

三、政見

(1)爲臺灣人敢說話，爲老百姓敢犧牲。

(2)實行耕者有其田，學者有其書。

(3)做到病者有其醫，貧者有其食。

〔註113〕吳新榮，《震瀛回憶錄》，頁260。

〔註114〕林慧姃，《吳新榮研究》（臺南：臺南縣文化局，2005），頁64。

〔註115〕吳新榮，《震瀛回憶錄》，頁266～267。

〔註116〕吳新榮，《震瀛回憶錄》，頁267。

〔註117〕施懿琳，《吳新榮傳》，頁144。

〔註118〕吳新榮著，張良澤編，《吳新榮日記全集1945～1947》，頁431。

〔註119〕林慧姃，《吳新榮研究》，頁108。

　　(4)以發展經濟及提高文化來完成地方之自治。

　　(5)以國內之實情及國外之主潮來改革臺灣之政治。

四、主張

　　(1)稅款需要公平調查，盡量減輕。

　　(2)實現義務教育自國民學校至初級中學。

　　(3)創立公立之實費醫院。

　　(4)修建臺南道路。

　　(5)保障公教人員之生活以免發生流弊。〔註120〕

這是吳新榮在聽聞欲實施地方自治時，所寫下的參選大綱，雖然與後來 1951年正式參選時所發表的不完全一樣，但是從中可以看出吳新榮當下所看見的問題以及他這時的想法，當時他關心的重點如同林慧姃所說的：「在議會的問政發展過程中，醫政是他的專業、教育是他的希望、鹽分地區弱勢族群的命運是他的終極關懷，從他在議會中的表現絕對可以看出他對鄉土與人民的摯情」。〔註121〕亦可以從中了解到他對當時政府的看法，比如說像土地改革政策，筆者認為他將政府要實施的耕者有其田，列入他預定的參選政策，代表他對於土地改革相當贊成。另外，他在回憶錄中也提到：「改革了地權，實施三七五減租，這可給農民生產上不少的便宜，但在制度實行上為免發生多大的矛盾。」〔註122〕可見吳新榮對前半段的「三七五減租」相當贊成，雖然在社會上他看到了些許摩擦，但是整體來說是一個相當良好的政策，而且此項政策對他並沒有特別的傷害性，所以他認為這是一項於民有利的政策，而採取贊成的態度。

　　陳文松曾寫道：「他的熱情被新政權的貪汙腐敗和獨裁專制所澆熄，接連受到政治黑牢，從此對政治冷漠以對」。〔註123〕筆者亦認為，此時期的成功對於吳新榮而言是一場勝利，更加鼓舞他原本已經逐漸冷卻的政治熱忱，促使他又再一次的投入各種地方事務之中，前文曾提及，吳新榮是一個具有英雄主義情懷的人，每逢挫折他就會相當低落，而有所成就時，他就會相當認真的一直往前走，雖然他始終深陷在這些矛盾的情緒中，但是他對於社會的關

〔註120〕吳新榮著，張良澤編，《吳新榮日記全集 1948～1953》，頁 100。

〔註121〕林慧姃，《吳新榮研究》，頁 64。

〔註122〕吳新榮，《震瀛回憶錄》，頁 284。

〔註123〕陳文松，〈從躲空襲到避政治：日治後期到戰後初期吳新榮的圍棋戲〉，《臺灣史研究》第 23 卷第 1 期（2016 年 3 月），頁 146。

懷以及希望可以有一番作爲的心情，始終在他心中潛伏著。

第三節　同時代的菁英們與小結

一、同時代的菁英們

　　當二二八發生時，林茂生很晚才回家，他提到：「期望這場衝突，不要再引發更嚴重的暴動與混亂。臺灣人並沒有準備好。」〔註124〕隨著事件越來越嚴重，林茂生備感焦慮，他指出臺灣人對大陸人施展暴力，係因人民沒有管道表達他們的憤怒，是一種人民對於祖國的幻滅與挫折所表現出來的現象。他認爲這些行動並沒有意義，也不會成功，只會造成嚴重的後果，原因在於這些群眾朝內無臣〔註125〕、身無寸鐵且是烏合之眾。他主張應該要冷靜下來想辦法迫使政府改變惡政，同時減少不必要的冒進，用和平的方法來達到政府改革。對於未來，最重要的關鍵是達成臺灣人與大陸人互相尊重，且對民主政治的教育要努力。〔註126〕3月4日，林茂生出席處委會，感嘆處委會群龍無首；當天他也出席臺大委員會，認爲他們是秀才造反。其子林宗義回憶道：「他一再重複『群龍無首』與『秀才造反』，一邊閉著眼睛抽水煙。他看起來極爲憂愁、黯然」。〔註127〕林茂生只有參加這次會議，其後就沒有再出席任何聚會。

　　5日，林宗義的好友，臺大日籍教授大瀨貴光告訴林宗義，要他父親別留在家中，否則會有危險。當晚林宗義將大瀨的建議，轉告林茂生，但他認爲自己並沒有做任何非法的行爲，因此置之不理。〔註128〕7日，林茂生很晚才從《民報》報社回來，他提到：「臺灣人一定會被消滅，我不知道如何防止這事發生。臺灣人實在把事情鬧大了，政府與大陸人都想報復」。〔註129〕9日，《民報》報社被搗毀，當天下午林茂生早早回家，神色非常憂慮。11日清晨，

〔註124〕林宗義，〈林茂生與二二八〉，收於陳明芳編，《二二八事件學術論文集》（臺北：前衛，1989），頁22。

〔註125〕林茂生提出「朝中無臣」的意思是政府機關裡面，並沒有一個強而有力的人支持，沒有足夠的影響力。林宗義，〈林茂生與二二八〉，頁25。

〔註126〕林宗義，〈林茂生與二二八〉，頁23～24。

〔註127〕林宗義，〈林茂生與二二八〉，頁25。

〔註128〕林宗義，〈林茂生與二二八〉，頁27。

〔註129〕林宗義，〈林茂生與二二八〉，頁28。

林茂生被兩個穿著中山裝，腰帶配槍的中國人帶走，只跟他說臺大校長有口信給他，然後又說「去看陳儀」，從此一去不回。〔註130〕

　　林茂生雖曾在3月1日參與了學生向長官公署的抗議活動，〔註131〕但李筱峰與李東華提到，他會遇害係因他所主辦的《民報》，對於臺灣光復後的政治、經濟及社會狀況，都做出了嚴厲批評，對於戰後的本省外省隔閡、政治上的人謀不臧等問題也有所建言，〔註132〕促使該報成為陳儀當局的眼中釘。在事變中，該報社被陳儀當局查封，總主筆黃旺成、總編輯許乃昌都被列為緝拿對象，足見《民報》深受當局之忌。同時，當時幾間民間報刊，如《人民日報》、《中外日報》及《大明報》等，也都被查封，許多關係人也紛紛遇難，由此可知報界乃陳儀當局要整肅的對象之一，林茂生做為民報社長，自然難以倖免。〔註133〕

　　陳炘在二二八中的角色，與林茂生相比，便顯得積極的多。陳炘當時感染惡性瘧疾，他曾說：「國家有事，豈能先私而後公？」〔註134〕因此3月4日，陳炘曾打電話拜託蔣渭川出面召集可做代表之人物，當他們於中山堂碰面時，在李擇一安排下，由陳炘、蔣渭川與林梧村三人共同進入長官辦公室，請陳儀出來談話。會中，陳炘曾向陳儀提出建言，希望長官可以選拔本省人才，消除不平現象，並從警務處長先啓用本省人。5日，陳炘又主動邀約蔣渭川去面見陳儀。此次會面，陳儀向蔣渭川保證不會向中央請兵來臺，蔣渭川乃應陳儀之邀向民眾廣播。不過，在陳炘長子陳盤谷的追述裡提到，陳儀曾單獨約見陳炘，但是並不能確定是在兩次會面之前或之後。〔註135〕從這些事件可知，陳炘很積極的想與陳儀溝通，他並非採取武裝激烈手段之人，想使用和平方式與政府共同協調結束亂局。但在11日，警察進入陳炘家中，遞了張紙條給他，看完後，陳炘便囑咐兒女要聽媽媽的話，自此一去不

〔註130〕林宗義，〈林茂生與二二八〉，頁41。

〔註131〕李東華，〈論陸志鴻治校風格與臺大文學院（1946.8～1948.5）〉，《臺大歷史學報》第36期（2005年12月），頁285。

〔註132〕李東華，〈光復初期（1945～50）的民族情感與省籍衝突——從臺灣大學的接收改制做觀察〉，《臺大文史哲學報》第65期（2006年11月），頁200。

〔註133〕李筱峰，《林茂生、陳炘與他們的時代》（臺北：玉山，1996），頁290。

〔註134〕〈陳盤谷追記其父陳炘之筆記〉，轉引自李筱峰，《林茂生‧陳炘和他們的時代》，頁274。

〔註135〕〈陳盤谷追記其父陳炘之筆記〉，轉引自李筱峰，《林茂生‧陳炘和他們的時代》，頁274。

回。〔註136〕

　　大公企業公司的成立是陳炘遭難的最主要原因，前一章曾提及陳炘創立此公司時，曾揚言要對抗江浙財閥，成立後便一直受到陳儀的壓力，從漢奸問題到光復致敬團事件等等，因此李筱峰認為，大公企業公司是陳炘受害的主要原因之一。〔註137〕此外，陳炘家屬懷疑這是陳逢源覬覦臺灣信託的資產所致，〔註138〕但是事實如何，尚未有定論，故於此不再詳述。

　　至於《民報》總主筆黃旺成，在二二八發生之後，曾在路上被老百姓認出是寫「熱言」的旺成仙，便簇擁他站在垃圾桶上演講，這是他唯一一次對著民眾說話。處委會開會時，黃旺成只有參加一、兩次便不想再去，理由是他認為處委會的人主張臺灣獨立，與自己的理念不同，由此可知他對於回歸祖國抱持相當大的期望。〔註139〕當時許多人因為黃旺成曾寫過多篇批評陳儀的文章，勸他快逃，但是他自認所寫的均有所根據，因此無動於衷。同年 5月 23 日，他因社會風聲鶴唳，且被列入通緝名單，不得已之下躲避至上海。1948 年，由其學生，時任新竹區防衛司令部少將兼縣長的蘇紹文擔保，方才歸臺。〔註140〕他自此不再公開發表時論，失去了批判時政的銳氣。〔註141〕1948 年 6 月，魏道明就任臺灣省主席，創設通志館，黃旺成受聘為編纂兼編纂組組長，籌畫編修臺灣省通志。〔註142〕1949 年，因遞補為臺北市省參議員，辭去通志館職務。〔註143〕他在擔任省參議員期間，對於大戶餘糧政策頗為支持，且對於菁英們要求提高收購量價上，採取反對的意見，他認為這項

〔註136〕李筱峰，《林茂生、陳炘與他們的時代》（臺北：玉山，1996），頁 271～280。

〔註137〕李筱峰，《林茂生、陳炘與他們的時代》（臺北：玉山，1996），頁 294～298。

〔註138〕謝國興在書中亦花相當篇幅反駁這種論調。李筱峰，《林茂生、陳炘與他們的時代》（臺北：玉山，1996），頁 298～302。；謝國興，《亦儒亦商亦風流——陳逢源》（臺北：允晨，2002），頁 270～280。

〔註139〕張炎憲、許明薰、張啓明、陳鳳華訪問，黃繼文口述，〈父親黃旺成的追憶〉，《竹塹文獻》第 10 期（1990 年 1 月），頁 50。

〔註140〕張炎憲、許明薰、張啓明、陳鳳華訪問，黃繼文口述，〈父親黃旺成的追憶〉，頁 51；王世慶，〈黃旺成先生訪問記錄〉，收於黃富三、陳俐甫編《近現代臺灣口述歷史》（臺北：林本源基金會，1991），頁 94。

〔註141〕張炎憲，〈黃旺成的轉折——從社會參與到纂寫歷史〉，《竹塹文獻》第 10 期（1999 年 1 月），頁 27。

〔註142〕王世慶，〈黃旺成先生訪問記錄〉，頁 94。

〔註143〕張德南，〈黃旺成先生大事記要〉，《竹塹文獻》第 10 期（1999 年 1 月），頁 68。

決定對於人民而言是有利的。〔註144〕張炎憲提到：「二二八事件是黃旺成人生的轉折點。……。1948〔1949〕年雖遞補上省參議員，但已是夕陽回照，在政治上無可做為」。〔註145〕由此，亦可得知經歷前述事件後，黃旺成對於政治逐漸冷漠，不再如同戰後初期那般熱情。

關於土地改革方面，1949年黃旺成在口述歷史中曾提到：「大糧戶要求提高糧價，我乃加以反對攻擊。」〔註146〕其次，臺灣省參議會第十一次定期大會，陳〔黃〕旺成諮詢糧食局：「各地農村經濟困難，農家疲敝，是否穀賤傷農所致，雖實行三七五減租後，一般農民生活略有好轉，但糧價太低不無影響，究竟其疲敝程度如何希見示」。〔註147〕可見三七五減租實施後，佃農生活略有好轉，但是各地農村經濟仍不富裕，黃旺成懷疑是因為糧價太低所導致，從引文可知，黃旺成對於三七五的實施成果，是採取肯定的態度。

蔡培火加入國民黨後，擔任臺灣省黨部執行委員，在二二八事件時，他因處理黨務問題，往返於南京與臺灣。他對此事的立場與國民黨政權一致，事發後約四個月，發表〈慰問紀要〉一文，當中一昧的美化現況，以鼓舞民心，當然，蔡培火亦意識到二二八對臺灣的傷害，因此一邊勸慰民眾，同時塑造國民政府的形象，又搬出民族大義，也強調共產黨對臺的野心，作為粉飾太平之用。〔註148〕他身為國民黨的行政官員，自然是站在和平修補本省人與外省人關係的角度上，因此，強調阿山與臺灣是一家人，抹平當中的衝突，強調國家與民族，〔註149〕更甚者連來鎮壓的二十一師，都成為人民需要感謝的對象。〔註150〕蔡培火雖然對外擁護國民黨，但是他在私底下曾向其他臺籍

〔註144〕王世慶，〈黃旺成先生訪問記錄〉，頁95。
〔註145〕文章中提到1948年黃旺成遞補省參議員，但《中華民國選舉概況》當中記載，黃朝琴、王添灯當選，王添灯失蹤後由第一候補蔣渭川遞補，1949年省政府改組，蔣渭川調任民政廳長，因此由第二候補黃旺成遞補，故於此處訂正。張炎憲，〈黃旺成的轉折──從社會參與到纂寫歷史〉，頁26；董翔飛，《中華民國選舉概況（下）》（臺北：中央選舉委員會，1984），頁26～27。
〔註146〕王世慶，〈黃旺成先生訪問記錄〉，頁95。
〔註147〕臺灣省議會史料總庫，典藏號：001-01-11OA-00-6-5-0-00152。
〔註148〕蔡培火，〈慰問紀要〉，收於張漢裕編，《蔡培火全集四‧政治關係──戰後》（臺北：吳三連史料基金會，1990），頁40；林佩蓉，〈抵抗的年代‧交戰的思維──蔡培火的文化活動及其思想研究〉（臺南：國立成功大學臺文所碩士論文，2005），頁42～43。
〔註149〕蔡培火，〈慰問紀要〉，頁40。
〔註150〕林佩蓉，〈抵抗的年代‧交戰的思維──蔡培火的文化活動及其思想研究〉，

官員如丘念台建言，請丘向蔣介石建議，應該將失職者嚴懲，以平息民怨，只是蔣介石並沒有採納，林佩蓉提到：「蔡培火的苦衷或許可由其在朝無權的角色中理解」。〔註151〕

1947 年底，蔡培火決意參選立法委員，〔註152〕1948 年當選立法委員，國民黨政府來臺後，擔任第四屆行政院政務官員。綜觀來看，蔡培火雖然看似官途平順，但他的職位，終究是屬於「位高無權」的情況，被當作「國民黨攏絡臺灣人的象徵」。其所擔任的政務官員，是屬於「不管部會政務委員」，類似行政院長智囊團，這也是戰後國民黨安放臺灣本土菁英的一個官職。〔註153〕從前述事例來看，即便蔡培火在戰後獻出他的忠誠予國民黨，對外的發言也以黨國爲最主要的題目，可是他仍然被當局放置於無權之職位，蔡培火對於國民黨而言，只是一個啓用臺灣人的象徵。

土地政策方面，蔡培火〈四十年度施政芻見〉中提到，三七五減租政策，宜採實收分配，切勿固執等則分配，副作物亦宜分配，方不使佃人取巧，但副作物佃人可增加所得。〔註154〕〈特別報告中〉也提到政府收購大戶糧價規定甚低，而縣市政府所收支賦穀及公學糧繳納糧食局時，不按市價而按收購之價計算，直接減少縣市政府之收入，間接即需增加一般民眾之負擔。〔註155〕

蔡培火各縣市的巡察報告中，亦提到三七五減租實施後，小地主因收入減少，生活困難〔註156〕、穀賤傷農〔註157〕、副作物歸佃人所有等流弊，使佃

頁 43。

〔註151〕 林佩蓉，〈抵抗的年代·交戰的思維——蔡培火的文化活動及其思想研究〉，頁 43。

〔註152〕 蔡培火，〈蔡培火爲候選立法委員啓事〉，收於張漢裕編，《蔡培火全集四·政治關係——戰後》（臺北：吳三連史料基金會，1990），頁 47。

〔註153〕 林佩蓉，〈抵抗的年代·交戰的思維——蔡培火的文化活動及其思想研究〉，頁 43。

〔註154〕 1949 年，「臺灣省私有耕地租用辦法」當中規定，取消押金、鐵租、副產物租，造成副產物全歸於農民。〈臺灣省私有耕地租用辦法〉，《臺灣省政府公報》，38 年夏字第 11 期，1949 年 4 月 14 日；蔡培火，〈四十年度施政芻見〉，收於張漢裕主編，《蔡培火全集（四）政治關係——戰後》（臺北：吳三連史料基金會，2000），頁 62。

〔註155〕 蔡培火，〈特別報告〉，收於張漢裕主編，《蔡培火全集（四）政治關係——戰後》（臺北：吳三連史料基金會，2000），頁 231。

〔註156〕 蔡培火，〈巡視新竹縣報告存稿〉，收錄於張漢裕主編，《蔡培火全集（四）政治關係——戰後》（臺北：吳三連史料基金會，2000），頁 257。

人不忠於工作物之生產，將大部分勞力、肥料用於副產物〔註 158〕。不過，蔡培火曾表示：三七五減租「受農民之擁戴」，可以知道他也擁護三七五減租的推行，只是在實施過程中，產生諸多弊端，故他以政務委員之身分，期望政府可以改正這些不良之處，由此可見，蔡對於整體實施情況，仍多有不滿。

其他菁英方面，陳逢源在二二八事變發生之後，曾做〈事變有感〉一詩，充滿對時局演變的無奈與無力。〔註 159〕其後，他轉以金融活動爲主，例如主導華南銀行的接收、臺灣信託與華南銀行合併等等。〔註 160〕葉榮鐘在 3 月 2 日做一詩云：「槍聲繁密雨聲聞，輿情顛倒一街山」，〔註 161〕更因一干友人受這場民族衝突與政權替換牽連而死亡，他在這種風聲鶴唳之下，只能用隱喻的方式，來表達他的不滿與抗議。黃純青在二二八事件時，被選爲處委會常務委員，事變後被任命爲臺北縣修誌館館長與臺北縣縣誌編纂委員會委員。緊接而來的土地改革，可以明顯看見他對政府的態度，從希望政府改革轉變成配合政府政策，他身爲地主階層，在此項政策中受害頗深，但是他在省議會的發言，卻是贊同土地改革。有趣的是，當公地放領法案通過之後，黃純青接任臺灣省文獻委員會主委，他便以此爲由請辭省參議員，逐漸淡出政治活動，轉而投入史蹟考察與重修地方志的工作之中。〔註 162〕

朱昭陽對於二二八的想法是——官逼民反，但在事發當下，朱昭陽人在鄉下，並沒有參與二二八事件，但是他所創辦的延平學院，在事變中被迫關閉，並且政府持續搜捕學校的負責人，當時朱氏躲在他妹妹家將近一個月，直到白崇禧來臺宣慰，方敢回家。他感慨到：「我假如不是丁憂回家奔喪，在他們進行搜捕時，我可能就跟林茂生教授的下場一樣，難逃浩劫」。〔註 163〕1948 年，朱昭陽經由時任省政府秘書處主任秘書羅理的推薦，進入合作金庫

〔註157〕蔡培火，〈巡視臺中市臺中縣報告存稿〉，收錄於張漢裕主編，《蔡培火全集（四）政治關係——戰後》（臺北：吳三連史料基金會，2000），頁 223。

〔註158〕蔡培火，〈巡視臺南縣報告存稿〉，收錄於張漢裕主編，《蔡培火全集（四）政治關係——戰後》（臺北：吳三連史料基金會，2000），頁 145。

〔註159〕謝國興，《亦儒亦商亦風流——陳逢源》，頁 242。

〔註160〕謝國興，《亦儒亦商亦風流——陳逢源》，頁 263～280。

〔註161〕葉榮鐘，《少奇吟草》，頁 184。

〔註162〕鄭鳳雀，〈黃純青及其詩作研究〉（臺北：東吳大學中文系碩士論文，2014），頁 73～76。

〔註163〕朱昭陽口述、吳君瑩記述、林忠勝撰述，〈朱昭陽回憶錄〉（臺北：前衛，1994），頁 106。

擔任常務理事。〔註164〕1949 年 9 月 23 日，因「新生臺灣建設研究會」成員
李中志，被告發叛亂一案，朱昭陽受到牽連，拘押於於西門町東本願寺地下
室，度過百日黑牢，他並被彭孟緝要求登報解散已經不存在的「新生臺灣建
設研究會」。朱昭陽回憶道，這段剛好百日的無妄之災，對他留下難以忘懷的
傷痛。〔註165〕

其他人在二二八當下是如何看待此次事件呢？楊基振在 2 月 28 日當日，
在華南銀行二樓觀看專賣局被焚燒的情形，他的想法如日記中所載：

> 我們雖連處理委員會都沒有出席，但心中強烈期盼臺灣政治的革
> 新！回顧滿州國成立不久，……。但今天臺灣官吏徒居高位、尸位
> 素餐，滿腦子淨是自己的榮達富貴與貪念私利，想想異族日本人對
> 漢民族的態度，在看身爲同民族的外省人對待臺灣同胞的模樣，兩
> 相對照，不禁感慨無量地掉淚。〔註166〕

1946 年 6 月 18 日楊基振回到臺灣，他對於戰後臺灣滿目瘡痍的景象，感到相
當驚心，從上述引文可以看出，他回來之後，對於行政長官公署相當不滿，
深切期盼臺灣可以達成政治上的改革，因此筆者認爲，就這點而言，他與吳
新榮一樣支持這次事件。但是他在日記中提到，因他在東北時發生的事件導
致其妻逝世，使他沒有心思再次跳進此次漩渦之中，因此他是採取旁觀的態
度，看待臺北發生的事情。

楊基振在事件中無所作爲，不過他在日記中曾提及，他對於白崇禧以政
府代理者之姿廣播放送，將事變的原因歸咎於五十一年來的奴化教育，以及
後來的陳儀留任請願運動等問題，感到相當感慨。〔註167〕他認爲在二二八之
後，應該要有一流的臺胞參與政治，他自己也透過關係進入公職，擔任薦任
一級的交通處督察，雖然他曾多次提到自己痛恨國民黨政府，可見此時他的
內心應該相當矛盾，但是他依然進入政府體系，他的理由是他想藉這個地
位，達成他想結婚的目的。〔註168〕

〔註164〕黃秀政、蕭明治，〈二二八事件的善後與賠償——以「延平學院復校」爲例〉，
《興大歷史學報》第 12 期（2008 年 8 月），頁 141。
〔註165〕朱昭陽口述、吳君瑩記述、林忠勝撰述，〈朱昭陽回憶錄〉，頁 101～120。
〔註166〕楊基振著、黃英哲、許時嘉編，《楊基振日記》（臺北：國史館，2007），頁
252。
〔註167〕楊基振著、黃英哲、許時嘉編，《楊基振日記》，頁 252～253。
〔註168〕楊基振著、黃英哲、許時嘉編，《楊基振日記》，頁 253。

　　楊肇嘉當時人在上海，是透過報紙才得知二二八事件，包含他在內的臺人旅滬團體，均感到相當憂慮，如同他在回憶錄所言：「我在上海眼看著剛歸回祖國懷抱的這一片安寧土地，若像報紙登載地那樣繼續混亂下去，臺灣大有從此陸沉之勢」。〔註169〕由此可見，在外地的臺灣人聽聞此事後，亦感憂心。當時楊肇嘉剛出獄，但仍前往南京陳情，請願書中有一條：「請政府速派能代表政府並得臺胞信仰的大員前往宣慰。」〔註170〕其後，白崇禧要求他們先行赴臺，但是前一章已提及，由於楊肇嘉曾經直接衝撞行政長官公署，當他抵達臺北後，雖然接待人員很客氣地將他們接至臺北賓館，但是名為保護的衛兵，卻又密切監視他們，對待他們的方式類似軟禁，〔註171〕同時也阻止他們與外界見面，因此他們的任務沒有辦法達成，只能在隔天搭乘原班飛機回去。事實上，當天國府的二十一師已經開抵臺灣，臺灣當時正處於大肆鎮壓、逮捕與屠殺的情況，整個臺灣的情勢相當危險。〔註172〕

　　楊肇嘉的政治理念，從其回憶錄可看出端倪。1947年底，《馬尼剌公報》〔註173〕提出臺灣自決，他斥其為荒謬，認為：「臺灣永為中國領土，臺灣人盡屬黃帝子孫，臺胞絕無脫離祖國傾向。」〔註174〕但是楊肇嘉曾與雷震談過二二八事件，提及：「二二八時期，臺灣知識分子被殺了有一萬七千五百人，三十年亦補不過來。」〔註175〕同時，洪可均提到，回憶錄中對於二二八的論述，是顧及當時環境，諱言其實的結果。〔註176〕筆者認為從回憶錄的記載來看，他雖然並不是一昧的支持國民黨政權，但至少表面上仍舊與國民黨政府站在一起，對於祖國的統治，仍然是採取認同的情況。楊肇嘉在1950年代後就任民政廳長，對於土地改革的推動不遺餘力，解決了當時頗為複雜的業佃問題。

〔註169〕楊肇嘉，《楊肇嘉回憶錄》（臺北：三民，2004），頁366。

〔註170〕楊肇嘉，《楊肇嘉回憶錄》，頁367。

〔註171〕楊肇嘉，《楊肇嘉回憶錄》，頁367～368。

〔註172〕周明，《楊肇嘉傳》（南投：臺灣省文獻委員會，2000），頁136～137。

〔註173〕係指馬尼拉公報（Manila Bulletin），創刊於1900年，為菲律賓最悠久之報紙。「馬尼拉公報中文網」，網址：http://mbcn.com.ph/，查詢日期：2016年7月1日。

〔註174〕楊肇嘉，《楊肇嘉回憶錄》，頁368。

〔註175〕雷震，《雷震全集（40）第一個十年（八）（雷震日記）》（臺北：桂冠，1990），頁301。

〔註176〕洪可均，〈《楊肇嘉回憶錄》中的虛與實——國家、民族與家庭情感的纏結〉，《臺灣史料研究》第41期（2013年6月），頁56。

二、綜合論述

　　綜合來看，二二八事件中，林獻堂當下對事變的態度，反應並不太明顯，吳新榮則是歡欣鼓舞，不過他們在應對上都是採取相對保守的態度，兩人不約而同對於外省人有所救助。吳新榮較爲熱心的維持地方穩定，對於暴動或者是武裝行動則較爲保守；林獻堂對於當下的時局，筆者認爲是採取觀望，這可以從其性格看出，王振勳在〈林獻堂的性格與人格之研究〉中曾經提到，林獻堂在處理衝突或危機事件時，時常是採取時間換取空間的作法。〔註177〕事變發生後，吳新榮熱心參與地方處委會的活動，甚至成立維持治安的隊伍，反觀林獻堂對於地方處委會內部的不安程度，卻是日益提高，尤其到後來他認爲臺中地區的處委會內部紛亂不堪，會被共產黨利用，因此林獻堂只是應付性的送了些東西過去，在整起事件中並沒有特別的行動，主要仍然是在觀望。幾乎所有的菁英對於事件發生的原因，都不約而同的指向行政長官公署施政的失敗，因此造成社會動盪不安，也讓民怨累積到爆發，同時都提到社會上好事份子的藉機鬧事，以及外省人還有軍隊對於民間的傷害，因此對於社會現況的看法，筆者認爲他們是相同的。

　　林獻堂在事後對於殘局的收拾盡心盡力，做了許多事，例如代表臺灣人道歉，以及對當時來臺處理善後事宜的白崇禧說明原因等等。由此可以看出他努力的目的，依然還是在維持社會的安穩與拯救受害的人們，可以了解他主要心思是放在輔助社會的角度上。事變之後，林獻堂被任命爲省府委員以及臺灣省通誌館館長，雖然是閒職，但是相較吳新榮的際遇，算是還可以。吳新榮在事變當下努力維持地區上的安寧，對穩定地方有相當大的貢獻，但是最後清算時，卻遭遇牢獄之災，但因曾救助外省人，在他自新時，對他自身的辯護，有相當大的加分作用，他在回憶錄中曾提及，他可以自新跟此事有相當大的關係。不過當吳新榮自新出獄後，卻已經心灰意冷，主要的心思是回歸家庭生活。筆者認爲，會有前述差別，首先是因爲在事變當中，林獻堂並沒有直接參與二二八事件處理委員會的工作，尤其他對於臺中地區的處委會，有一定程度上的不信任，因此他在事變中，並沒有特別的行動。

　　同時，絕大多數的菁英在二二八事件發生時，都對臺灣感到相當憂慮，而事件的背景與原因主要是上一章所講的戰後行政長官公署對臺灣的統治失

〔註177〕王振勳，〈林獻堂的性格與人格之研究〉，《朝陽人文社會學刊》第 5 卷第 2 期（2007 年 12 月），頁 51。

當所致。菁英們事後的遭遇並非只與他們在二二八當下的行動有關，陳炘、林茂生、黃旺成對於參與二二八事件的參與，雖然並不深入，但是卻分別因為大公信託與《民報》的問題，挑戰了陳儀的權威，因而遭受牽連。同時，蔡培火在整起事件中，選擇擁護國民黨政權，與林獻堂相同，國民黨也給了他酬庸性的官職，被放置在位高無權的地位。在楊肇嘉的遭遇方面，他的回憶錄經過考證後，顯示他的立場並不如書中所說得如此忠黨愛國，但是可以看到他希望能為事變後的殘局盡一份力，不過卻遭遇來自陳儀政府的阻饒。整體而言，從林獻堂、蔡培火與楊肇嘉在這段時間的境遇看來，此時的國民黨對於臺灣知識分子仍感不放心。

　　林、吳兩人對於臺灣政局的觀察，與二二八事變中，處理委員會所提出的主要訴求──「省政改革」相符合。但是我們可以看到，不少菁英其實都希望可以有更多臺灣人參與臺灣的政治，例如陳炘、楊基振等人，都曾提出相似的看法，後來政府的改變，也如同前言所述，開始往這個方向前進。林獻堂在事件之後，其實對於政治還有一定的熱忱，只是他並不得志；吳新榮則消沉了一陣子；林茂生與陳炘，卻在這個風波中，失去了他們的生命，從中也可以看出，其實政府對於舊有的傳統社會中堅力量，是不信任與害怕的。

　　從後續的發展觀之，關於土地政策，林獻堂深受土地改革的傷害。王振勳曾說：「傳統仕紳是封建統治政權下政治制度不斷發展的產物，是地方安定與政令貫徹的主幹力量，同時也是官僚集團的後備力量。而林獻堂在霧峰地區大至臺灣農村社會的權力結構中具有超然地位。」〔註178〕土地改革對林獻堂而言，是拔掉他可以做為臺灣菁英代表的最重要後盾，三七五減租的實施，如同前文所說的將他推到人民的對立面，但是林獻堂對於土地改革並非抱持反對的態度，是因政府過於剝削地主，他才對此政策有所抱怨。至於吳新榮，考量到吳的職業是醫生，因此土地政策對他來說並沒有直接的衝擊，但是他也看到政策執行時，有些不足之處，因此造成社會的摩擦，但是筆者認為他還是支持這項政策，原因在於他在預先構思的參選政策中，將土地改革的部分放進他的政見裡。對比之下可以發現，二人對於土地改革的想法，都是採取認同的態度，只是政府執行時產生的問題，造成他們有些怨言，林獻堂主

〔註178〕王振勳，〈林獻堂的土地經營與業佃關係研究〉，《止善》第 4 期（2008 年 6 月），頁 67。

要是因為剝削地主的問題，認為政府對地主們並不寬容，只是一昧的剝削地主來討好民眾，吳新榮則是看到了政策在執行時的摩擦。

　　加入其他菁英的想法來看，蔡培火、黃旺成、吳新榮與楊肇嘉，對於土地改革都是抱持贊成的態度，認為這是於民有利的做法。林獻堂也不反對這項政策，只是認為收購價格太過於低賤，才會有所怨言。蔡培火與黃旺成，均支持三七五減租的施行，只是他們都看見穀賤傷農之問題，希望政府可以提高糧食價格，以達成農村富足的目的。楊肇嘉擔任民政廳長時，也著手處理這些實施上所遭遇到的問題。整體而言，這些人對於土地改革政策，大多是採取認同的態度，只是在實行過程中，有許多不足之處，因此他們對於政策執行上，有所不滿。

　　最後，這些臺籍菁英並沒有人在此時期主張臺灣獨立，至多只有希望可以有更多臺灣人加入政府與參與政治活動。遇害的菁英不是參與了二二八事變地方處委會，就是曾經在事變前批評、衝擊過陳儀政府，才被列為清肅的對象。在事變結束後，他們專注的事物不同，但是大多對於政治轉趨冷淡，例如黃旺成不再公開發表評論政府之話語，吳新榮一度在縣議會低調行事，等到地方自治推行之後，才再燃起一定的信心。下一章所要討論的，是這些菁英們在 1950 年代，採取何種方式，面對中華民國政府遷臺後的政治情況。

第四章 中華民國在臺灣：臺灣局勢與菁英們的內心演變（1949～1955）

　　1949 年 10 月 1 日，中共建政，12 月中央政府遷臺，中華民國在國際上的地位開始岌岌可危，一直支持蔣介石政權的美國，也在 1950 年 1 月公開宣示要袖手旁觀，等待塵埃落定，但是美國內部對於將中國與臺灣分離的想法不曾消失過。〔註1〕其實早在 1949 年 6 月，美國就已經提出由聯合國處理臺灣問題的「託管」政策，此議題爭論了很長一段時間，同時也在討論中華民國是否可以代表中國的問題，這些都顯示這個時期的中華民國，國際地位處於風雨飄搖之中。〔註2〕

　　1950 年 6 月 25 日韓戰爆發後，〔註3〕杜魯門宣布實施派第七艦隊協防臺灣的「臺海中立化」政策，雖然這是美國不希望戰火蔓延到朝鮮半島以外地區所做出的政策，但是不可否認的是，此政策也讓臺灣有喘息的空間，同時也重新拉近美國與臺灣之距離。不過，此時臺灣的歸屬，美國不願意讓它明確，因此造成了臺灣未定論，而未定論就是臺海中立化最主要的依據。〔註4〕該年年底中共參戰後，以美國為首的聯合國軍隊，在朝鮮逐步失利，雖然華府仍不願意讓中共接管臺灣，但是態度已經開始動搖，在與中共和談的過程中，中共要求美軍完全離開臺灣，讓臺灣地位更加危險。到了 1951 年初，戰

〔註 1〕 王文隆，〈國際參與的調整〉，收於呂芳上主編，《戰後初期的臺灣》（臺北：國史館，2015），頁 410～411。
〔註 2〕 張淑雅《韓戰救臺灣？解讀美國對臺政策》（臺北：衛城，2011），頁 62～83。
〔註 3〕 許介鱗，《戰後臺灣史記》（臺北：文英堂，2008），頁 160。
〔註 4〕 張淑雅，《韓戰救臺灣？解讀美國對臺政策》，頁 84～103。

爭狀況轉爲對聯軍有利，華府態度轉爲強硬，促使對臺政策更爲堅定，因此在 1951 年 1 月，決定重新恢復對臺的軍援，二月簽署「中美互助協定」，〔註5〕雖然美援始終以國民黨政府改革做爲交換條件，不過此時蔣政權也有做出回應，在 1949 年底任命親美的吳國楨爲臺灣省主席，並啓用更多的本省人才，因此美國可以感受到臺灣方面的誠意。〔註6〕1952 年，美方對臺灣的態度，是希望可以建立一個能對中共施壓的反共力量，國民黨也證明自己是有價值的資產，因此華府認爲，臺灣保留做爲中國的一部分，可以用來吸引反共華人的支持。1953 年，艾森豪政府上臺後，美國的方針改以符合美國利益爲主，臺灣政府也相當害怕最終會被託管或者是交還中國，到了該年 7 月 23 日，正式簽署了停戰協議。〔註7〕

韓戰結束後，中共與臺灣在沿海地區的島嶼持續交戰，中共在 1954 年 9 月 3 日發動對金門的砲擊，雖然此舉是在試探臺灣與美國之間的關係，不過也促成「停火案」的出現，停火案提供了中臺分離的機會，雖然最後仍然無疾而終，但是也代表對於臺灣脫離中國的討論，其實並沒有停歇。〔註8〕砲擊事件同時加速「中美共同防禦條約」的簽署，美國想利用防約的簽署來促使蔣介石同意這項停火案，但是卻引發中臺雙方的反彈，最後在 1954 年底正式簽署防約，美國希望可以藉此嚇阻中共的軍事試探。〔註9〕不過，防約的簽訂，卻讓中國決定在 1955 年 1 月 18 日，攻打一江山島，引發第一次臺海危機。此時美國勸蔣介石放棄大陳島與舟山群島，同時也在公開場合表示會協防金門，中美臺一度進入武力對抗的邊緣，直到 1955 年美國開始考慮使用核武來解決臺海問題後，促使中共改採和平外交的方式以緩和情勢。同時，萬隆會議的召開，給予中共一個可以反對英美設計的聯合國框架，又可以排除美蘇與解決兩個中國困境的舞臺，此會議明確界定只有亞非國家可以參與，中共在會議中採取一系列的外交手段而取得成功，使得美國在萬隆會議之後不得不與中共展開談判，中共也藉由會議凝聚了一個新興的勢力與美國抗

〔註 5〕 周湘華，《遺忘的危機——第一次臺海危機的眞相》（臺北：威秀，2008），頁 82。
〔註 6〕 張淑雅，《韓戰救臺灣？解讀美國對臺政策》，頁 156～182。
〔註 7〕 張淑雅，《韓戰救臺灣？解讀美國對臺政策》，頁 183～252。
〔註 8〕 張淑雅，〈安理會停火案：美國應付第一次臺海危機策略之一〉，《近代史研究所集刊》第 22 期（1993 年 06 月），頁 71～86。
〔註 9〕 周湘華，《遺忘的危機——第一次臺海危機的眞相》，頁 133～140。

衡，最終開啓了中美高層的接觸。〔註10〕

　　由於國際情勢緊張，國民黨爲了維持内部穩定，實行諸多改革。首先，在二二八事件之後，白崇禧宣示要提前舉行縣市長民選，1950 年調整地方行政區域時，又將臺北市和高雄市升格爲與臺灣省平行之院轄市。省主席與院轄市長在 1994 年以前是採取任命制，縣市以下的層級才由人民選舉產生。由於上級政府對下級政府權限的侵奪，加上民意機關的權限與決議，往往不受行政機關尊重，因此整體而言，還是屬於中央集權的狀態。〔註11〕

　　其次，在内部控制上，也下足了功夫。1949 年底，國民黨政權撤退來臺灣後，到 1950 年代末期爲止，是白色恐怖最爲嚴峻的年代，當時政府頒佈戒嚴法與動員戡亂時期臨時條款，並利用爲數眾多的情報特務機關，來對付島内所謂的共產黨份子與臺獨份子。以戒嚴法而言，臺灣警備總司令部有權限制人民自由，可掌管戒嚴地區行政事務與司法事務。1949 年通過「懲治叛亂條例」，對於人權的傷害甚大，如著名的刑法 100 條等法律，在審理上因爲是違反「懲治叛亂條例」，因此涉案人員難以得到應有的人權保障。1950 年立法院又修訂「懲治叛亂條例」，擴大範圍，同時加強軍、警、憲、特的權力。1958 年，原臺灣省防衛總司令部、臺北戍衛司令部、臺灣省保安司令部與臺灣省民防司令部，合併改組爲臺灣警備總司令部，從此以後，警備總司令部與調查局便是執行白色恐怖的主要機構。〔註12〕

　　除卻控制手段，在攏絡民心上，國民黨政權亦相當用心，延續 1949 年 1 月開始施行的三七五減租條例，第二個階段是 1951 年實施公地放領，5 月 30 日立法院通過「臺灣省放領公有耕地扶植自耕農實施辦法」，6 月公布施行。該辦法以公地原承租耕農爲主要對象，其次爲雇農、佃農、半自耕農與轉業爲農者。這項政策終結政府與承租民的租佃關係，讓農民取得土地所有權。第三階段是「耕者有其田」，1952 年 1 月到 1953 年 4 月間，進行全省地籍總歸戶，讓同一所有權之土地歸於一戶之下，使每個地主的土地都有記載且無法隱瞞，規定地主得保留中等水田 3 甲、旱田 6 甲及免徵耕地，其餘超額的出租耕地，皆由政府有償徵收，共徵收 14 萬 3,566 甲的佃耕地。前述政策使

〔註10〕周湘華，《遺忘的危機——第一次臺海危機的眞相》，頁 149～230。

〔註11〕薛化元，〈一九五〇、六〇年代官方改革主張的探討〉，《政大歷史學報》第 21 期（2004 年 05 月），頁 246～254。

〔註12〕侯坤宏，〈戰後臺灣白色恐怖論析〉，《國史館學術集刊》第 12 期（2007 年 06 月），頁 145～148。

臺灣總耕地面積的佃耕比由 1949 年的 41%下降到 1961 年的 10%。〔註 13〕這些攏絡民心的政策，使得中華民國在臺灣的地位得以穩固。

　　從上述敘述得以看出，中華民國遷臺後，外部國際情勢相當緊張，讓本土菁英對於臺灣未來的定位，有了相當多的想像空間。同時，又面臨中共威脅，因此促成政府對內採取諸多手段，以穩固政權，其中白色恐怖造成眾多冤獄與人命死傷。在攏絡民心方面，土地改革對於農民而言，是一項利多的政策，但是回過頭來看，對於地主而言也是場災難。地方自治推行方面，雖然地方政府的權力並不大，但是對於在野的菁英而言，仍提供一條可以伸展抱負的道路。其後談及的林獻堂與吳新榮，在這樣的環境背景之下，亦有相當多不一樣的想法與不同的選擇方式。

第一節　林獻堂的赴日與期待

　　1949 年林獻堂出發前往日本，不論其動機是否真爲養病，但從他之後一直到 1955 年的日記，可以看出他的身體狀況確實非常糟糕，不過他對於臺灣這塊土地的關心，卻始終沒有減少，如同他在 1949 年冬天所寫的〈步文芳君冬日雅集原韻〉〔註 14〕一詩：「軍政紛紜似亂絲，黎民飢餓苦安之？波濤萬里重洋隔，欲吐哀音只賦詩。」廖振富對此詩的解讀是：「首句點出國共內戰、時局紛擾不安的事實，次句關心民眾在亂世中的受苦無助。後兩句則寫自身漂泊日本，只能吟詩寄託哀音。最後一句更可說明獻堂晚年詩的基調」。〔註 15〕本節所討論的就是，林獻堂在日本居住時期，臺灣雖處於內憂外患狀態，但是他所能做的事情卻也不多了，雖然他相當關注臺灣各種時事與獨立黨，但是他卻不想參與任何的政治活動，自身也謹言慎行。以下即敘述林獻堂當時對於臺灣這塊土地的想法與關懷，以及對於臺灣未來的期待。

一、赴日不歸之原因

　　關於他赴日不歸的原因，在日本照料林獻堂生活起居的林瑞池提到，林

〔註 13〕何鳳嬌，〈戰後初期的土地接收與公地放租〉，收於呂芳上主編，《戰後初期的臺灣》，頁 359～361。
〔註 14〕林獻堂先生紀念集編纂委員會編，《林獻堂先生紀念集：遺著》（臺北：海峽學術出版社，2005），頁 41。
〔註 15〕廖振富，〈林獻堂詩與近代臺灣〉，《竹塹文獻》第 13 期（1999 年 11 月），頁 132。

獻堂原本打算去日本治療疾病，休養數月後就回臺，不過 1949 年 11 月 8 日，劉啓光告訴他蔣渭川提了三十人的名單給蔣介石，說這些人有害於臺灣，林瑞池與林獻堂都在這份名單裡，雖然林獻堂沒有特別說甚麼，但是難免會受到影響。〔註 16〕其後，1950 年林獻堂寫下詩作〈次鏡邨氏鎌倉唔談有感原韻〉〔註 17〕：

> 歸臺何日苦難禁，高論方知用意深。
>
> 底事弟兄相殺戮，可憐家國付浮沉。
>
> 解愁尚有金雞酒，欲和難追白雪吟。
>
> 民族自強曾努力，廿年風雨負初心。

首句說鄉愁之苦幾乎難以承受，三、四句是說明爲何遲遲未歸，弟兄相殺戮一句，廖振富認爲可能是指二二八事件中，政府對臺灣民眾之殘暴虐殺，亦有可能是指國共內戰，使得臺灣處在激烈動盪狀態。最後兩句則是指林獻堂在日治時期，爲了要求設立臺灣議會，奔走了近二十年，沒想到回歸祖國之後，反而變成一場幻夢。〔註 18〕從此詩可以看出，臺灣政治上的紛紛擾擾，讓他感到心灰意冷。

　　1950 年 2 月 26 日，林獻堂聽聞其侄林正亨被槍決，在日記中提到：「文蔚述正亨之慘死、美齡之募集寄付、CC 與軍統之爭、蔣總裁之建築別莊，使人聞之可笑者亦有，可恨者亦有」。〔註 19〕可見他內心相當煎熬，同時也表達出對於蔣氏政權的不以爲然。同時，許多人都勸他切勿歸臺，例如 1950 年李文蔚告訴他：「勿歸臺灣，歸即恐不能復出矣」。〔註 20〕加上又有國民黨政權要暗殺他的傳聞，〔註 21〕如此不免讓他加強留日的念頭。〔註 22〕而且從臺灣傳來的消息都相當的恐怖，1951 年 8 月 26 日之日記寫道：

〔註 16〕〈林瑞池先生訪問紀錄〉，收於許雪姬編著，《霧峰林相關人物訪談紀錄（頂厝篇）》（臺中：臺中縣立文化中心，1998），頁 172。

〔註 17〕林獻堂先生紀念集編纂委員會編，《林獻堂先生紀念集卷二：遺著、詩集》，頁 29～30。

〔註 18〕廖振富，〈林獻堂詩與近代臺灣〉，頁 133～134。

〔註 19〕林獻堂著，許雪姬等編，《灌園先生日記（二十二）一九五〇年》（臺北：中研院近史所、臺史所，2012），頁 89。

〔註 20〕林獻堂著，許雪姬等編，《灌園先生日記（二十二）一九五〇年》，頁 89。

〔註 21〕林獻堂著，許雪姬等編，《灌園先生日記（二十二）一九五〇年》，頁 403。

〔註 22〕楊淑珺，〈時代創傷與世局觀照——林獻堂晚年留日詩作及日記探微〉（臺中：中興大學臺文所在職專班碩士論文，2014），頁 30。

> 五時賴國標夫婦導楊宗城來訪，他非爲金海傳言，實爲垂楷〔凱〕
> 之妻秀麗所囑，告余勿歸也。言前日憲兵、警察誤聞先生歸去，包
> 圍飛機場，似此形勢，請緩歸爲妥。宗城亦頗贊成其說云，留之晚
> 餐後，乃歸去。與瑞池同出散步，他仍極力勸余勿歸，余頗爲所
> 動。〔註23〕

從上述引文可看出，林獻堂在聽到這些傳言時，對於歸臺之事，有相當程度
的擔憂。當時李友邦雖是陳誠親信，但在 1952 年涉入匪諜案被槍決，林瑞池
在訪談錄中轉述林獻堂的說法：「陳誠如此有力還保不住李友邦，如果他回去
還會有保障嗎」？〔註24〕這些事件均使林獻堂有所懼怕，更使他對於回臺這
件事情顯得躊躇不決。

二、對政府之看法與自身的政治理念

　　林獻堂對於蔣介石不抱好感，1950 年 2 月 28 日，蔣介石宣示要復行視
事，林獻堂在日記中寫到：「蔣總裁宣言三月一日總統復職，然軍事、政治俱
在其掌中，有復職與無復職皆相同，何必多此舉」。〔註25〕黃富三提及，他在
表面上尊敬蔣介石，內心實甚爲厭惡。〔註26〕其次，林獻堂對於國民黨政權
的想法，可以從 1955 年 10 月 14 日，蔡培火勸林獻堂歸臺一事中看出，當時
林獻堂因感不耐，故說出了他心中眞正的理由：

> 乃實告之曰，危邦不入，亂邦不居，曾受先聖人之教訓，豈敢忘之
> 也。臺灣者，危邦、亂邦也，豈可入乎、居乎。非僅危亂而已，
> 概無法律，一任蔣氏之生殺與奪，我若歸去，無異籠中之雞也。
>
> 〔註27〕

他認爲臺灣已經變成危邦與亂邦，回到臺灣等於落入了蔣介石手中，生死由
他，因此在這種情況下，林獻堂明確的表達對於蔣政權的厭惡，此結果更讓

〔註23〕林獻堂著，許雪姬等編，《灌園先生日記（二十二）一九五一年》（臺北：中
　　　　研院近史所、臺史所，2012），頁 315。

〔註24〕〈林瑞池先生訪問紀錄〉，收於許雪姬編著，《霧峰林相關人物訪談紀錄（頂
　　　　厝篇）》，頁 173。

〔註25〕林獻堂著，許雪姬等編，《灌園先生日記（二十二）一九五〇年》，頁 92。

〔註26〕黃富三，〈林獻堂與三次戰爭的衝擊——乙未之役、第二次事件大戰、國共內
　　　　戰〉，《臺灣文獻》第 57 卷第 1 期（2006 年 3 月），頁 31。

〔註27〕林獻堂著，許雪姬等編，《灌園先生日記（二十七）一九五五年》（臺北：中
　　　　研院近史所、臺史所，2013），頁 473。

蔡培火不敢再勸下去。

　　另一方面，從其日記，也可以看到林獻堂的政治想法與做法，筆者認為他所關注的焦點，主要是為了臺灣這塊土地著想，例如 1950 年 9 月 8 日及 1952 年 1 月 29 日與 7 月 10 日日記：

> 北京政府亦欲將臺灣之問題解決於國聯也，此信傳來，聞之甚喜，臺灣可免國共之戰爭矣。〔註28〕

> 廖、黃、藍使歐起草反對日本、國府修好條約。余勸其勿反對國府與日本結親善之條約，於臺灣亦無害，不結亦無益，何用反對為也。〔註29〕

> 聞謝南光前月往香港，將以入北京為赴毛澤東之召也，想欲使其為地下工作也。若然，必不以武力進攻臺灣，臺灣人民得免兵火之災，可云幸矣。〔註30〕

前述引文可看出，林獻堂是以臺灣為主體著想，以臺灣能免去戰爭為幸，並不在意國民黨政府或美國的利益，尤其在結束臺海危機的萬隆會議開會後，中國方面宣布在臺灣地域之緊張、緩和問題，會與美國交涉，林獻堂從新聞得知後，表示因過於歡喜，心臟暴跳，幾不能支焉。〔註31〕因此筆者認為其主要仍是以臺灣為最主要的考量，他並不在意政府如何，只希望臺灣可以免於戰火、免於威脅。而且他的政治理念始終沒有變過，其孫林博正的口述記錄中提到，蔡培火跟林博正說到，蔡去日本勸林獻堂歸臺時，林獻堂提出了一個不可能被接受的條件，假如蔣介石肯啟用臺籍人士，他便回去。〔註32〕這也代表林獻堂心繫的仍然是臺灣人在政府中的地位，也代表林獻堂「臺人治臺」的政治理念依舊沒有任何改變。

三、韓戰爆發與臺灣託管之期待

　　韓戰爆發之後，林獻堂相當關切國際局勢，尤其注意臺灣的未來，其日

〔註28〕林獻堂著，許雪姬等編，《灌園先生日記（二十二）一九五〇年》，頁 313。
〔註29〕林獻堂著，許雪姬等編，《灌園先生日記（二十四）一九五二年》（臺北：中研院近史所、臺史所，2012），頁 42。
〔註30〕林獻堂著，許雪姬等編，《灌園先生日記（二十四）一九五二年》，頁 275。
〔註31〕林獻堂著，許雪姬等編，《灌園先生日記（二十七）一九五五年》，頁 214。
〔註32〕〈林博正先生訪問紀錄〉，收於許雪姬編著，《霧峰林相關人物訪談紀錄（頂厝篇）》，頁 105。

記中，關於最新戰事的記載相當多，從其中可以看出他對臺灣未來的期待。
美國派出第七艦隊協防臺灣後，林獻堂在日記中寫道：

> 杜爾〔魯〕門大總統命第七艦隊防衛臺灣，並勸告國府當局中共防
> 共之軍事工作。美自來要干涉臺灣而無機會，今有北鮮之侵南韓，
> 乘此機會以防共産黨之侵略，而應臺人託管之希望。〔註33〕

可見林獻堂希望美國可以藉此機會托管臺灣，臺灣便可以達成「臺人自治」
的目的。1951 年 10 月 8 日，林獻堂在王金海勸他歸臺時說道：「余告以歸去
問題不能如其所請，於十一月臺灣將提出託管於國聯，必有一番之變革也」。
〔註34〕從中得以看出，林獻堂對於託管問題相當有信心。1952 年 7 月 10 日
中更說道：「休戰會談解決之後，臺灣託管必將實現耶。」〔註35〕他相信韓戰
結束之後，臺灣託管即可以實現。

　　同時，林獻堂對於中華民國的未來，也不抱任何期望，例如 1953 年 4 月
13 日所示：

> 二時南鵬至，……。他言近日新聞紙上報導，臺灣託管問題甚盛，
> 意欲提出臺灣獨立於國聯，先生之意見如何。余謂提出亦可以，但
> 不可攻擊國府，因其地位已不能自保矣，無攻擊之必要也。〔註36〕

從引文可以看出，林獻堂在韓戰即將結束的 1953 年時，對於先託管後達成獨
立的說法，依然抱持相當樂觀的態度。至於中華民國，筆者認爲在林獻堂的
想法裡，已經難以自保，更像是已經不重要了。尤其在第一次臺海危機發生，
隨著「中美共同防禦條約」簽訂後，美國對於臺灣的控制更加強化，林獻堂
對於蔣政權的想法，如 1955 年 3 月 3 日與 18 日所示：

> 美國務長官ダレス〔註37〕往臺灣，本日會蔣總統，外間多料其勸告
> 放去金門、馬祖還中共。我想不僅此也，臺灣内政亦必諸多干涉，
> 不久定必政變。〔註38〕

> 中共攻金門、媽〔馬〕祖二島甚急之時，美國乘此機會與國府軍合

〔註33〕林獻堂著，許雪姬等編，《灌園先生日記（二十二）一九五〇年》，頁 232。
〔註34〕林獻堂著，許雪姬等編，《灌園先生日記（二十二）一九五一年》，頁 210。
〔註35〕林獻堂著，許雪姬等編，《灌園先生日記（二十三）一九五二年》，頁 275。
〔註36〕林獻堂著，許雪姬等編，《灌園先生日記（二十五）一九五三年》（臺北：中
　　　　研院近史所、臺史所，2013），頁 138。
〔註37〕美國國務卿杜勒斯（John Foster Dulles）。
〔註38〕林獻堂著，許雪姬等編，《灌園先生日記（二十七）一九五五年》，頁 123。

　　謀組織統合參謀部，……，而國府統合參謀部已成，將所有軍權盡
　　送於美國。前僅內政干涉，今及於軍權矣，蔣氏退出臺灣，當在不
　　遠矣。〔註39〕

從中可以看出，林獻堂他本身對於未來的期待是，美國佔領臺灣，同時完成
託管後，臺灣就可以如同菲律賓一般達到「自治」的目的；至於蔣政權的未
來，他認為前途一片灰暗，不需抱任何期望。

四、臺灣獨立想法與臺灣獨立黨

　　隨著託管問題的討論甚囂塵上，臺灣獨立也是一個緊隨而來的議題，對於
臺灣的未來，林獻堂在 1952 年 2 月 4 日之日記寫道：「希望獨立如菲律賓」，
〔註40〕這是他唯一一次在私下明確表達支持臺灣獨立。林獻堂對於臺獨的發
展多所關注，可是對於廖文毅等臺獨份子則是採取敬遠主義，1950 年 5 月 14
日的日記中寫道：「李勇志亦與陳〔按：陳哲民〕同來，他亦是獨立黨之一人，
余採敬遠主義」。〔註41〕就如同黃富三所言：「他對國府是不滿的，但是又不
能強烈表達立場，所以只好採取表面尊重國府而實際上保持距離的態度。至
於對於在日臺人政治團體的活動，則極度關心卻又不介入」。〔註42〕

　　從 1950 年開始，關於林獻堂來日本進行臺獨活動的風聲不斷：「《華僑民
報》，報導余之來日本蓋為獨立而來運動也。」〔註43〕罵他是臺奸，但是他卻
一笑置之。不過，他與臺獨人士，如廖文毅、黃南鵬等人來往甚為密切，而
且常相商問題，如 1950 年 10 月 8 日：

　　南鵬、順昌、振武十一時來，……，問其欲做新聞之宗旨何在。「蓋
　　欲喚起臺灣民眾認識世界大勢，共同團結以圖將來之獨立」。余告
　　以時機尚早，待十一月十五日託管問題通過，然後看事勢而行之。

〔註44〕

林獻堂同時也幫他們調解內部紛爭，1955 年 1 月 31 日，黃南鵬、謝祖輝拜訪
林獻堂，談到廖文毅並沒有擔任黨首的資格，他們打算脫離獨立黨，另外組

〔註39〕林獻堂著，許雪姬等編，《灌園先生日記（二十七）一九五五年》，頁 150。
〔註40〕林獻堂著，許雪姬等編，《灌園先生日記（二十三）一九五二年》，頁 51。
〔註41〕林獻堂著，許雪姬等編，《灌園先生日記（二十二）一九五〇年》，頁 180。
〔註42〕黃富三，《林獻堂傳》（南投：臺灣文獻館，2004），頁 196。
〔註43〕林獻堂著，許雪姬等編，《灌園先生日記（二十二）一九五〇年》，頁 3。
〔註44〕林獻堂著，許雪姬等編，《灌園先生日記（二十二）一九五〇年》，頁 346。

織獨立聯盟。林獻堂即勸告他們：「余勸其不可，黨員僅十餘人，不能團結而又分裂，真被人恥笑，大失信用也」。〔註45〕從此可以看出，林獻堂雖然沒有直接參與獨立運動，但是他對於獨立運動相當重視；獨立派人士也希望林獻堂可以出面領導，但是他並不願意。其後，發生林公望事件，使林獻堂對獨派人士抱持更大的戒心。

1955 年 2 月 2 日，〔註46〕廖文毅拜訪林獻堂，談及黃南鵬改組獨立聯盟，請林獻堂出任指揮之事，林獻堂回答他已年老，無法負此重任。6 日，黃南鵬持改組之後的黨綱與黨則前來，請林獻堂擔任領袖，但是林依然力辭。〔註47〕4 月 30 日的日記有以下記述：

> 昨日萩原、哲民來訪，萩原示余黃南鵬組織獨立聯盟，其主席林公望、副主席黃南鵬。余觀之甚為不快，前月黃曾言用此虛名，使世人認定此是老先生，必勇〔踴〕躍加入聯盟。余斷然拒絕之，謂用此欺騙手段以惑人，使我必受莫大之損害，若果行之，我必與汝絕交。五時南鵬與山縣初男來訪，晚飯後責南鵬何不聽余言，而以林公望之名加入，是欲使余落於陷井〔阱〕也，此後與汝斷絕往來。
> 他答語支吾，謂不日開會取消之，垂頭喪氣而歸。〔註48〕

看的出來林獻堂對於自己的名號被冒用，感到相當生氣，從另一個方面來說，林對於臺獨運動相當關切，但是為何不願意參與？主要是他覺得自己已年老，想遠離是非，此種心情從其詩作可略窺端倪，例如〈留東詩友會冬日雅集〉〔註49〕中寫道：

> 良朋俱健在，相見笑顏開。十載重逢日，三冬踐約來。
> 連兵悲故國，戡亂屬雄才。吾輩難為力，詩成酒一杯。

在十年未見的老朋友面前，林獻堂忍不住為臺灣命運感慨了一番，他認為自己不是平定亂世的雄才，自己也難以有所作為，對於現狀也無力回天，只好在遠方異鄉中喝酒作詩。〔註50〕筆者認為，林獻堂對於臺獨活動，內心有一

〔註45〕林獻堂著，許雪姬等編，《灌園先生日記（二十七）一九五五年》，頁 67。
〔註46〕林獻堂著，許雪姬等編，《灌園先生日記（二十七）一九五五年》，頁 73。
〔註47〕林獻堂著，許雪姬等編，《灌園先生日記（二十七）一九五五年》，頁 78。
〔註48〕林獻堂著，許雪姬等編，《灌園先生日記（二十七）一九五五年》，頁 225。
〔註49〕林獻堂先生紀念集編纂委員會編，《林獻堂先生紀念集：遺著》，頁 41。
〔註50〕楊淑珺，〈時代創傷與世局觀照——林獻堂晚年留日詩作及日記探微〉，頁 43。

定程度的支持，只是在經歷了戰後一連串的風波後，他了解到自己已無能爲力，只能對於獨立運動關切而已。另一方面，如同黃富三所言，他表面上對於蔣政權仍舊維持一定的禮貌，且與蔣政權人員的接觸亦屬頻繁，但整體而言，赴日後的林獻堂，在心態上只想歸隱山林、遠避世事。

　　不過，他的這種心態，在他晚年也讓他非常地不好過，葉榮鐘曾說到：

> 據我當時的觀察，老人家內心一定滿著懷鄉的意念，同時也有有家歸未得的苦衷。這兩種互相矛盾的意念，構成了深刻的痛苦，不時在他內心深處煎迫，使他的生活沉悶寡歡進而摧殘了他的生命根源。〔註51〕

林獻堂即在這種內心矛盾衝突的情況下抑鬱而終，1956 年 9 月 8 日病逝於日本久我山寓所。〔註52〕21 日，骨靈終於回到了臺灣。〔註53〕

第二節　吳新榮的參選與淡出

　　1949 年國民黨中央政府遷臺後，吳新榮的生活並不好過，他提到當時的臺灣經濟逼近破產關頭，一切理想與信仰都需接受考驗，浪漫的生活、虛無的人生、悲難的處世都又抬頭起來。他認爲他自己最好以不出門、不問世事與不聞道理爲生活法則。〔註54〕

一、對於政府政策與當下社會的看法

　　即使臺灣處於內外交迫的狀態，吳新榮對於中央政府起初進行的變革，卻抱持樂觀，如 1950 年 3 月 10 日日記所載：

> 自中央政府搬來臺灣以後，臺灣整個的歷史加添一頁了，之後臺灣省主席換吳國楨，臺北市長換吳三連，這是對內的佈置。最近蔣總

〔註51〕 葉榮鐘，〈杖履追隨四十年〉，收於葉榮鐘，《臺灣人物群像》（臺中：晨星，2000），頁 100。

〔註52〕 「本省耆宿林獻堂，於八日下午七時患心臟病及血壓高症，病逝日本。」〈臺耆宿林獻堂　病逝東瀛〉，《聯合報》，03 版，1956 年 9 月 10 日，03 版。

〔註53〕 【本報臺中二十一日電】「林獻堂骨灰今日下午七時許迎抵此間，係專車由海岸線而來。臺中市各界聯合設壇於市政府門前舉行路祭，繼由彰銀總行全體人員路祭後，即迎往霧峰林家安靈。」〈魂歸故里〉，《聯合報》，1956 年 09 月 22 日，03 版。

〔註54〕 吳新榮，《震瀛回憶錄》（臺北：前衛，1989 年），頁 279～280。

統又復職，陳誠繼任行政院長，這是對外的表現。自此臺灣這個小島在世界上的存在應該是輝煌的。〔註55〕

從引文可以看出，吳新榮對於中央政府所做的改變充滿期望。他亦認爲幣制改革與地權改革以及地方制度的實施，對當時臺灣的穩定，有一定程度上的貢獻。〔註56〕他對於政府的看法，可以從6月28日日記中看出：

美政府說臺灣未來的地位尚未決定以前，決定以第七艦隊「防止臺灣的任何攻擊」，這樣行動或者可以阻止臺灣的危險，以使臺灣免受戰火，但我們深恐臺灣將來的運命，對祖國有嚴重的影嚮〔響〕，我們永久主張臺灣是臺灣人的臺灣，也是中國人的臺灣了，爲此主張我願意犧牲我一生。〔註57〕

吳新榮所主張的「臺灣是臺灣人的臺灣，也是中國人的臺灣」，代表他心裡面所嚮往的仍然是中華民國政府爲主，但是他仍然對於臺灣的未來感到擔憂，在回憶錄中提到：「夢鶴〔註58〕想韓戰是另一個臺灣攻防戰，韓國人所受的戰禍是代替臺灣人的，而朝鮮問題的解決即是臺灣問題的解決。」〔註59〕他將南北韓的分立視爲中共與國民黨對例的翻版，由此可見，吳對於臺灣地位未定一事，感到相當憂心。此時期的吳新榮，他所支持的仍然是蔣政權。

對於社會現況，吳新榮又有不一樣的看法。前已提及，他認爲幣制改革與土地改革有助於穩定社會，但是舊臺幣四萬換一塊的作法，對於金融界雖然有一定程度的穩定作用，不過他認爲卻讓民眾感覺自己變窮了；而三七五減租，雖然對於農民相當有利，但是在施行上又發生相當多的矛盾與衝突。〔註60〕社會風氣方面，吳新榮提到，光復後一般的文化水準低下，有些民眾誤認光復就是復古，飲漢藥以爲光榮，甚至認爲生病找乩童與神明是國粹的發揚。同時有關當局以大陸的舊法則來臺灣施行，什麼甄訓、考試、手續，使得醫師證書滿天飛，弄到理髮師、藥店員、獸科醫一夜之間變成合格醫師。〔註61〕可見吳新榮對於臺灣的「光復」，有一定程度的怨言存在。

〔註55〕吳新榮著，張良澤編，《吳新榮日記全集1948～1953》（臺南：臺灣文學館，2008），頁120。
〔註56〕吳新榮，《震瀛回憶錄》，頁284。
〔註57〕吳新榮著，張良澤編，《吳新榮日記全集1948～1953》，頁137～138。
〔註58〕夢鶴是吳新榮在回憶錄中的自稱。
〔註59〕吳新榮，《震瀛回憶錄》，頁285。
〔註60〕吳新榮，《震瀛回憶錄》，頁284。
〔註61〕吳新榮，《震瀛回憶錄》，頁289。

二、文化人的良心追求——再次走入政治

　　筆者認為吳新榮此時期，對於中華民國仍有相當程度的認同，只是對於當下的社會情況有些許不滿，他原本想躲避世事，但是當他聽聞政府將施行地方自治後，他的英雄主義又再次出現，因此他在 8 月 10 日決定出馬參選縣議員，他給自己的理由是，他自認是一個文化人，應該要爭取機會來實現自己的政治良心，〔註 62〕他也提到了家族與朋友，都有人反對他再次參與政治，但是為了自己或鄉土著想，他決意要再次接觸這些事務，再次參選縣議員，同時他對自己的期望是可以建立真正的自治基礎，實現初步的民眾利益，進而走上省議員的道路。〔註 63〕由此可以看出，他對於國家的認同仍然是以中華民國為主，在此大架構之下，來達到他改變社會、造福鄉里的理想。

　　吳新榮在選舉時，所標榜的便是人格政治，反對權勢霸佔政治地位，他的理念如日記中所載：

> 這就是我欲競選縣議員的前夜，我已在臺南聽說競選的秘決〔訣〕
> 即是金錢，以後我就動搖我的信條【嗎？】我的信條就是：
> 第一、決不用金錢來獲得選票。
> 第二、決不用哀求來獲得支持。〔註 64〕

由此可見，他反對金錢政治，標榜以人格、政治理念來取得勝利。但是戰後的政治體質轉變，封建的地方勢力依舊，光憑磊落的人格與民主思想的理念，已經無法說服選民，〔註 65〕因此他此次的縣議員選舉，又再一次的失敗。他在失敗之後的檢討中，發現自己已經沒有辦法突破這些金權與封建地方勢力的作法，他提了多少好的政見卻不如一包香菸、一瓶米酒的實利，〔註 66〕他到後來也安慰自己這樣便可以遠離這些政治活動，轉而專心他文化人的工作。雖然林慧姃認為，吳新榮在二二八事變之後，便決定全面退出政治，〔註 67〕但是筆者認為，吳新榮內心仍然尚未放棄實現他的政治良心，仍然在努力地尋求機會，而在經歷了這次縣議員選舉的失敗後，他才認清他無

〔註 62〕吳新榮著，張良澤編，《吳新榮日記全集 1948～1953》，頁 137～138。
〔註 63〕吳新榮著，張良澤編，《吳新榮日記全集 1948～1953》，頁 150～153。
〔註 64〕吳新榮著，張良澤編，《吳新榮日記全集 1948～1953》，頁 163。
〔註 65〕林慧姃，《吳新榮研究》（臺南：臺南縣文化局，2005），頁 123。
〔註 66〕吳新榮，《震瀛回憶錄》，頁 296。
〔註 67〕林慧姃，《吳新榮研究》，頁 123。

法突破這些限制。早先二二八之後，吳三連參選國大，吳新榮仍然積極的參與政治活動，但是此次縣議員選舉之後，吳新榮對於後續其他選舉人尋求其支持，或者是勸進他再次參選省議員等聲音，均擺出消極的態度，因此這次選舉的失敗，對於吳新榮來說，是壓垮他實現政治理想的最後一根稻草。

三、投入文化工作

1951 年 5 月 6 日，吳新榮開始決心遠離政治活動，當日日記記載：

> 下午我剃鬚修甲洗頭淨體，燒香奉告神佛祖先，誓言自此以後我決【定】進入我一生的另一時代。在這時代我第一的目的是靜養，第二的目的是避難。當然自此初夏我已開始我靜謐的生活了，已不談政治，也不關世俗。〔註68〕

同時也寫下：「十年盟友尚按劍，不管他人屋上霜」〔註69〕用以自戒，顯示吳新榮已經決心要遠離政治，恰巧臺南市率先在 1951 年成立文獻委員會，在 1952 年 1 月 30 日石暘睢、楊熾昌、莊松林與賴建銘等人，前來佳里拜訪吳新榮，由他帶領這些文獻委員會的人，參訪佳里地區。〔註70〕同時，1952 年 1 月內政部函囑臺灣省政府轉飭各縣市應設立文獻委員會，以撰修地方誌書。〔註71〕7 月，臺南縣議會第五次大會通過成立縣文獻委員會。〔註72〕9 月 6 日文獻委員會籌備會在縣府召開，通過委員編制，除籌備委員 11 人均為委員外，另需聘任地方人士或專家 15 人。〔註73〕11 月 12 日吳新榮參加文獻委員會成立典禮，以地方人士身份擔任監委與編纂組長。〔註74〕

　　該會主要以修纂《臺南縣志稿》與《南瀛文獻》為主，吳新榮擔任《臺南縣志稿》的主編工作，他秉持著科學精神、掌握時代意義，呈現地方特色，在戰後的文獻工作中被賦予極高的評價。〔註75〕對於吳新榮而言，他可藉此脫離惱人的政治問題，投入最愛的文化事業，如同他自己所言：

〔註68〕吳新榮著，張良澤編，《吳新榮日記全集 1948～1953》，頁 191。

〔註69〕吳新榮著，張良澤編，《吳新榮日記全集 1948～1953》，頁 244。

〔註70〕吳新榮著，張良澤編，《吳新榮日記全集 1948～1953》，頁 247～248。

〔註71〕王世慶，〈參與光復後臺灣地區修志之回顧及對重修省志之管見〉，《臺灣文獻》第 35 卷第 1 期（1984 年 03 月），頁 2。

〔註72〕施懿琳，《吳新榮傳》，頁 257。

〔註73〕〈南縣文獻委會　定期成立〉，《聯合報》，1952 年 9 月 8 日，04 版。

〔註74〕吳新榮著，張良澤編，《吳新榮日記全集 1948～1953》，頁 272。

〔註75〕林慧姃，《吳新榮研究》，頁 127。

> 這次的臺南縣議會通過一案「臺南縣文獻委員會」的設置案，……。
> 我在精神方面的工作，除這件事外尚有醫師公會的工作及國民學校
> 家長會的工作，這三種工作也可說我現在最有意義最和性格的，所
> 以我願爲這樣工作來做些犧牲。〔註76〕

對吳新榮而言，醫師與文化事業是最符合他的想法與興趣的工作，他也願意
爲了這份工作做出犧牲。筆者認爲，他對於政治心灰意冷之後，重新扛起一
個文化人的責任，同時這也顯示臺灣知識分子爲了避免涉及危險思想，導致
當局壓迫，才轉而從事歷史、民俗等文化工作。

四、李鹿案的牽連與內心的轉折

　　1954 年 10 月 9 日，吳新榮再度因爲「李鹿案」受到牽連入獄，一直到隔
年 2 月 14 日方才獲釋。李鹿在二二八事變時，曾參與水上機場的武裝行動，
〔註77〕事變後加入共產黨，直屬當時共產黨負責臺南縣與高雄縣事務的李媽
兜。〔註78〕1950 年蔡孝乾被捕後，出賣大批共產黨人士，李媽兜等人因而逃
亡。1952 年李媽兜在臺南安平欲偷渡至香港時被捕，後亦供出其所領導的 26
個支部，與各地潛伏份子，〔註79〕李鹿則是持續逃亡到 1953 年年底才自首。
〔註80〕吳新榮曾在李鹿逃亡期間與其相遇，吳曾勸他趕緊逃亡，誰知李鹿自
首隔年，吳新榮便因此受牽連再度入獄。〔註81〕

　　不料，吳新榮獲釋之後，政治陰影仍揮之不去。首先，他回家之後需要
對保，並且還需要有店保，〔註82〕且想要復職於文獻委員會還要有復職辭命
令，其上寫道：「該員因案被捕業經釋放應予復職並仍支原薪二百元希即知
照」，〔註83〕同時時常有警員來電，或突擊做戶口檢查，1955 年 8 月 1 日之日
記記載：

> 七月一日，和南星回到家來，警察就叫去說：上面已有規定，自後

〔註76〕吳新榮著，張良澤編，《吳新榮日記全集 1948～1953》，頁 264。
〔註77〕歐素瑛，〈從二二八到白色恐怖──以李媽兜案爲例〉，《臺灣史研究》第 15
　　　　卷第 2 期（2008 年 6 月），頁 143～144。
〔註78〕涂叔君，《南瀛二二八誌》（臺南：臺南縣文化局，2001），頁 172。
〔註79〕歐素瑛，〈從二二八到白色恐怖──以李媽兜案爲例〉，頁 154～161。
〔註80〕涂叔君，《南瀛二二八誌》，頁 172。
〔註81〕施懿琳，《吳新榮傳》，頁 146。
〔註82〕吳新榮著，張良澤編，《吳新榮日記全集 1955～1961》，頁 9。
〔註83〕吳新榮著，張良澤編，《吳新榮日記全集 1955～1961》，頁 27。

要出外遠行時，須向派出所申請。又分局也派人拿如左之書籍，叫
我研究，並寫讀書的心得。這使我七月一月中非常忙碌，但讀書所
得的卻不少。

一、《三民主義淺解》

二、《新民主主義批判》　任草〔卓〕宣著

三、《駁「論人民民主專政」》　葉青著

四、《共匪禍國史》　陳李超著

五、《共產黨理論批判》　吳曼君著

六、《反共抗俄基本論》　蔣總統手著

七、《民生主義育樂兩篇補述》　蔣總統手著〔註84〕

吳新榮在 2 月獲釋之後，一直到了 7 月，仍然需要外出申請、接受突擊檢查
等等，還需要讀上述的「反共書籍」。經歷了李鹿案，吳新榮在 9 月 18 日的
日記中寫下〈紅柿葉序〉一文：

> 紅柿葉湯本來一種的苦汁，或能飲苦中苦，才能做人上人。而且一
> 葉知秋，我日寫此數頁的文字，不但知道我的秋年已過，又知道
> 冬年將來。我想做一個人，未曾成功，不成功就是失敗，雖失敗也
> 是人生。但無所一留【於】後世，像太可惜的，像太不應該的。做
> 一個人死了以後連一點遺痕也沒有，實在是太無意義，說來太近虛
> 無。但我日日的生活又太近現實，所以我不得不利用些餘閒，來寫
> 日記，記錄此時此地的生活，能使後世的人，能做些參考，這就是
> 本願。自數日來讀完《林肯外傳》，知道成功的人和失敗的人，在人
> 生尚沒有二樣，因為時勢－環境－運命都可使人成功和失敗，所以
> 我自認自己是失敗，但不悲觀不自卑；甚且叫子孫知道這事情，若
> 不能繼續我的遺志，也不要覆我的轍。〔註85〕

　　從這段文字可以看得出，吳新榮在經歷了戰後這段時間的曲曲折折，到
了最後又因為牽連而入獄後，他認為自己失敗了，因為時勢與環境而失敗了，
如此沒有留下任何東西是相當不應該的。他的人生走到這個時候，與前面那
種熱血沸騰的英雄主義比起來，到了 1955 年他已經相當低落了，因此他認為
他所寫下的日記與文字等等，可以將其所受的教訓再次的傳承下去。當然在

〔註84〕吳新榮著，張良澤編，《吳新榮日記全集 1955～1961》，頁 41。

〔註85〕吳新榮著，張良澤編，《吳新榮日記全集 1955～1961》，頁 51～53。

這種沉重的壓力下，吳新榮將更多的精神花在文獻考察與文學寫作上，造就了他豐碩的文史成就。

自此，吳新榮更加專心地投入文化事業，在政治活動方面，只有在 1957 年擔任吳三連競選省議員時的副幕僚長而已，其他都專注於文化與其醫師本業，最終在 1967 年 3 月 27 日晚上 11 點，因心臟病發作，病逝於臺北。〔註 86〕

林慧姃說到：「在國府遷臺後的政治體制和社會環境下，吳新榮被迫離開大眾，保持沉默在現實中思想、活動的根基被抽離殆盡，由於他認同鄉土，失望之餘並未走向紅色祖國的社會主義道路。在反攻大陸的聲浪中，他唯一能把握只有臺灣這塊被忽略的土地，徹底投入地方文獻工作」。〔註 87〕筆者相當贊同上述觀點，戰後吳新榮經歷了相當多的起起伏伏，他的「英雄主義」，那種捨我其誰的「政治良心」，他一直想要將其實現，但卻受制於各種政治與環境因素，只能在最後默默地收起這些東西。他的政治理念或許不是非常明確，但是可以看出他對於祖國——中華民國的認同，也是相當強烈。另一方面，當他最終發現他的理想與良心已經難以實現後，他將一切的精力，投入臺灣甚至可以說限縮在臺南的地方鄉土文史工作上，對於文史創作，做出了相當大的貢獻。最後可以從他身上看出，一位有雄心壯志的本土知識分子想一展抱負，卻受制於現實的無奈，最終只好隱遁到文史工作中，特別是這些文化風俗的活動，並不會碰觸到敏感的政治議題，也可以避免來自當局的政治壓迫。

第三節　同時代的菁英們與小結

一、同時代的菁英們

同時代其他菁英對於時局的回應，首先以黃旺成為例說明。黃旺成經歷二二八事變之後，對於政治的批判上不再如《民報》時期那麼激烈，不過他在擔任省參議員期間，對於地方事務依然還算上心，例如土地政策〔註 88〕、省議會胡亂花錢的考察、〔註 89〕地方蔗農的抗爭〔註 90〕、地方基層作風改善

〔註 86〕施懿琳，《吳新榮傳》，頁 259～269。

〔註 87〕林慧姃，《吳新榮研究》，頁 153。

〔註 88〕例如上章述及三七五推行後，糧價過低，影響農民生活等發言。臺灣省議會史料總庫，典藏號：001-01-11OA-00-6-5-0-00152。

〔註 89〕王世慶，〈黃旺成先生訪問紀錄〉，收於王世慶編，《近現代臺灣口述歷史》（臺

〔註91〕等等，還是可以看見他質詢的身影。1951 年地方自治推行後，黃旺成參選新竹縣的臨時省議員，〔註92〕卻敗在地方買票文化上，其子黃繼文提到：「父親只得三票，後來才知道是有人以一票三萬元買票當選」。〔註93〕此次選舉失利後，黃旺成已屆花甲之年，更因爲時局的驟變，轉向他人生的另一個階段——沈潛寫史。〔註94〕1952 年 10 月 2 日，新竹縣文獻委員會成立，〔註95〕黃旺成「破格」受聘爲主任委員，〔註96〕1957 年以「快、優、廉」的原則，完成《新竹縣志》的編修。〔註97〕

　　根據黃繼文的說法，黃旺成對於政治，「一貫的想法是替臺灣人做事，希望臺灣人可以出頭天，對於日本政府是堅決反對，但是他對抗國民政府的態度，是臺灣優先的本土意識」。〔註98〕筆者認爲，黃旺成在這段期間的作風，雖然不似之前激烈，但是依舊關心臺灣的地方事務，雖然政治與選舉的氛圍，對他並不算友善，但他仍舊秉持「一貫替臺灣人做事」的想法，因此他將對於臺灣的關心，投入到地方文史工作上，繼續爲臺灣這塊土地奉獻心力。

　　1950 年代國民黨遷臺後，蔡培火即擔任所謂的「不管部會」政務委員，主要負責政策與法案的審查、主持專案工作、聯繫協調各部會意見及院長交辦事項等等。此種職位是具有高度象徵意義的職位，蔡培火憑藉本土的人脈

北：林本源基金會，1991），頁 95。

〔註90〕〈新竹糖廠一旦停閉後　數萬蔗農怎麼辦〉，《聯合報》，1951 年 10 月 18 日，05 版。

〔註91〕省議會諮詢時，黃旺成提出了相當多有關基層官僚作風問題。如：對民親切完全放棄官僚作風、警察幫助稅務催促繳稅是否特別注意其粗暴行動等等。臺灣省議會史料總庫，典藏號：001-01-11OA-00-6-2-0-00118；臺灣省議會史料總庫，典藏號：001-01-11OA-00-6-2-0-00320。

〔註92〕黃繼文口述訪談中，提到 1949 年黃旺成參選第一屆臨時省參議員，張德南的〈黃旺成先生大事記要〉亦沿襲黃繼文的說法，但筆者從《聯合報》的報導考證，黃旺成應於 1951 年參選新竹縣省議員，特此訂正。（黃繼文口述，張炎憲、許明薰等訪問，〈父親黃旺成的追憶〉，《竹塹文獻》第 10 期（1999 年 1 月），頁 53；〈參加競選省議員者全省共一六三人〉，《聯合報》，1951 年 10 月 31 日，07 版）。

〔註93〕黃繼文口述，張炎憲、許明薰等訪問，〈父親黃旺成的追憶〉，頁 53。

〔註94〕黃美蓉，〈黃旺成與其政治參與〉（臺中：東海大學歷史系碩士論文，2008），頁 126。

〔註95〕〈新竹縣成立文獻委員會〉，《臺灣民聲日報》，1952 年 10 月 6 日，5 版。

〔註96〕當時各縣市文獻會的主任委員，皆由縣市長兼任。

〔註97〕王世慶，〈黃旺成先生訪問紀錄〉，頁 95～96。

〔註98〕黃繼文口述，張炎憲、許明薰等訪問，〈父親黃旺成的追憶〉，頁 55。

與國民黨政權的關係，擔任政治協調與溝通的角色。〔註99〕雖然蔡培火像是一個依附國民黨來謀求高位的人，但是他對於臺灣仍是相當盡力。1950 年的〈特別報告〉是蔡寫給陳誠的報告書，文中說到政府對於人民的壓榨過於激烈，希望政府可以大刀闊斧的改革不良政策；〔註100〕1951 年的〈巡訪全省各縣市總報告書〉當中也提到地方行政效率的僵直、土地改革政策的不良之處，以及各地中階以上警官應多使用本省人等等；〔註101〕1954 年的〈建議書〉當中對總統建言，需要及早實施眞正地方自治、國民黨不應對於各縣市的自治做強力控制、臺籍部隊應有臺籍將官等等。〔註102〕由此觀之，蔡培火雖然沒有實權，但是在他的建議書裡，仍然提出改革臺灣政治與多拔擢本省人等建言，可見蔡應是想與進入政府體制，來實現他的政治理想。他的政治理念仍是「臺人治臺」——提高臺籍人士在政府中的地位。

林佩蓉提到：「尤其從他對政府的建言等與會議上相關發言中來看，他並不受當局重視」〔註103〕。因此 1952 年，蔡培火擔任中華民國紅十字會總會副會長兼臺灣省分會會長，以轉向社會公益的方式，表現出對臺灣的另一種關懷，直到 1983 年逝世以前，他在紅十字會扮演的角色重於政官黨員。〔註104〕如同他在 1934 年曾寫道：「爲萬人的罪過，主耶穌已經甘受十字架的苦，若是由我吃虧受冤枉，公家的事業才能成就，我豈可避開？」〔註105〕

其他菁英方面，1950 年朱昭陽對於吳國楨接任臺灣省主席表示肯定，他認爲吳接任主席後，省議會的問政方式與二二八後相比開放不少。〔註106〕不

〔註99〕林佩蓉，〈抵抗的年代‧交戰的思維——蔡培火的文化活動及其思想研究〉（臺南：國立成功大學臺文所碩士論文，2005），頁 25。

〔註100〕蔡培火，〈特別報告〉，收於張漢裕主編，《蔡培火全集（四）政治關係——戰後》（臺北：吳三連史料基金會，2000），頁 231～234。

〔註101〕蔡培火，〈尋訪全省各縣市總報告存稿〉，收於張漢裕主編，《蔡培火全集（四）政治關係——戰後》（臺北：吳三連史料基金會，2000），頁 320～328。

〔註102〕蔡培火，〈建議書〉，收於張漢裕主編，《蔡培火全集（四）政治關係——戰後》（臺北：吳三連史料基金會，2000），頁 80～85。

〔註103〕林佩蓉，〈抵抗的年代‧交戰的思維——蔡培火的文化活動及其思想研究〉，頁 25。

〔註104〕林佩蓉，〈抵抗的年代‧交戰的思維——蔡培火的文化活動及其思想研究〉，頁 25～26。

〔註105〕張漢裕主編，《蔡培火全集——家世生平與交友》（臺北：吳三連史料基金會，2000），頁 266。

〔註106〕朱昭陽口述、吳君瑩記述、林忠勝撰述，〈朱昭陽回憶錄〉（臺北：前衛，1994），頁 130。

過朱昭陽始終拒絕加入國民黨，原因在於他非常不滿國民黨的作風，對於國民黨以戒嚴作爲護身符，強制吸收黨員與思想控制等措施感到非常厭惡。〔註107〕他所創辦的延平學院所聘請的老師全都是臺灣人，是對一個不公政權的無言抗議，同時他認爲生命的意義，不在當大臣，而是在培養大臣。朱昭陽對臺灣未來的希望是「臺灣永遠是臺灣人獨立自主的臺灣」。〔註108〕

1951 年，陳逢源參選省議員，在兩任議員任內，他主要是以財經做爲問政主軸，常感嘆財政、金融、貿易之權皆由中央掌握，省議會無法過問，再多諮詢建議最後都只成爲書面意見，完全無法落實，因此不再參選第三任議員。〔註109〕

1949 年 12 月，吳國禎出任臺灣省主席後，大力啓用臺灣人，楊肇嘉乃出任省政府委員，一個月後兼任民政廳長。1950 年 1 月 23 日就職民政廳長，〔註110〕1953 年 4 月 9 日離職，共計 3 年 3 個月。筆者主要是以他擔任民政廳長期間的作爲，來探討其政治傾向。

楊肇嘉擔任民政廳長後，協助省府建立兵役制度、推行土地改革，對於地方自治之施行也有推動之功。其中地方自治乃楊肇嘉畢生之志願，他於回憶錄中提到：「地方自治，是我畢生奮鬥的目標，日據時代爲了這個目標與日本政府奮力爭取，爲此我幾乎送掉性命」。〔註111〕他對於國民黨推行此制度，給予相當高的評價。筆者由此推斷，他仍然希望可以由臺灣人來治理臺灣人，他也始終爲此而奮鬥，他選擇的方式是與政府站在一起，來實踐這個理想。他認爲他將地方自治推行成功，是對得起國家、地方與歷史，不過他在回憶錄最後提到一句話，相當耐人尋味：「要想辦好地方自治，使得眞正的好人能夠「出頭」，我還是那句老話：一定要從教育著手」。〔註112〕考量到回憶錄出版時間，仍然在戒嚴時期，可能有所隱諱，因此必須參考其他論著，才能了解楊肇嘉所言「眞正的好人能夠出頭」其意爲何。楊逸舟《受難者》一書寫道：

> 楊肇嘉在戰後於高雄市對民眾演說時，提到：「你們選舉縣市長的時

〔註107〕朱昭陽口述、吳君瑩記述、林忠勝撰述，〈朱昭陽回憶錄〉，頁 134～136。
〔註108〕朱昭陽口述、吳君瑩記述、林忠勝撰述，〈朱昭陽回憶錄〉，頁 147～182。
〔註109〕謝國興，《亦儒亦商亦風流——陳逢源》（臺北：允晨，2002），頁 248～259。
〔註110〕周明，《楊肇嘉傳》（南投：臺灣省文獻委員會，1970），頁 144。
〔註111〕楊肇嘉，《楊肇嘉回憶錄》（臺北：三民，1970），頁 380。
〔註112〕楊肇嘉，《楊肇嘉回憶錄》，頁 384。

陣，不可選出像豬玀的愚人」，導致特務們紛紛向蔣打電報，說：「楊廳長罵外省人是豬仔」。〔註113〕

由此觀之，筆者認爲楊肇嘉雖然對於地方自治的推行樂觀其成，但是他對於執行的結果，卻是相當隱晦的表達出他的不滿。

另外，楊肇嘉的媳婦楊陳泰曾提及：「在我的理解，他（楊肇嘉）是主張臺灣獨立，但是臺灣獨立四個字他不曾說過，他也不敢說，是我們拿抹布的人無意中聽他說的」〔註114〕。但考量到陳佳宏曾經提到：「現今的時空背景，誇稱本身的臺獨經歷可以獲取一些臺獨光環，使得臺獨案件相關當事者事後的口述資料往往極易失眞」，〔註115〕因此資料使用需要更加的多元。1950 年代，《蔣介石日記》亦有記載政府視楊肇嘉與吳三連爲當時解放運動〔註116〕的精神領袖，〔註117〕且與廖文毅亦有相當互動，〔註118〕從這些旁證可以得知，楊肇嘉內心對中華民國的認同，似乎並非相當堅定，〔註119〕但是受限於時局，他選擇與政府站在同一立場，來達成地方自治的理想，如同雷震在日記中認爲楊肇嘉：「態度和平公正，不搞獨立，仍在中華民國旗幟之下，促國民黨反省改革」一般。〔註120〕

事實上楊肇嘉在戰後擔任民政廳長所推動的各種改革與政策，可能也是國民黨治臺初期，臺籍菁英在政治上所能做出的最大極限了，〔註121〕雖然楊

〔註113〕楊逸舟，《受難者》（臺北：前衛，1990），頁 152。

〔註114〕張炎憲、胡慧玲、曾秋美訪問，陳鳳華整理，〈六然居的世界——媳婦心中的肇嘉先生〉，《臺灣史料研究》第 20 期（2003 年 03 月），頁 191。

〔註115〕陳佳宏，《臺灣獨立運動史》（臺北：玉山，2006），頁 102。

〔註116〕在當時的認知中，臺獨是中共一手策畫，是中共的同路人，一路可以推理至「臺獨等於匪諜」。陳佳宏，《臺灣獨立運動史》，頁 100。

〔註117〕蔣介石長編中，1950 年 6 月 2 日記載到：「召集情報會談，發現臺灣在解放運動之組織，其中心人物爲臺灣省民政廳長楊肇嘉與臺北市長吳三連等，先生殊爲駭異」。呂芳上主編，《蔣中正先生年譜長編（第九冊）》（臺北：國史館，2015），頁 504。

〔註118〕洪可均，〈《楊肇嘉回憶錄》中的虛與實——國家、民族與家庭情感的纏結〉《臺灣史料研究》第 41 期（2013 年 06 月），頁 58。

〔註119〕陳佳宏在書中，曾經引用美國的檔案提到，葛超智（George Kerr）認爲當時臺灣嚮往獨立的人士，可分爲陳逸松所領導的「託管派」與楊肇嘉所領導的「臺獨派」。陳佳宏，《臺灣獨立運動史》，頁 97～98。

〔註120〕雷震，《雷震全集（39）——第一個十年（七）雷震日記》（臺北：桂冠圖書，1990），頁 360。

〔註121〕洪可均，〈《楊肇嘉回憶錄》中的虛與實——國家、民族與家庭情感的纏結〉，頁 60。

肇嘉個人認爲仍不甚理想，但是整體而言他對自己的政治理念也做出了一定
的實踐。不過，政府對他始終感到不放心，據楊陳泰表示，楊肇嘉擔任省府
委員期間，臺北官舍與清水老家，均持續受到監聽。〔註122〕這也顯示楊肇嘉
即使表面上謹言慎行，同時與國民黨政權相互配合，但是蔣政權仍然不放心
這位臺灣菁英分子。

楊基振方面，他認爲運作臺灣託管絕對不會成功。〔註123〕1950 年 6 月
28 日，當他聽聞第七艦隊協防臺灣時，在日記中記載：「如此臺灣可由共黨
侵入脫避」，〔註124〕由此可知楊基振此時的立場是反共的，之後數天常可看
到他記載到與友人討論臺灣未來可能的變化，顯示他非常關心臺灣未來的
走向。

地方自治推行時，楊基振對於國民黨的看法也是相當負面，1950 年 5 月
29 日，他被刑警總隊訊問，原因是廖文毅的獨立宣言中提及臺灣建設協會，
該會負責人便是楊基振，爲此楊基振在 30 日的日記抱怨：「做中國人的生
活，眞是不知道災禍要由何而來」。〔註125〕1950 年臺中縣長選舉時，楊基振
之族親楊基先參選，楊基振在日記中提及，當時臺中的軍、黨、政各方面對
於楊基先的壓迫相當大，在與友人共同商議之後，楊基振仍然支持楊基先競
選。〔註126〕由此可見地方選舉進行時，國民黨對於地方的控制極爲嚴密，只
是楊基振對此仍然有可以一試的想法。

1952 年，楊基振有鑒於政府行政效率低落，乃發表〈論提高行政效率〉
一文，刊登於 1952 年 9 月 1 日第十三期到 11 月 5 日第十五期的《旁觀雜誌》
中，〔註127〕，文中並提及諸多當時政府的弊病。他認爲要提高行政效率，應
該簡化機構、強化法規、分層負責、科學管理、改善公務員的工作態度。由
此觀之，楊基振對於當時臺灣的政治還是有許多想法。筆者認爲，他仍然想
爲臺灣做些事情，即使他十分厭惡國民黨政權，仍然有許多的想法，連接到

〔註122〕張炎憲、胡慧玲、曾秋美訪問，陳鳳華整理，〈六然居的世界——媳婦心中的
肇嘉先生〉，頁 192。
〔註123〕楊基振著、黃英哲、許時嘉編，《楊基振日記》，頁 480。
〔註124〕楊基振著、黃英哲、許時嘉編，《楊基振日記》（臺北：國史館，2007），頁
531。
〔註125〕楊基振著、黃英哲、許時嘉編，《楊基振日記》，頁 526。
〔註126〕楊基振著、黃英哲、許時嘉編，《楊基振日記》，頁 565。
〔註127〕楊基振，〈論提高行政效率（一）～（三）〉，收於楊基振著、黃英哲、許時嘉
編，《楊基振日記》，頁 740～765。

他在 1957 年參選臺中縣長，都可以看出他想一展政治抱負的心態。

　　雖然此時期的楊基振日記對於他的政治立場沒有太多著墨，但是從他後來撰寫的自傳，可以略窺一點端倪。自傳曾提及，美國發表白皮書，提出袖手旁觀政策時，新生報社長羅克典曾造訪他，討論臺灣省主席的人選。羅克典表示，美國希望由吳國楨擔任主席，並請楊基振提出臺籍的副主席人選，楊對此事感到相當雀躍，認為臺灣人終於有機會可以參與政治。楊基振認為吳國楨擔任省主席，是開明的民主政治，但是韓戰之後，國民黨的頑固派與蔣經國聯手，開始對吳國楨展開鬥爭，使得吳國楨辭職逃亡美國。〔註128〕此外，地方自治施行後，他對於地方權力過小一事，感到相當不滿，這些事件促使楊基振決心在 1957 年參選臺中縣長，但是慘遭落選，後來與雷震共同創辦《自由中國》與組織新政黨。〔註129〕1978 年退休之後，楊基振前往美國。1984 年，與中共人士接觸，他提出中共與臺灣人合作打倒國民黨，使臺灣可以完成高度自治，達到「臺人治臺」的理念。

二、綜合論述

　　綜合前述，臺灣自 1949 年後，經歷了國共內戰與各種國際問題，林獻堂與吳新榮二人對於時局的回應不盡相同。首先，在國家認同問題上，筆者認為吳新榮對於中華民國頗為認同，但林獻堂的態度則否，林獻堂對於蔣氏政權相當厭惡，也有一定程度轉向託管的想法。其次，以臺海中立化的事件觀之，他們二人都希望可以解決臺灣未定的問題，只是吳新榮主張：「臺灣人的臺灣與中國人的臺灣」，而林獻堂是：「應臺人託管之希望」，從上便可以看出，他們在認同的問題上，有所區別。1950 年代的楊基振，其政治理念應與林獻堂、蔡培火相同，最終目的依然事「臺人治臺」，原因在於他在吳國楨擔任省主席時，看到臺灣人有機會可以擔任高官，認為此為開明之政治，再加上他後續的作為，筆者認為他應該仍然想於大體制內，對於臺灣政治進行改革，當發現不可行時，例如當雷震被捕之後，他才對臺灣的政治感到失望，〔註130〕進而想與中共合作。

　　林、吳兩人對於臺灣內政的看法，也相當不同。林獻堂一直對於美國接

〔註128〕楊基振，〈楊基振自傳〉，收於楊基振著、黃英哲、許時嘉編，《楊基振日記》，頁 716～718。

〔註129〕楊基振，〈楊基振自傳〉，頁 718～721。

〔註130〕楊基振，〈楊基振自傳〉，頁 721。

管臺灣這件事，抱持相當程度的期待，而對蔣政權遷臺，特別是蔣介石重新復職，表現出不屑一顧的態度。反之，吳新榮認爲，1949 年過後的政治改革是國民黨政權所做出的好政策，他自己仍然希望可以再盡一份力量，爲臺灣這塊土地做出一點貢獻，所以才會再次參選議員。對於中央政府播遷來臺，吳新榮認爲這會對這塊島嶼有正面的幫助。

他們均對當時社會的亂象有所怨言，在林獻堂眼裡，臺灣已經屬於「危邦、亂邦」，吳新榮亦對於戰後的選舉政治與各種政策，實施後產生的問題提出諸多不滿。不過，吳新榮是甘心接受中華民國的統治，林獻堂卻是較偏向於臺人高度自治的想法。然而，林、吳二人的理念——對於臺灣這塊土地的關懷，始終沒有改變過，有改變的只有在外部的認同而已。

楊肇嘉、楊基振、黃旺成、蔡培火與林獻堂、吳新榮相較，他們所在意的亦是臺灣這塊土地，只是當林、吳、黃三人都選擇遠離政治時，楊肇嘉與蔡培火選擇與政府配合來達成其政治理念，楊基振則是準備開始施展其政治抱負。不過，他們對於當時的政治現狀均有諸多不滿，林獻堂認爲臺灣已成亂邦之地；吳新榮對於當時各種政策推行後所產生之亂象，頗有怨言；楊基振痛斥政府的行政效率低落；楊肇嘉對於地方自治推行的成果極爲不滿；蔡培火提出許多政策建言，尤其是地方自治眞正的推行、將官與警官應多使用本省人等等，可以知道他對於當時的施政狀態，也是相當不滿意。

吳國楨擔任臺灣省主席時，朱、吳、雙楊四人均採取樂觀的態度，且楊肇嘉還接受了民政廳長這個職務，只有林對於此事頗不以爲意。筆者認爲吳新榮、楊基振、楊肇嘉、黃旺成、蔡培火等人在此時期都認爲還能在體制內進行變革，只是吳新榮遭遇了太多挫折、黃旺成選舉失利，後來二人將注意力轉移到文化圈，用另一種方式來做努力；楊基振此時正準備起步，於雜誌發表他對於政府改革的想法；楊肇嘉則是走向與政府同路，來實現他心中多年來的追求——地方自治；蔡培火也相當努力，提出相當多建議給政府，希望政府可以做出改革，但是他被放置在位高無權的職位上，因此他轉向紅十字會的公益事業，同時也做出了一定的成效。林獻堂選擇的是避居日本，但與各方人物都有來往，與各方保持一定的關係，但也有一定程度上的距離，將希望放置於「託管」，以期達到「臺人治臺」的理念。由此可以看出，1950年到 1955 年間，這些菁英們用不同的方法，表現出他們對於臺灣這塊土地的關心。

　　這幾位臺籍菁英，或輕或重都承受來自政府的壓力。林獻堂赴日之後一直都是受矚目的重點，面對的是各種流言與來自政府的說客，一直想盡辦法要勸說其回臺政府針對其之作法有恐嚇、利誘等等；吳新榮受到李鹿案之牽連而入獄；楊肇嘉是處於長期被監聽的狀態。從他們的經歷亦可看出，政府對於這些臺灣菁英的監視始終沒有放鬆，從此可以得知蔣政權對於當時的臺灣人菁英相當不放心，因此他們不管是否與政府合作，都承受到來自當局的壓力。有趣的是，林獻堂就像是走在前面的領路人，他對於一切早有心灰意冷之意，因此遠遁日本不再歸來。但林獻堂遠遁日本以及吳新榮退出政壇後，仍舊受到政府的監控與管制。顯示出這些菁英即使沒有再參與政治活動，來自政府的壓力卻始終存在。

　　最後，從前述的情況可以清楚得知，所有菁英們對於政治的想法，都是由臺灣出發，但是是否支持「臺灣獨立」，他們都沒有做出明確的表示。不過可以看出，蔡培火與楊肇嘉，希望達到「真正的地方自治」；黃旺成提出「臺灣人出頭天」的理念；朱昭陽主張「臺灣永遠是臺灣人獨立自主的臺灣」與「培養大臣」，代表他們期望提高臺灣人在政治上的地位，以便達成臺灣「自治」的目標。從中亦可了解到，他們仍然心繫臺灣這塊土地，但是也明白獨立難以達成，因而退而求其次，用自己的方式尋求改革臺灣的道路。

第五章　結　論

　　本文以林獻堂與吳新榮為主要分析對象，探討戰後臺籍菁英的政治理念以及對政府施政之回應，發現這些菁英對於政治保持著一定程度的熱忱，即便戰後政治環境對他們並不友好，但他們仍舊將熱忱轉向他處進行努力，此種情況顯示戰後臺灣人在整個大時代洪流下的無奈與創傷，透過多人比較研究，更可清楚看到這一點。

　　林獻堂的政治理念，始終圍繞在「臺人治臺」之上，期望可以達到臺灣高度自治。戰後初期，他曾經參與過政治，希望可以在國民黨統治的架構下，實現自己的政治理想。可惜的是，行政長官公署的失政，導致社會混亂、省議會權力不彰，陳儀對臺人的不信任以及對他的排擠，更使林獻堂對於行政長官公署的統治感到失望。因此當丘念台組織「臺灣光復致敬團」時，他才會將這個活動視為「陳情」之行，從其日記中觀察，他在與國民黨官員交談時，曾隱約表達出對行政長官公署的不滿。

　　二二八事變發生後，林獻堂看起來似乎並未反對中華民國的統治。他將事件發生的原因，指向行政長官的不良施政，但是在事件中，由於對處委會中共產黨份子的疑慮，使他採取保守應對態度。事件後他仍然擔起「社會穩定」的責任。二二八之後，改組的省政府並沒有對這些臺籍菁英更加重視，反而採取一連串措施，對林獻堂為主的仕紳階級進行釜底抽薪的打擊，破壞他們的經濟後盾，這些都讓他開始對中華民國失望。1949 年，林獻堂前往日本治病，由於後續國民黨的專政與各種虐殺事件，加上各種暗殺傳言，促使他滯日不歸。

　　仔細觀察，由於 1950 年後國際局勢混亂，使得林獻堂開始有不同想法，

深究背後，他的思考主軸仍舊是以臺灣利益爲最主要的考量，他期待可以經由「被託管」來達到臺灣高度自治；雖然日記中曾經有過「獨立」的期望，可是他自己應該也知道這並不容易實現，因此退而求其次的尋求「臺灣高度自治」，這並未離開「臺人治臺」的理念。綜觀來看，他的政治理念始終沒有改變，他的著眼點也始終放在臺灣這塊土地，唯一有變的是對於中華民國的認同，從與政府合作，期待可以實現自己的政治理念，到後來赴日不歸，反映出他與政府之間互動的變化。從中可知，他眼中的政府隨著時間的改變，最終他認爲這是一個專制霸道的政府。

反觀吳新榮，對於祖國的想像相當熱烈，性格上深具捨我其誰的英雄主義，期待可以實現身爲文化人的政治良心，不過他對於整體社會的狀況也日漸失望。戰後初期，他對於地方上的穩定，做出一定貢獻，但是行政長官公署的統治，讓他感受到挫折，促使他對於政治逐漸心灰意冷。

行政長官公署的失政，促使他在「二二八事件」發生時，採取支持態度。隨著混亂擴大，他仍舊打起精神擔起維持地方穩定的主力，卻遭受百日牢獄之災。他在這些挫折之下，仍然持續嘗試實踐自己的信念，始終認爲還有機會可以做出改變，從他提倡「人格政治」與「政治理念」中便可以看出他的信念。但在黨國體制的社會環境下，對他這種與「鄉土」和「人民」站在一起的人並不友善，因此當他最後一次選舉失敗後，適逢臺南縣文獻委員會成立，他選擇淡出政治，將他對臺灣的關懷全力投入地方縣志的工作中。不過，來自政府的壓力並未消失，緊接而來是「李鹿案」的牽連，促使他寫下〈紅柿葉序〉一文，從中看出他對這段時間的經歷，感到心灰意冷。吳新榮的國家認同，始終支持著中華民國的統治，但從他參與政治的過程中觀察，他的困境主要來自於傳統地方勢力以及戰後社會風氣的轉變，造成選舉環境充滿買票賄選問題，更讓吳新榮所標榜的「人格政治」更加難以實現。文化人的政治良心，雖讓人感到敬佩，但是整體氛圍，讓這種理想難以實現。

若將林獻堂與吳新榮加以比較，可以發現在相同的社會環境下，他們的看法一定程度地相似，例如均對行政長官公署不滿、深受二二八事件的衝擊與感嘆事件後社會政治的紊亂。他們最大的反差主要在於性格，從這十年中看來，林獻堂像是一個相當沉穩的領頭人，吳新榮則是充滿著年輕人般地衝動，導致兩人遭遇並不盡相同，但他們的共通點都是爲臺灣著想，並且嘗試

達成自己的政治理念。只是在政治參與失敗後,林獻堂將希望投向是否可以達成「託管」;吳新榮則將心力投注在地方撰史工作之上。下表為林、吳二人的比較對照表:

表1:戰後林獻堂、吳新榮行事與理念對照表

事 件	林 獻 堂	吳 新 榮
日本天皇宣布投降後的反應	提出「日華提攜」、「聯省自治」的看法,態度是冷靜觀察。	態度歡欣鼓舞,投入三民主義青年團組織活動。
對1945到1947年之間社會混亂的回應	治安:組織義勇警察隊。 社會:出面解決糧食問題、海外臺胞回臺。	治安:組織忠義社。 社會:與政府交涉糧食問題。
戰後初期的政治參與	臺灣省參議員與國民參政員。	臺南縣議員。
對行政長官公署的態度及國家認同	對陳儀感到不滿,但是對於中華民國的統治仍舊不反對。	對行政長官公署施政頗有怨言,對於祖國的認同相當濃厚。
二二八事件發生時的態度	採取冷靜應對,對於嚴家淦的救助不遺餘力。	對「二二八事件」的發生,舉杯祝賀,表現出相當贊成的態度,但行動保守,且有救助外省人的舉動。
二二八事件中的角色	對臺中處委會心存顧忌,擔心共產黨人士坐大,因此保守應對。	致力維持地方秩序,對時局對策委員會、地方處理委員會等皆熱心參與,期望事件可以和平落幕。
對二二八事件的想法	將事件發生的原因歸類為:外省人排擠本省人、失業人數過多、糧食缺乏且昂貴、外省人行政態度、共產黨野心家的煽動。	事件可能參與者——共黨份子、地痞流氓、反對貪官汙吏的進步份子、臺籍日本兵。事發原因為臺灣人不信任政府,一切皆為陳儀之罪。
二二八事件後之下場	因救助嚴家淦有功,被封為有功人員,但政府給予的官職皆為酬庸性質。	先是逃亡,後自新辦理「盲從附和被迫參加暴動份子自新證」。
大戶餘糧政策的看法	不反對,但認為收購價格太賤,政府虐待地主。	無。
三七五減租的看法	反對,此事讓他財產短少四成。	相當贊成,認為是對民有利,但是對施行過程不滿。
二二八過後的政治境遇	經歷土地改革後,選擇離開臺灣遠赴日本。	一度意志消沉,但經歷吳三連的勝選後,再度投入臺南縣議員選舉。失敗後,決心退出政壇。
1949年後的國家認同	對於蔣政權相當厭惡,期待「託管」後達成「臺人自治」。考量的主體是「臺灣人」的利益。	支持蔣政權,只是他的著眼主體是「臺灣」這塊土地,因此選舉失利後,便投入地方文史工作。

政府的壓力	針對暗殺、人身安危的謠言相當多。	因受李鹿案牽連，被政府監視。
1949 年後對政局的看法	認爲臺灣屬於「危邦」與「亂邦」。	認同政府的改革，但對施行所造成的問題，感到相當不滿。
整體政治理念	只提過一次臺灣獨立，主體仍舊是追求高度自治——「臺人治臺」。	文化人的良心——與「鄉土」及「人民」站在一起。亦有提高臺灣人政治地位的想法。

資料來源：林獻堂著，許雪姬編，《灌園先生日記（十七～二七）》，臺北：中研院近史所、臺史所，2010～2013；吳新榮著，張良澤編，《吳新榮日記全集 8～10》，臺北：國立臺灣文學館，2008。

從表 1 可以看出，林、吳二人在戰後初期相似度極高，1949 年後分歧才較爲明顯，其中最大的差別在於林獻堂到最後放棄對蔣政權的支持，而吳新榮始終懷抱著祖國夢。不過他們在思考對策時，全都以臺灣利益爲主要著眼點，因此只要是於民有利之政策，大抵上他們均會支持，只是政策施行過程中產生的弊端，通常會讓他們有所不滿。由此可知，他們對於蔣政權的執行力並不滿意，對政府的看法也不良好，雖然都曾經想要在體制內做出一番改革，但政府對林、吳二人並不友善，且祖國到來之後的社會風氣驟變，更讓他們感到心灰意冷。即便吳新榮在吳國楨上臺時，曾經一度感受到希望，卻也無疾而終。

他們兩人一個屬於省級菁英，一個屬於地方縣級菁英，大者是受到政府的壓力，小者的主要敵人來自於傳統地方勢力，共同面對的是整體社會轉變與政府不良施政。從中亦可見到當時由上而下的整體環境，並不利於這些想要認眞做事的菁英。

整體而言，林、吳二人並非特例，臺籍菁英多少都曾受到來自政府的壓力。1945～1955 十年間，本論文中出現的臺籍菁英，並不受政府重視，即便是與之同路的楊肇嘉，蔣政權對他始終心存猜忌，蔣介石更將他視作臺獨份子；蔡培火雖未遭受猜忌，但從他的報告書與建議書可以看見，其建言始終沒有被政府採納，而被束之高閣。由此可知，即便與政府合作，也不會受到重視。

但菁英們對臺灣的關懷仍然相當濃烈，面臨這種不友善的環境，他們仍舊選擇實現心中理想，因而走上不同道路。蔡培火與戰後初期的林獻堂一樣，被政府放置到了位高無權的位子，他們的主要功能應與樣板人物無異。

從蔡培火呈給政府的建言觀之，不難發現其內心有許多抱負想執行，卻未受重視，因此他將對臺灣的感情，轉而投入公益事業當中。楊肇嘉是這些菁英中理想施展最多的人，他完成一生追求的地方自治，卻對施行結果感到相當不滿。林茂生與陳炘在追求他們的理想時，賠上了生命。吳新榮與黃旺成，都曾經參加過政治，但是最後都敗在地方賄選風氣上，最後轉而投入地方文化事業。即使是充滿爭議的陳逢源，1951 年投入政治活動後，最終仍舊感慨議會的效果不彰，因而選擇退出政治活動。

最後，從這些人身上看見，他們有一項共同的追求：「提高臺灣人的政治地位」，這項追求因戰後政治環境對這些臺籍菁英們不友善，使他們沒有辦法完全施展自身的政治抱負，即便採取妥協，政府對他們還是不信任，導致大多數菁英，只能轉向非政治的領域，繼續表達他們對於臺灣這塊土地的關懷。

附錄一：林獻堂先生戰後大事年表

1945 年	65 歲	4 月 4 日，被日本任命爲貴族院議員。 8 月 4 日，安藤利吉總督來訪霧峰。 8 月 20 日，回訪安藤利吉總督於臺灣總督府。 8 月 22 日，與知事清水七郎、警察部長石橋內藏之助會面。 9 月 8 日，與辜振甫前往南京。 10 月 10 日，於臺北公會堂參加首次雙十國慶並致祝詞。 10 月 25 日，參加日本受降典禮，下午舉行光復慶祝大會擔任主席。 12 月 13 日，與三子林雲龍加入中國國民黨。
1946 年	66 歲	2 月 20 日，漢奸總檢舉時，因「八一五」獨立事件受牽連而被約談。 3 月 29 日，當選臺中縣議員。 3 月 6 日，霧峰組成「霧峰鄉糧食救濟委員會」，擔任顧問。 3 月 13 日、14 日，發生「霧峰糧倉事件」。 4 月 15 日，當選臺灣省參議會議員。 7 月 8 日，提出臺灣省參議員辭呈。 8 月 16 日，當選國民參政會參政員。 8 月 29 日，參加臺灣光復致敬團。 10 月 16 日，彰化銀行改組，被任命爲「彰化商業銀行籌備處」主任。 10 月 24 日，與羅萬俥及黃朝清，會面蔣介石。
1947 年	67 歲	3 月 1 日，彰化商業銀行舉行股東大會，被選爲首任董事長。同日，掩護嚴家淦於自宅。 3 月 6 日，被選爲二二八事件處理委員會委員。 3 月 8 日，被選爲二二八事件臺中地區處理委員會委員。 3 月 15 日，前往臺北拜會嚴家淦與陳儀。 3 月 17 日，拜會白崇禧，說明事變原因。 3 月 23 日，白崇禧會見林獻堂。 5 月 16 日，臺灣省政府成立，就任省府委員。

		6月2日，拜會魏道明，說明大戶餘糧價格過賤。
		7月18日，李連春與林振成前來，請求諒解與援助大戶餘糧政策。
1948年	68歲	3月12日，洪元煌拜訪，商議提出大戶餘糧陳情書給丘念台。
		6月10日，臺灣省通誌館成立，被任命為首任館長。
1949年	69歲	1月19日，前往拜會陳誠，請辭省府委員及通誌館長。
		2月14日，與吳三連等人拜訪陳誠，面述治安與糧食問題。
		6月11日，臺灣省通誌館改名臺灣省文獻委員會，被任命為主任委員。
		7月6日，赴美國領事館與一美國人士談話。
		8月23日，上草山會蔣介石。
		8月30日，路透社記者訪問。
		9月3日，在臺北賓館參加茶會，向陳誠報告前往日本之原由。
		9月23日，從臺北松山機場出發，前往日本。
		10月21日，從熱海移居鎌倉「林以文別墅」。
		12月15日，請辭省府委員及通誌館長兼職，獲准。
		12月31日，臺灣省主席吳國楨來函，欲聘為省府委員，辭之。
1950年	70歲	5月，移居神奈川縣逗子市，自署其居樓為「遁樓」。
		9月15日，提出申請永久之文件，透過友人協助獲得盟總承諾。
1951年	71歲	1月，突發攝護腺肥大症，就醫逗子市稻富博士與東京廣尾醫院。
		1月30日，盟總派人前來會晤，林獻堂以臺灣獨立黨顧問之名，政治難民身分，申請政治庇護於日本。
		1月31日，何應欽來訪，代蔣介石問好。
		2月17日，丘念台來訪。
		3月22日，陳誠、吳國楨來電報，希望他病癒歸臺。
		5月，《東遊吟草》完成，送東京印書館編印。
		11月，移居東京都神田基督教青年會館，將「遁樓」售出。
1952年	72歲	2月，請辭彰化銀行董事長。
		2月4日，與葛智超會面，談論蔣介石政權倒臺後之情況，說出：「希望獨立如菲律賓」。
		3月，就任彰化銀行最高顧問。
		4月7日，移居靜岡縣大仁山田別莊。
		5月28日，葉榮鐘代表彰銀同仁赴日問候。
		9月，移居東京杉並區久我山寓所。
1953年	73歲	5月，受臺灣省主席俞鴻鈞聘任為臺灣省政府顧問。
1954年	74歲	1月，因攝護腺肥大症復發，就醫。
		2月25日，胞弟林階堂逝世。
1955年	75歲	4月29、30日，發生「林公望」事件。
		6月，楊水心前往東京。
		7月17日，次子林猶龍因急症去世。

		7 月 22 日，楊水心歸臺。 9 月 15 日，蔡培火前往東京勸林獻堂回國。 10 月 14 日，與蔡培火會談中說出「危邦不入亂邦不居」。
1956 年	76 歲	1 月，因心臟衰弱，呼吸困難。 2 月，轉往杏雲堂病院治療。 3 月，因病情未起色，退院。 6 月，病勢惡化。 9 月 2 日，楊水心前往日本照顧。 9 月 8 日，病逝於東京久我山寓所。 9 月 21 日，骨靈回到臺灣。

參考資料：林獻堂著，許雪姬編，《灌園先生日記（十七～二七）》，臺北：中研院近史所、臺史所，2010～2013；黃富三，《林獻堂傳》，南投：臺灣文獻館，2004；葉榮鐘，《臺灣人物群像》，臺中：晨星，2000。

附錄二：吳新榮先生戰後大事年表

1945 年	39 歲	8 月 15 日，日本投降，偕友人於郊區疏散小屋，互相祝賀和平到來。 9 月 7 日，作〈祖國軍來了〉。 9 月 18 日，起草青年同志會會則 12 條。 9 月 21 日，蘇新自臺北歸來，會見三民主義青年團臺灣區團張士德上校。 9 月 23 日，與蘇新、吳拜、楊榮山、楊義成共訪韓石泉，請韓石泉協助三民主義青年團之成立。 9 月 27 日，參加北門郡下國民政府歡迎籌備會，任副委員長；成立北門郡治安維持會，任副委員長。 9 月 30 日，北門郡下三民主義青年團籌備委員大會。 10 月 10 日，發動佳里各界聯合慶祝雙十國慶。 10 月 13 日，蘇新告知三青團編成更動。 10 月 28 日，青年團佳里區隊成立，任區隊長。 11 月 1 日，偕高文瑞、陳槐卿赴臺北陳情糧食問題。 12 月 1 日，赴臺南參加青年團入團式。 12 月 19 日，編組三青團中央直屬臺灣區團籌備處臺南分團北門區青年服務隊。
1946 年	40 歲	3 月 10 日，當選臺南縣醫師公會北門區分會分會主任。 3 月 24 日，當選臺南縣參議會議員。 3 月 25 日，三青團臺南分團第一屆團員代表大會，當選幹事。 4 月 15 日，省參議員選舉失利。 4 月 18 日，決定加入中國國民黨。 5 月 8 日，呈書臺南縣長袁國欽，陳述區內惡風。 7 月 14 日，出席中國國民黨臺灣省臺南縣北門區黨部成立大會，被推為書記。 9 月 13 日，五子夏統出生。 10 月 10 日，決定競選佳里鎮長。 10 月 22 日，鎮長選舉，失利。

1947 年	41 歲	1 月 5 日，參加青年團臺南分團成立典禮及第一屆幹事宣誓式。
		1 月 14 日，與黃百祿北上，陳情北門區糖案。
		3 月 3 日，組織鎮內相關人士，成立北門區時局對策委員會，任青年代表與常務委員。
		3 月 9 日，參加臺南縣自治青年同盟成立會後，轉赴臺南縣二二八事件處理委員會，當選總務組副組長。
		3 月 10 日，開二二八事件處理委員會北門區支會，當選主席委員。
		3 月 13 日，被扣押，隨即釋放。
		3 月 14 日～4 月 25 日，逃亡。
		3 月 18 日，作〈讀《洪水》後〉。父親吳萱草因二二八事件被捕。
		4 月 19 日，決定辦理自新。
		4 月 26 日，向臺南市警察局辦理自新手續。
		5 月 2 日，向憲兵隊報到。
		5 月 8 日，轉送憲兵第四團部。
		5 月 12 日，移送臺灣警備總部第二處。
		6 月 20 日，彭孟緝核發「盲從附和被迫參加暴動份子自新證」。
		6 月 21 日，獲釋。
		8 月 20 日，臺南縣醫師公會北門區分會會議，當選理事。
		8 月 25 日，出席縣醫師公會，當選常務理事。
		9 月 9 日，父親吳萱草獲釋。
		10 月 1 日，致書吳三連，建議競選策略。
		11 月 11 日，參加改組後北門區黨部執行委員會會議，受指派為候補執行委員。
		11 月 7 日～20 日，為吳三連助選。
		12 月 14 日，參加國民黨臺南縣黨部成立典禮及第一屆第一次代表大會，當選執行委員。
1948 年	42 歲	11 月 10 日～30 日，開始華中考察旅行。
		12 月 16 日，參加臺灣省地方自治協會臺南縣分會成立典禮，當選候補理事。
1949 年	43 歲	8 月 10 日，參加臺南縣醫師公會代表大會，連任常務理事。
		9 月 10 日，得知臺灣即將施行地方自治，預擬競選大綱。
1950 年	44 歲	2 月 5 日，兄弟為雙親舉辦花甲之慶。
		3 月 1 日，叔父腦溢血逝世，父親吳萱草遞補臺南縣參議員。
		5 月 14 日，參加臺灣省醫師公會代表大會，改選理監事，首次參加省級團體。
		8 月 9 日，決定參選臺南縣縣議員。
		9 月 18 日，出席最後一次佳里鎮鎮民代表大會，報告 4 年參議員之工作。
1951 年	45 歲	1 月 28 日，臺南縣第一屆縣議員選舉，吳新榮為第六區首名落選，父親吳萱草當選。
		12 月 24 日，全縣性詩社「臺南縣南瀛詩社」成立，父親吳萱草當選副社長。

1952 年	46 歲	2 月 18 日，編輯《震瀛隨想錄》。 4 月，完成自傳《此時此地》上卷。 5 月 4 日，區黨部招集有關民眾服務站之會議，吳新榮被推為理事長。 6 月，省政府通令各縣市可按財力設置文獻委員會。 7 月 21 日，拜訪臺南縣議會議長陳華宗，請對設立文獻委員會貢獻意見。 7 月，臺南縣議會通過成立縣文獻委員會，聘陳華宗為籌備委員。 8 月 24 日，拜訪陳華宗，提供對文獻會組織之意見。 10 月 31 日，完成《此時此地》下卷。 11 月 12 日，參加臺南縣文獻委員會成立典禮，吳新榮以地方人士身分擔任監委兼編纂組組長。 11 月 14 日，就任文獻委員會編纂組組長。
1953 年	47 歲	2 月 8 日，臺南縣第二屆縣議會議員選舉，父親吳萱草落選。 3 月 29 日，臺南縣文獻委員會發行之《南瀛文獻》創刊號出版，吳新榮的作品有〈郁永河時代的臺南縣〉、〈南瀛風舊詩題拾提〉、〈珮琅山房詩集〉、〈採訪記（第一期）〉。 9 月 20 日，《南瀛文獻》第一卷第二期出版，吳新榮作品有：〈南部臺灣的聚落型態（上）〉、〈採訪記（第二期）〉。 12 月 30 日，《南瀛文獻》第一卷第三、四期合刊出版，吳新榮作品有：〈南部臺灣的聚落型態（下）〉、〈採訪記（第三期）〉及補白〈（童謠）姨仔姑〉、〈南縣方物舊詩〉。
1954 年	48 歲	1 月 30 日，臺南縣文獻委員會第一屆各鄉鎮採集站員座談會。代主任委員高文瑞為主席，報告開會意義及該會工作進度。 9 月 20 日，《南瀛文獻》第二卷第一、二期合刊出版，吳新榮作品有：〈番子田出土的石球〉、〈關廟庄的扁平後頭〉、〈臺南縣地名沿革總論〉、〈蔗器之村〉（譯金關丈夫所撰）、〈漚汪地誌考〉、〈青峰闕與青鯤身〉、〈採訪記（第四期）〉，屬名林榮樑譯的有〈臺南附近土地的隆起擊沉降〉、〈烏山嶺和大凍山〉、〈臺南縣左鎮的化石類〉、〈臺南地方的石器時代遺跡〉。 10 月 9 日，因李鹿案牽連，被捕入獄。
1955 年	49 歲	2 月 24 日，獲釋。 3 月 3 日，赴臺南文獻委員會。 4 月 11 日，接獲臺南縣政府復職令。 4 月 13 日，至臺南文獻委員會報到。 6 月 2 日，編輯「南縣文物集錦」。 6 月 3 日，編輯「南瀛詩叢」。 6 月 25 日，《南瀛文獻》第二卷三、四期合刊出版，吳新榮作品有：〈鯤身廟誌〉、〈臺南縣寺廟神雜考〉、〈北投阿立祖新居落成〉、〈新港社的荷蘭教堂圖〉、〈採訪（第五期）〉、〈南部農村俚諺集（一）〉署名與林永樑、徐清吉、陳日三合撰、〈南縣古碑零拾（一）〉署名與石暘睢、朱峰、盧嘉興合撰。 8 月 29 日，撰「臺南縣文化名人錄」。 9 月 17 日，撰〈紅柿集序〉。

		12 月 25 日，《南瀛文獻》第三卷一、二期合刊出版，吳新榮作品有：〈本縣語言系統及平埔族系統〉、〈清代本縣名宦列傳〉、〈「青峰闕」再考〉、〈斯庵詩集跋〉、〈南部農村俚諺集（二）〉、〈南縣古碑零拾（二）〉。
1956 年	50 歲	1 月 7 日，出席省立北門中學家長代表大會，被推為委員會主任常務委員。 4 月 28 日，赴宜蘭縣議會出席本年度春季全省文獻工作研討會。 6 月 30 日，《南瀛文獻》第三卷一、二期合刊出版，吳新榮作品有：〈採訪記（第六期）〉、〈顏思齊與洲仔尾〉、〈本縣出土的石劍〉。 11 月 3 日，至桃園縣議會參加全省文獻工作研討會。 12 月 31 日，《南瀛文獻》第四卷上期出版，吳新榮作品有：〈採訪記（第七期）〉、〈童謠兩題〉。
1957 年	51 歲	4 月 7 日，與陳天賜籌備吳三連競選第三屆臨時省議會議員辦事處，職居副幕僚長。 8 月 20 日，《臺南縣志稿卷五經濟志》出版。 8 月 30 日，《臺南縣志稿卷九雜志》出版。 9 月 10 日，《臺南縣志稿卷七教育志》出版。 9 月 20 日，《臺南縣志稿卷首》與《臺南縣志稿卷三政制志上冊》出版。 9 月 30 日，《臺南縣志稿卷四政制志下冊》、《臺南縣志稿卷六文化志》出版。
1958 年	52 歲	2 月 18 日，撰成「瑯琅山房隨筆（四）」。 5 月 9 日，撰成「瑯琅山房隨筆（五）」、〈臺南縣志古碑志補遺〉、〈南縣石敢當補遺〉。 6 月 18 日，《南瀛文獻》第四卷下期出版，吳新榮作品有：〈臺南縣志稿纂修後記〉、〈霧社出草歌〉、〈南部農村俚諺補遺〉。 8 月 9 日，長子吳南星結婚。 12 月 7 日，參加縣醫師公會新舊任理監事聯席會議，受聘為顧問。
1959 年	53 歲	2 月 22 日，長女朱里結婚。 《南瀛文獻》第五卷合刊出版，吳新榮作品有：〈採訪記（第九期）〉、〈南部農村俚諺補遺（二）〉。 4 月 28 日，《瑯琅山房隨筆集》校畢，改名《震瀛隨想錄》。 12 月 20 日，《南瀛文獻》第六卷合刊出版，吳新榮作品有：〈採訪記（第十期）〉、〈南部農村俚諺補遺（三）〉。
1960 年	54 歲	1 月 30 日，《臺南縣志稿三之二政制志中冊》出版。 3 月 31 日，《臺南縣志稿卷八人物志》出版。 4 月 17 日，父親吳萱草逝世。 5 月 31 日，《臺南縣志稿卷一自然志》上冊出版。 6 月 30 日，《臺南縣志稿卷一自然志》下冊及《臺南縣志稿卷十附錄》出版。
1961 年	55 歲	2 月 25 日，參加北門區醫師公會會員大會，被預訂為分會主任、公會理事、省會代表。 12 月 25 日，《南瀛文獻》第七卷合刊出版，吳新榮作品有：〈採訪記（第十一期）〉、〈南部農村俚諺補遺（四）〉。

1962 年	56 歲	10 月 14 日，佳里詩社同仁及地方人士討論詩社擴大組織，吳新榮被推為理事，決定仍稱「佳里詩社」，任理事兼社長。 12 月 14 日，赴苗栗參加年度全省文獻工作研討會。 12 月 25 日，《南瀛文獻》第八卷合刊出版，吳新榮作品有：〈國聖港地名小考〉、〈南瀛詩歌選集（十三）〉、〈弔林春水先生〉、〈採訪記（第十二期）〉、〈南部農村俚諺補遺（五）〉。
1963 年	57 歲	1 月 1 日，鯤瀛詩社於小雅園開擊缽吟會。 3 月 19 日，編成《佳里鎮金唐殿善行寺沿革志》。 4 月 13 日，研議組陳華宗競選議員之助選機構，被推為該競選總部負責人。 10 月 25 日，以南瀛詩社為主體的年度秋季聯吟大會，擔任副會長。 12 月 24 日，計畫寫《震瀛回憶錄》。
1964 年	58 歲	3 月 6 日，佳里地方首長等十餘人集於小雅園，商議縣長候選人劉博文助選事宜。被推舉為本地負責人之一。 3 月 8 日，被推為縣長競選助選團主任。 6 月 30 日，《南瀛文獻》第九卷合刊出版，吳新榮作品有：〈南瀛詩歌選集（十四）〉、〈採訪記（第十三期）〉、〈南部農村俚諺補遺（六）〉。
1965 年	59 歲	4 月 23 日，文獻委員會開會，決議將《臺南縣志稿》送審。 6 月 30 日，《南瀛文獻》第十卷合刊出版，吳新榮作品有：〈南瀛詩歌選集（十四）〉、〈採訪記（第十四期）〉、〈南部農村俚諺補遺（七）〉。 7 月 24 日，三子南圖結婚。
1966 年	60 歲	1 月，開始編印《震瀛隨想錄》。 4 月 15 日，《南瀛文獻》第十一卷合刊出版，吳新榮作品有：〈南瀛詩歌選集（十五）〉、〈採訪記（第十四期）〉、〈南部農村俚諺補遺（八）〉。 11 月 12 日，六十歲生日。
1967 年	61 歲	1 月 29 日，母親八九壽誕。 2 月 19 日，參加省醫師公會第十屆代表大會，當選為監事。 3 月 27 日，因心疾猝發病逝於臺北。

參考資料：吳新榮著，張良澤編，《吳新榮日記全集 8～10》，臺北：國立臺灣文學館，2008；施懿琳，《吳新榮傳》，南投：國史館臺灣文獻館，1999；林慧姃，《吳新榮研究》，臺南：臺南縣政府，2005。

徵引書目

一、一般史料

官方文書

1. 《臺灣省政府公報》，1947～1955 年。
2. 二二八事件處理委員會，〈二二八處委會告全國同胞書〉，轉引自陳翠蓮，《派系鬥爭與權謀政治——二二八事件另一個面相》，臺北：時報文化，1995，頁 456。
3. 二二八事件處理委員會，〈處委會闡明事件真相中外廣播及三十二條處理大綱附加十條要求〉，轉引自陳翠蓮，《派系鬥爭與權謀政治——二二八事件另一個面相》，頁 457～463。
4. 陳儀，〈臺灣省施政總報告〉，收於陳鳴鐘、陳興唐編，《臺灣光復和臺灣光復後五年省情》，南京：南京出版社，1989，頁 228～229。
5. 臺灣省議會史料總庫，1945～1955 年議會諮詢紀錄。
6. 許雪姬主編，《保密局臺灣站二二八史料彙編（二）》，臺北：中研院臺史所，2016。
7. 董翔飛，《中華民國選舉概況（下）》，臺北：中央選舉委員會，1984。

報刊

1. 《聯合報》，1950～1955 年。
2. 《臺灣民聲日報》，1946～1955 年。
3. 《民報》，1945～1947 年。
4. 《臺灣新生報》，1946～1955 年。

日記

1. 吳新榮著，張良澤編，《吳新榮日記全集 8——1945～1947》，臺北：國立臺灣文學館，2008。

2. 吳新榮著，張良澤編，《吳新榮日記全集 9——1948～1953》，臺北：國立臺灣文學館，2008。

3. 吳新榮著，張良澤編，《吳新榮日記全集 10——1955～1961》，臺北：國立臺灣文學館，2008。

4. 呂芳上主編，《蔣中正先生年譜長編（第九冊）》，臺北：國史館，2015。

5. 林獻堂著，許雪姬編，《灌園先生日記（十七）一九四五年》，臺北：中研院近史所、臺史所，2010。

6. 林獻堂著，許雪姬編，《灌園先生日記（十八）一九四六年》，臺北：中研院近史所、臺史所，2010。

7. 林獻堂著，許雪姬編，《灌園先生日記（十九）一九四七年》，臺北：中研院近史所、臺史所，2011。

8. 林獻堂著，許雪姬編，《灌園先生日記（二十）一九四八年》，臺北：中研院近史所、臺史所，2011。

9. 林獻堂著，許雪姬編，《灌園先生日記（二一）一九四九年》，臺北：中研院近史所、臺史所，2011。

10. 林獻堂著，許雪姬編，《灌園先生日記（二二）一九五○年》，臺北：中研院近史所、臺史所，2012。

11. 林獻堂著，許雪姬編，《灌園先生日記（二三）一九五一年》，臺北：中研院近史所、臺史所，2012。

12. 林獻堂著，許雪姬編，《灌園先生日記（二四）一九五二年》，臺北：中研院近史所、臺史所，2012。

13. 林獻堂著，許雪姬編，《灌園先生日記（二五）一九五三年》，臺北：中研院近史所、臺史所，2013。

14. 林獻堂著，許雪姬編，《灌園先生日記（二六）一九五四年》，臺北：中研院近史所、臺史所，2013。

15. 林獻堂著，許雪姬編，《灌園先生日記（二七）一九五五年》，臺北：中研院近史所、臺史所，2013。

16. 楊基振著，黃英哲、許時嘉編，《楊基振日記附書簡·詩文（上）》，臺北：國史館，2007。

17. 楊基振著，黃英哲、許時嘉編，《楊基振日記附書簡·詩文（下）》，臺北：國史館，2007。

18. 葉榮鐘，《葉榮鐘日記（上）》，臺中：晨星，2002。

19. 雷震,《雷震全集（39）第一個十年（七）雷震日記》,臺北：桂冠圖書,
1990。

20. 雷震,《雷震全集（40）第一個十年（八）（雷震日記）》,臺北：桂冠,
1990。

回憶錄

1. 朱昭陽口述、吳君瑩記述、林忠勝撰述,〈朱昭陽回憶錄〉,臺北：前衛,
1994。

2. 吳新榮,《震瀛回憶錄》,臺北：前衛,1989。

3. 楊基振,〈楊基振自傳〉,收於楊基振著、黃英哲、許時嘉編,《楊基振日
記附書簡・詩文（下）》,頁716～718,臺北：國史館,2007。

4. 楊肇嘉,《楊肇嘉回憶錄》,臺北：三民,2004。

詩文集

1. 吳新榮,《琑琅山房隨筆》,臺北：遠景,1981。

2. 吳新榮,《震瀛隨想錄》,臺南：琑琅山房,1966。

3. 吳新榮著、張良澤、葉笛譯,《吳新榮選集》,臺南：臺南縣立文化中心,
2001。

4. 林獻堂先生紀念集編纂委員會編,《林獻堂先生紀念集：遺著、詩集》,
臺北：海峽學術出版社,2005。

5. 張良澤主編,《震瀛採訪記》,臺北：遠景,1981。

6. 張漢裕主編,《蔡培火全集（四）政治關係——戰後》,臺北：吳三連史
料基金會,2000。

7. 葉榮鐘,《少奇吟草》,臺北：晨星,2001。

口述歷史

1. 〈林博正先生訪問紀錄〉,收於許雪姬著,《霧峰林家相關人物訪談紀錄
（頂厝篇）》,臺中：臺中縣文化中心,1998,頁103～116。

2. 〈林瑞池先生訪問紀錄〉,收於許雪姬著,《霧峰林相關人物訪談紀錄（頂
厝篇）》,臺中：臺中縣立文化中心,1998,頁167～177。

3. 王世慶,〈黃旺成先生訪問紀錄〉,收於黃富三、陳俐甫編,《近代臺灣口
述歷史》,臺北：林本源基金會,1991,頁71～144。

4. 林宗義口述、胡慧玲記錄,〈我的父親林茂生〉,收於胡慧玲,《島嶼愛
戀》,臺北：玉山,1995,頁7～22。

5. 張炎憲、張啓明、陳鳳華,〈六然居的世界——媳婦心中的肇嘉先生〉,
《臺灣史料研究》第20期,2003年3月,頁178～201。

6. 黃繼文口述，張炎憲、許明薰、張啓明、陳鳳華訪問，〈父親黃旺成的追憶〉，《竹塹文獻》第 10 期，1990 年 1 月，頁 41～57。

二、專書

1. Philip A Kuhn 著，謝亮生、楊品泉、謝思煒譯，《中華帝國晚期的叛亂及其敵人》，北京：中國社會科學出版社，1990。

2. 王振勳，《林獻堂的社會思想與社會活動新論》，臺北：稻田，2009。

3. 史明，《臺灣人四百年史（漢文版）》，San Jose：蓬島文化，1980。

4. 李力庸，《日治時期臺中地區的農會與米作（一九〇二～一九四五）》，臺北：稻鄉，2004。

5. 李毓嵐，《世變與時變——日治時期臺灣傳統文人的肆應》，臺北：臺師大歷史學系，2010。

6. 李筱峯，《臺灣戰後初期的民意代表》，臺北：自立晚報，1993。

7. 李筱峰，《林茂生、陳炘與他們的時代》，臺北：玉山，1996。

8. 李潼，《臺灣民族運動宣導者：林獻堂傳》，臺中：臺灣省文獻委員會，1978。

9. 周明，《楊肇嘉傳》，臺北：臺灣省文獻會，2000。

10. 周湘華，《遺忘的危機——第一次臺海危機的真相》，臺北：威秀，2008。

11. 林慧姃，《吳新榮研究》，臺南：臺南縣政府，2005。

12. 阿部賢介，《關鍵的七十一天：二次大戰結束前後的臺灣社會與臺灣人之動向》，臺北：國史館，2013。

13. 施懿琳，《吳新榮傳》，南投：國史館臺灣文獻館，1999。

14. 張仲禮著，《中國紳士研究》，上海：上海人民出版社，2008。

15. 張振昌，《林獻堂與臺灣民族運動》，臺北：益群書店，1981。

16. 張淑雅《韓戰救臺灣？解讀美國對臺政策》，臺北：衛城，2011。

17. 許介鱗，《戰後臺灣史記》，臺北：文英堂，2008。

18. 郭廷以，《近代中國史綱》，香港：中文大學，1980。

19. 陳佳宏，《鳳去臺空江自流——從殖民到戒嚴的臺灣主體性研究》，臺北：博揚文化，2010。

20. 陳佳宏，《臺灣獨立運動史》，臺北：玉山，2006，頁 102。

21. 陳芳明，《謝雪紅評傳》，臺北：前衛，2000。

22. 陳翠蓮，《百年追求：臺灣民主運動的故事》，新北：衛城出版，2013。

23. 陳翠蓮，《派系鬥爭與權謀政治——二二八悲劇中的另一面相》，臺北：時報文化，1995。

24. 陳翠蓮,《臺灣人的抵抗與認同一九二○～一九五○》,臺北:遠流,2008。

25. 黃富三,《林獻堂傳》,南投:臺灣文獻館,2004。

26. 楊逸舟,《受難者》,臺北:前衛,1990。

27. 涂叔君,《南瀛二二八誌》,臺南:臺南縣文化局,2001。

28. 葉榮鐘,《臺灣人物群像》,臺中:晨星,2000。

29. 趙文山,《臺灣「三七五」地租運動的透視》,臺北市:自由出版,1949。

30. 賴澤涵總主筆,《「二二八事件」研究報告》,臺北:時報文化,1994。

31. 謝國興,《陳逢源:亦儒亦商亦風流(1893～1982)》,臺北:允晨,2002。

32. 戴國煇、葉云云著,《愛憎二二八》,臺北,遠流,2002。

33. Chang Chung-Li. *The Chinese Gentry: Studies on Their Role in Nineteenth Century*, Seattle: University of Washington Press, 1967.

34. Tzeng, Shih-jung.*From Honto Jin to Bensheng Ren- the Origin and Development of the Taiwanese National Consciousness*, Lanham, Maryland: University Press of America, 2009 .

三、期刊論文

1. 王文隆,〈國際參與的調整〉,收於呂芳上主編,《戰後初期的臺灣》,臺北:國史館,2015,頁403～446。

2. 王世慶,〈參與光復後臺灣地區修志之回顧及對重修省志之管見〉,《臺灣文獻》第35卷第1期,1984年03月,頁1～18。

3. 王振勳,〈林獻堂的土地經營與業佃關係研究〉,《止善》第 4 期,2008年6月,頁49～70。

4. 王振勳,〈林獻堂的性格與人格之研究〉,《朝陽人文社會學刊》第5卷第2期,2007年12月,頁27～58。

5. 何義麟,〈危邦不入,亂邦不居——事變中林獻堂先生之參政與退隱〉,《臺灣文獻》第50卷第4期,1999年12月,頁94～99。

6. 何鳳嬌,〈戰後初期的土地接收與公地放租〉,收於呂芳上主編,《戰後初期的臺灣》,臺北:國史館,2015,頁323～362。

7. 何鳳嬌,〈戰後初期臺灣收購大戶餘糧問題——以《灌園先生日記》為中心的討論〉收於許雪姬編,《日記與臺灣史研究:林獻堂先生逝世50周年紀念論文集(下)》,臺北:中研院臺史所,2008,頁509～572。

8. 何輝慶,〈臺灣金融先驅陳炘在二二八受難的旁證——郵政封函的歷史印證效果〉,《中國郵刊》第80期,2005年8月,頁153～161。

9. 呂芳上,〈戰後初期臺灣的政治發展〉,收於呂芳上主編,《戰後初期的臺灣1945～1960s》,臺北:國史館,2015,頁253～284。

10. 李東華，〈論陸志鴻治校風格與臺大文學院（1946.8～1948.5）〉，《臺大歷史學報》第 36 期，2005 年 12 月，頁 267～315。

11. 李東華，〈光復初期（1945～50）的民族情感與省籍衝突——從臺灣大學的接收改制做觀察〉《臺大文史哲學報》第 65 期，2006 年 11 月，頁 183～221。

12. 李毓嵐，〈《林紀堂日記》與〈林癡仙日記〉的史料價值〉收於許雪姬編，《日記與臺灣史研究：林獻堂先生逝世 50 周年紀念論文集（上）》，臺北：中研院臺史所，2008，頁 37～88。

13. 李毓嵐，〈日治時代傳統文人的女性觀〉，《臺灣史研究》第 16 卷第 1 期，2009 年 03 月，頁 87～129。

14. 李毓嵐，〈日治時代臺灣傳統詩人的休閒娛樂——以櫟社詩人爲例〉，《臺灣學研究》第 7 期，2009 年 06 月，頁 51～76。

15. 李毓嵐，〈林獻堂生活中的女性〉，《興大歷史學報》第 24 期，2012 年 06 月，頁 59～98。

16. 李毓嵐，〈林獻堂與婦女教育——以霧峰一新會爲例〉，《臺灣學研究》第 13 期，2012 年 06 月，頁 93～126。

17. 李毓嵐，〈陳懷澄的街長公務職責與文人生活：以〈陳懷澄日記〉爲論述中心（1920～1932）〉，《臺灣史研究》第 23 卷第 1 期，2016 年 3 月，頁 75～120。

18. 周婉窈，〈「進步由教育　幸福公家造」——林獻堂與霧峰一新會〉，《臺灣風物》第 56 卷第 4 期，2006 年 12 月，頁 39～89。

19. 周婉窈，〈思鄉何不歸故里——林獻堂先生的晚年心境試探〉，收於周婉窈，《日據時代的臺灣議會設置請願運動》，臺北，自立報系文化，1989。

20. 林丁國，〈林獻堂遊臺灣——從《灌園先生日記》看日治時期島內旅遊〉，《運動文化研究》第 17 期，2011 年 06 月，頁 57～111。

21. 林秀蓉，〈醫人、醫國的文學作家——吳新榮〉，《南瀛文獻》第 1 輯，2002 年 01 月，頁 268～273。

22. 林宗義，〈林茂生與二二八〉，收於陳明芳編，《二二八事件學術論文集》，臺北：前衛，1989。

23. 林衡哲，〈臺灣醫師對臺灣文化、文學的貢獻〉，《臺灣文學評論》第 9 卷第 1 期，2009 年 01 月，頁 181～196。

24. 林偉盛，〈由〈楊基振日記〉看他的從政與交友（1957～1960）〉，《臺灣風物》第 63 卷第 1 期，2013 年 03 月，頁 61～103。

25. 河原功著，高板嘉玲譯，〈探求吳新榮的左翼思想——談〈吳新榮舊藏雜誌拔粹集〉與《吳新榮日記全集》〉，《臺灣文學評論》第 9 卷第 3 期，2009 年 07 月，頁 160～164。

26. 邱坤良，〈林獻堂看戲——《灌園先生日記》的劇場史觀察〉，《戲劇學刊》第 16 期，2012 年 7 月，頁 7～35。

27. 侯坤宏，〈戰後臺灣白色恐怖論析〉，《國史館學術集刊》第 12 期，2007 年 06 月，頁 145～148。

28. 施懿琳，〈吳新榮「琅山房隨筆」初探〉，《國立中正大學學報》第 8 卷第 1 期，1997 年 12 月，頁 49～81。

29. 洪可均，〈《楊肇嘉回憶錄》中的虛與實——國家、民族與家庭情感的纏結〉，《臺灣史料研究》第 41 期，2013 年 6 月，頁 39～65。

30. 洪可均，〈日本與中國——蔡培火的「母國」與「祖國」〉，《成大史粹》第 23 期，2012 年 12 月，頁 77～107。

31. 洪可均，〈跨時代臺籍菁英的抉擇與困境——蔡培火的政治參與〉，《中華行政學報》第 6 期，2009 年 6 月，頁 187～196。

32. 莊勝全，〈紅塵中有閒日月：1920 年代黃旺成的社會觀察、政治參與及思想資源〉，《臺灣史研究》第 23 卷第 2 期，2016 年 06 月，頁 111～164。

33. 徐世榮，〈耕地三七五減租政策的過去與未來〉，行政院國家科學委員會專題研究計畫成果報告，計畫編號：NSC 98-2410-H-004-147，2010。

34. 張秀嬌，〈〈誰能料想三月會做洪水〉的療傷書寫與《洪水集》研究〉，《文史臺灣學報》第 7 期，2013 年 12 月，頁 69～100。

35. 張炎憲，〈林獻堂對民族運動的貢獻〉，《臺灣文獻》第 50 卷第 4 期，1999 年 12 月，頁 86～90。

36. 張炎憲，〈黃旺成的轉折——從社會參與到纂寫歷史〉，《竹塹文獻》第 10 期，1999 年 1 月，頁 6～28。

37. 張淑雅，〈安理會停火案：美國應付第一次臺海危機策略之一〉，《近代史研究所集刊》第 22 期，1993 年 06 月，頁 61～106。

38. 張德南，〈黃旺成先生大事記要〉，《竹塹文獻》第 10 期，1999 年 1 月，頁 68～72。

39. 張德南，〈黃旺成——從教師到記者的轉折〉，《竹塹文獻》第 10 期，1999 年 1 月，頁 58～67。

40. 許雪姬，〈「臺灣光復致敬團」的任務及其影響〉，《臺灣史研究》第 18 卷第 2 期，2011 年 06 月，頁 97～145。

41. 許雪姬，〈二二八事件中的林獻堂〉，收於《20 世紀臺灣歷史與人物——第六屆中華民國史專題論文集》，臺北：國史館，2002，頁 989～1061。

42. 許雪姬，〈反抗與屈從——林獻堂府評議員的任命與辭任〉，《國立政治大學歷史學報》第 19 期，2002 年 05 月，頁 259～296。

43. 許雪姬，〈在上海的楊肇嘉及其所涉入的「戰犯」案〉，《興大歷史學報》第 30 期，2016 年 6 月，頁 81～116。

44. 許雪姬，〈林獻堂《環球遊記》與嚴國年《最近歐美旅行記》的比較〉，《臺灣文獻》第 62 卷第 4 期，2011 年 12 月，頁 161～219。

45. 許雪姬，〈林獻堂著「環球遊記」研究〉，《臺灣文獻》第 49 卷第 2 期，1998 年 06 月，頁 1～33。

46. 許雪姬，〈林獻堂與櫟社〉，《兩岸發展史研究》第 2 期，2006 年 12 月，頁 27～65。

47. 許雪姬，〈皇民奉公會研究——以林獻堂的參與爲例〉，《中央研究院近代史研究所集刊》第 31 期，1999 年 06 月，頁 167～211。

48. 許雪姬，〈臺灣日記研究的回顧與展望〉，《臺灣史研究》第 22 卷第 1 期，2015 年 3 月，頁 153～184。

49. 許雪姬，〈臺灣史上一九四五年八月十五日前後——日記如是說「終戰」〉，《臺灣文學學報》第 13 期，2008 年 12 月，頁 151～178。

50. 許雪姬，〈臺灣光復初期民變：以嘉義三二事件爲例〉，收於賴澤涵主編，《臺灣光復初期歷史》，臺北：中研院人文社科所，1993，頁 173～183。

51. 許献平，〈鹽分地帶新文學拓荒者〉，《南瀛文獻》第 4 輯，2005 年 09 月，頁 146～173。

52. 陳世榮，〈國家與地方社會的互動：近代社會菁英的研究典範與未來研究的趨勢〉，《近代史研究所集刊》第 54 期，2006 年 12 月，頁 129～168。

53. 陳慕眞，〈語言主張與民族認同——蔡培火戰前戰後之探討〉，《淡水牛津臺灣文學研究集刊》第 7 期，2004 年 12 月，頁 87～100。

54. 陳文松，〈日記所見日治時期臺灣人的「打麻雀」——以吳新榮等人的經驗爲中心〉，《成大歷史學報》第 45 期，2013 年 12 月，頁 129～176。

55. 陳文松，〈從躲空襲到避政治：日治後期到戰後初期吳新榮的圍棋戲〉，《臺灣史研究》第 23 卷第 1 期，2016 年 3 月，頁 121～154。

56. 陳明通，〈派系政治與陳儀治臺論〉，收於賴澤涵主編，《臺灣光復初期歷史》，臺北：中研院人文社科所，1993，頁 224～225。

57. 陳思，〈林獻堂的眼中國民黨與臺灣——以《灌園先生日記》資料爲中心〉，《臺灣研究集刊》，2014 年第 1 期，2014 年 04 月，頁 49～57。

58. 陳祈伍，〈挫傷的心靈——吳新榮戰爭時期的思想與文學〉，《南榮學報》復刊 7 期，2003 年 11 月，頁 157～191。

59. 陳祈伍，〈新榮新詩探析——以「臺灣文藝」、「臺灣新文學」之詩爲例〉，《南榮學報》復刊 5 期，2001 年 08 月，頁 221～244。

60. 陳萬益，〈臺灣報業史上的一等評論——論黃旺成的「冷言」「熱語」〉，《竹塹文獻》第 10 期，1999 年 1 月，頁 29～40。。

61. 陳翠蓮，〈去殖民與再殖民的對抗：以 1946 年「臺人奴化」論戰爲焦點〉，《臺灣史料研究》第 9 卷第 2 期，2002 年 12 月，頁 145～201。

62. 戚嘉林，〈林茂生之死——解構臺獨史觀下的二二八〉，《海峽評論》第219 期，2009 年 03 月，頁 58～62。

63. 黃文元，〈雙新記——論蘇新與吳新榮的「抵抗之道」〉，《臺灣史料研究》第 36 期，2010 年 12 月，頁 73～94。

64. 黃秀政、蕭明治，〈二二八事件的善後與賠償——以「延平學院復校」為例〉，《興大歷史學報》第 20 期，2008 年 8 月，頁 135～150。

65. 黃英哲，〈楊基振日記的史料價值〉，收於許雪姬編，《日記與臺灣史研究：林獻堂先生逝世 50 周年紀念論文集（上）》，臺北：中研院臺史所，2008，頁 89～122。

66. 黃富三，〈林獻堂與三次戰爭的衝擊：乙未之役、第二次世界大戰、國共戰爭〉，《臺灣文獻》第 57 卷第 1 期，2006 年 03 月，頁 1～42。

67. 黃富三，〈戰後初期在日臺灣人的政治活動——林獻堂與廖文毅之比較〉，〈財団法人交流協会日臺交流センター歴史研究者交流事業報告書〉，東京：財団法人交流協会，2005，頁 1～39。

68. 廖振富，〈林獻堂詩與近代臺灣〉，《竹塹文獻》第 13 期，1999 年 11 月，頁 124～138。

69. 廖振富，〈欲吐哀音只賦詩——戰後的林獻堂詩〉，《臺中商專學報》第 28 期，1996 年 06 月，頁 99～117。

70. 廖振富，〈與「二二八事件」相關之臺灣古典詩析論——以詩人作品集為討論範圍〉，《臺灣文學研究學報》第 1 期，2005 年 10 月，頁 109～168。

71. 歐素瑛，〈從二二八到白色恐怖——以李媽兜案為例〉，《臺灣史研究》第 15 卷第 2 期，2008 年 6 月，頁 135～172。

72. 劉志偉、柯志明，〈戰後糧政的建立與土地制度的轉型過程中的國家、地主與農民（1945～1953）〉，《臺灣史研究》第 9 卷第 1 期，2002 年 6 月，頁 107～180。

73. 鄭政誠，〈從《灌園先生日記》看林獻堂的讀書生活〉，《兩岸發展史研究》第 7 期，2009 年 06 月，頁 45～72。

74. 鄭梓，〈戰後臺灣的接收、復原與重建——從行政長官公署到臺灣省政府〉，收於呂芳上主編，《戰後初期的臺灣（1945～1960s）》，臺北：國史館，2015，頁 3～44。

75. 薛化元，〈一九五○、六○年代官方改革主張的探討〉，《政大歷史學報》第 21 期，2004 年 05 月，頁 235～258。

76. 顏清梅，《光復初期臺灣米荒問題初探》，收於賴澤涵主編，《臺灣光復初期歷史》，臺北：中研院中山人文社科所，1993，頁 79～106。

77. 蘇瑤崇，〈「終戰」到「光復」期間臺灣政治與社會變化〉，《國史館學術集刊》第 13 期，2009 年 9 月，頁 45～87。

78. 顧敏耀，〈臺灣古典詩與二二八事件——以林獻堂、曾今可及其步韻詩爲主要研究對象〉，收於楊振隆主編，《二二八事件 62 周年學術研討會：二二八歷史教育與傳承學術論文集》，臺北：財團法人二二八事件紀念基金會，2009，頁 169～228。

四、碩博士論文

1. 王秀珠，〈日治時期鹽分地帶詩作析論——以吳新榮、郭水潭、王登山爲主〉，高雄：高雄師範大學國文教學碩士班碩士論文，2004。

2. 王靖雯，〈論吳新榮的愛情觀與家庭觀——以《吳新榮日記全集》爲主〉，臺南：國立臺南大學臺文所碩士論文，2014。

3. 林秀蓉，〈日治時期臺灣醫事作家及其作品研究——以蔣渭水、賴和、吳新榮、王昶雄、詹冰爲主〉，高雄：高雄師範大學國文學系博士論文，2001。

4. 林佩蓉，〈抵抗的年代·交戰的思維——蔡培火的文化活動及其思想研究〉，臺南：國立成功大學臺文所碩士論文，2005。

5. 林佳燕，〈1950 年代臺灣土地改革的理想與現實——以省級議員之言論分析爲中心〉，臺北：國立臺北教育大學臺文所碩士論文，2014。

6. 吳沁昱，〈新竹市自治選舉與議會運作——以黃旺成政治參與爲中心（1935～1951）〉，臺北：臺北教育大學臺文所碩士論文，2011。

7. 張雅惠，〈日治時期的醫師與臺灣醫學人文——以蔣渭水、賴和、吳新榮爲例〉，臺北：臺北醫學院醫學研究所碩士論文，2001。

8. 陳世榮，〈近代豐原地區地方菁英影響力的形成與發揮〉，臺北：政治大學歷史研究所博士論文，2010。

9. 陳信行，〈日治時期臺灣知識分子國族認同之轉折——以林獻堂、葉榮鐘、陳逢源三人爲例〉，臺南：國立臺南大學臺文所碩專班碩士論文，2013。

10. 陳祈伍，〈激越與戰慄：臺南地區的文化發展——以龍瑛宗、葉石濤、吳新榮、莊松林爲例〉，臺北：文化大學史學系博士論文，2011。

11. 陳玟錚，〈蔡培火及其文化抗日運動〉，新竹：清華大學歷史所碩士論文，2006。

12. 黃美蓉，〈黃旺成與其政治參與〉，臺中：東海大學歷史系碩士論文，2008。

13. 楊淑君，〈時代創傷與世局觀照——林獻堂晚年旅日詩作及日記探微〉，臺中：國立中興大學臺文所碩專班碩士論文，2014。

14. 廖振富，〈櫟社三家詩研究——林癡仙、林幼春、林獻堂〉，臺北：國立臺灣師範大學國文系博士論文，1995。

15. 鄭雅黛，〈冷澈的熱情者——吳新榮及其作品研究〉，臺中：國立中興大學中文系碩士論文，1997。

16. 鄭鳳崔，〈黃純青及其詩作研究〉，臺北：東吳大學中國文學系碩士論文，2014，頁71。